Entdecken Sie Ihre Träume!

»Heute Nacht waren Sie viele Stunden lang der Held in einer Welt, die Sie selbst erschufen. Schlafen heißt nämlich, wie wir seit kurzem wissen, fast immer auch träumen. Mit Träumen verbringen Sie also mehr Zeit als mit jeder anderen Tätigkeit. Was aber sind Träume? Es ist Zeit, sich dem Phänomen aus einem neuen Blickwinkel zu nähern. Mit diesem Buch will ich zeigen, dass Träume nicht zufällig sind: Sie sind ein Schlüssel, um das Rätsel unseres Bewusstseins zu lösen. Sie verraten uns, wie unser Gehirn das hervorbringt, was wir als Realität empfinden. Unser Wissen über das Träumen hat sich in den letzten Jahren enorm erweitert. Die Vorstellung, man könne Ihre Träume, während Sie schlafen, direkt aus Ihrem Gehirn auslesen, würden Sie vermutlich als Science-Fiction abtun. Sie ist aber schon Wirklichkeit. Und riesige Traumdatenbanken geben Aufschluss darüber, wie sich unser Leben im Traum spiegelt – und wie wir im Schlaf die Zukunft bewältigen lernen. Die Auseinandersetzung mit unseren Träumen hilft uns nicht nur, uns selbst besser zu verstehen: Sie lässt uns auch eine weitgehend unbekannte Seite unseres Daseins entdecken. Wäre es nicht schade, wenn Sie ein Drittel Ihrer Lebenszeit verpassen?« *Stefan Klein*

»Stefan Klein schreibt wie kaum ein deutscher Wissenschaftsautor: einladend locker, aber nie seicht.« *Denis Scheck, ARD*

Stefan Klein, geboren 1965 in München, ist der erfolgreichste Wissenschaftsautor deutscher Sprache. Er studierte Physik und analytische Philosophie in München, Grenoble und Freiburg und forschte auf dem Gebiet der theoretischen Biophysik. Er wandte sich dem Schreiben zu, weil er »die Menschen begeistern wollte für eine Wirklichkeit, die aufregender ist als jeder Krimi«. Sein Buch ›Die Glücksformel‹ (2002) stand über ein Jahr auf allen deutschen Bestsellerlisten und machte den Autor auch international bekannt. In den folgenden Jahren erschienen die hoch gelobten Bestseller ›Alles Zufall‹, ›Zeit‹, ›Da Vincis Vermächtnis‹ und ›Der Sinn des Gebens‹, das Wissenschaftsbuch des Jahres 2011 wurde. Seine bekannten Wissenschaftsgespräche erschienen unter dem Titel ›Wir sind alle Sternenstaub‹ und ›Wir könnten unsterblich sein‹. Stefan Klein lebt als freier Schriftsteller in Berlin.

Weitere Informationen finden Sie auf www.fischerverlage.de

Stefan Klein

TRÄUME

Eine Reise in unsere
innere Wirklichkeit

FISCHER Taschenbuch

Erschienen bei FISCHER Taschenbuch
Frankfurt am Main, Mai 2016

© 2014 S. Fischer Verlag GmbH, Hedderichstr. 114,
D-60596 Frankfurt am Main
Druck und Bindung: CPI books GmbH, Leck
Printed in Germany
ISBN 978-3-596-18801-7

Für Alexandra

Inhaltsverzeichnis

Warum sieht das Auge
im Traum klarer
als die Vorstellung wachend?

Leonardo da Vinci

Einleitung

Ein neues Verständnis unserer Träume

Erinnern Sie sich? Vielleicht sind Sie durch die Straße geschwebt, in der Sie als Kind spielten. Oder Sie versuchten verzweifelt, einen Zug zu erreichen, doch immer neue Zwischenfälle hielten Sie auf. Möglicherweise sind Sie beim Schwimmen im Pool einem Eisbären begegnet.

Nein? Zweifellos hatten Sie in der vergangenen Nacht Erlebnisse solcher oder ähnlicher Art. Denn Sie haben geträumt. Und diese Szenen waren nicht bloß ein kurzes Zwischenspiel in einem sonst ruhigen Schlaf. Vielmehr waren Sie viele Stunden lang der Held in einer Welt, die Sie selbst erschufen. Schlafen heißt nämlich, wie wir seit kurzem wissen, fast immer auch träumen. Und da Schlaf gut ein Drittel Ihres Lebens ausfüllt, bedeutet das: Mit Träumen bringen Sie mehr Zeit zu als mit jeder anderen Tätigkeit.

Viele Ihrer nächtlichen Freuden, Schrecken und Kämpfe mögen Ihnen entfallen sein. Den meisten Menschen bleiben ihre Träume nur gelegentlich im Gedächtnis. Möglicherweise gehören Sie auch zu den Personen, die fast nie zu träumen glauben. Wenn Sie aber häufiger im Bewusstsein merkwürdiger Erlebnisse erwachen, dann wissen Sie, wie unvollständig Ihre Erinnerung daran ist. Sie bekommen nur ein paar Fetzen Ihrer

Träume zu fassen. Doch Sie spüren, dass da viel mehr gewesen sein muss – als wären Sie nachts tief in einen fremden Kontinent eingedrungen, von dem Sie tagsüber nur einen Küstenstrich sehen. Dieser Kontinent ist Ihre Psyche.

Was also sind Träume? Sigmund Freud hat sie den Königsweg zum Unbewussten genannt. Er deutete sie als einen Ausdruck von geheimen Wünschen und Kindheitserlebnissen. Doch seit Freud sein bahnbrechendes Werk »Die Traumdeutung« veröffentlicht hat, ist mehr als ein Jahrhundert vergangen. Heute kennen wir Aspekte des nächtlichen Erlebens, zu denen Freud noch keinen Zugang hatte. So ist es an der Zeit, sich dem Phänomen Träume aus einem neuen Blickwinkel zu nähern. Mit diesem Buch will ich zeigen, dass Träume weit mehr als nur der Ausdruck unbewusster Sehnsüchte sind: Sie sind ein Schlüssel, um das Rätsel unseres Bewusstseins zu lösen. Sie lassen uns erkennen, wie unser Gehirn das hervorbringt, was wir als Realität empfinden.

Unser in den letzten Jahren enorm erweitertes Wissen über das Träumen verdanken wir zum einen neuen Methoden der Hirnforschung. Sie erlauben es beispielsweise, die Aktivität der Neuronen im Schlaf mit einer nie dagewesenen Genauigkeit zu vermessen. Die Vorstellung, man könne Ihre Träume, während Sie schlafen, direkt aus Ihrem Gehirn auslesen, würden Sie vermutlich als Science-Fiction abtun. Sie ist aber schon Wirklichkeit. Denn die Signale, die ein Scanner aus dem Kopf eines Schlafenden aufnimmt, verraten, was er gerade erlebt. Sie zeigen mit gewissen Einschränkungen sogar, welche Bilder er sieht.

Zum anderen trugen Wissenschaftler über Jahrzehnte hinweg systematisch Traumberichte zusammen. Früher wurden Träume nur vereinzelt, anekdotisch erzählt. Heute verfügen wir über riesige Traumdatenbanken; zehntausende Protokolle lassen sich vergleichen und analysieren. Sie geben zum Beispiel Aufschluss darüber, wie sich die Erfahrungen des Tages, die Lebensumstände und die Persönlichkeit im Traum spiegeln.

Träume verweisen aber nicht nur auf die Vergangenheit. Eine der überraschenden neuen Einsichten ist, dass Träume uns helfen, die Zukunft zu bewältigen. Während wir träumen, erweitern sich nämlich unsere Fähigkeiten, verändert sich das Gehirn. Wir lernen buchstäblich im Schlaf. Unsere Persönlichkeit entwickelt sich nachts weiter. Und deshalb zeigen uns Träume nicht nur, wer wir sind – sondern auch, wer wir sein können.

Die Beschäftigung mit Träumen und ihre Erforschung haben eine lange Geschichte. Von den antiken Orakeln bis hin zu Freud haben die Menschen drei große Fragen zu beantworten versucht:

– Warum träume ich?
– Was sagen meine Träume über mich?
– Wie können Träume mir weiterhelfen?

Auf den folgenden Seiten werde ich mich bemühen, die Antworten im Licht unseres heutigen Wissens zu geben. Dazu werde ich ein neues Verständnis des Träumens darlegen, das sich aus den Erkenntnissen der letzten Jahre ergibt.

Während der Entstehung dieses Buchs habe ich erlebt, wie mir das Nachdenken über Träume meine eigenen Träume sehr viel bewusster machte. Auch Menschen, mit denen ich regelmäßig über mein Projekt sprach, berichteten, dass sie sich auf einmal häufiger und detaillierter daran erinnerten, was sie im Schlaf sahen.

Die Auseinandersetzung mit unseren Träumen hilft uns demnach nicht nur, unser Erleben und unser Bewusstsein besser zu verstehen: Sie lässt uns auch eine weitgehend unbekannte Seite unseres Daseins entdecken. Wäre es nicht schade, wenn Sie ein Drittel Ihrer Lebenszeit versäumten?

I. WAS TRÄUME SIND

1. Rückkehr in ein vergessenes Land

Warum wir ein Drittel unserer Lebenszeit verpassen

Der Schlaf ist voller Wunder.

Charles Baudelaire

Einst empfanden Menschen ihre Träume als Teil der Wirklichkeit. In traditionellen Gesellschaften galten die Bilder der Nacht mindestens so viel wie die Ereignisse des Tages. Eindrucksvoll hat das der Ethnologe Gunnar Landtman dokumentiert, der zu Beginn des 20. Jahrhunderts bei den Kiwai lebte, einem auf großen Flussinseln in Papua-Neuguinea isolierten Volk. Einmal träumte ein Kiwai, wie ihm ein Freund kostbare Geschenke vermachte. Nach dem Erwachen durchsuchte er sein ganzes Haus nach den Schätzen. Als seine Frau sich wunderte, warum er tastend auf dem Boden herumkroch, antwortete er ärgerlich: »Sei still. Ich habe gute Dinge gesehen.« Noch heute sprechen viele Völker in Papua-Neuguinea nicht davon, Träume zu »haben«. Sie sagen: »Ich sehe im Traum.«

Unsere eigenen Vorfahren dachten genauso. Noch vor gut zwei Jahrhunderten waren Träume in Europa Tagesgespräch, und selbstverständlich handelte man nach ihnen. Vom britischen König George II. ist verbürgt, dass er mitten in einer Nacht des Jahres 1732 die Pferde anspannen ließ, nachdem ihm im Schlaf seine verstorbene Frau erschienen war. Der Kutscher musste den Herrscher zu ihrem Sarg in der Königsgruft von Westminster Abbey fahren.

Heute erscheinen uns solche Begebenheiten absurd. Was wir nachts erleben, erinnern wir als entrückte, surreale Bilder – wenn überhaupt. Erscheint ein Kind von einem Albtraum aufgeschreckt nachts im Zimmer der Eltern, raten sie ihm, das Erlebnis zu ignorieren: »Es war doch nur ein Traum.« Unseren Vorfahren bedeuteten Träume Erkenntnis, für uns sind sie Hirngespinste. Jemanden einen »Träumer« zu nennen, hat schon etwas Despektierliches.

Wir haben uns unseren Träumen entfremdet, und das schnelle Tempo unseres Lebens macht es auch nicht leicht, sich ihnen wieder zu nähern. Wer sich bereits vom Takt seiner Tage bis an die Grenze der Erschöpfung gefordert fühlt, blendet verständlicherweise die Erfahrungen der Nacht aus. Viele Zeitgenossen sind sogar davon überzeugt, gar keine Träume zu haben. »In unserer westlichen Zivilisation wurden die Brücken zwischen der Tag- und der Nachthälfte des Menschen abgebrochen«, schreibt der französische Anthropologe Roger Bastide. Seit der Aufklärung achte man vor allem die Vernunft: »Wir haben die nächtliche Hälfte unseres Lebens entwertet.«

Manchmal allerdings ahnen wir, was uns entgeht. Am deutlichsten bemerken wir den Verlust, wenn wir erwachen. Während die ersten Geräusche des Tages in den Kopf eindringen und sich die ersten Gedanken breitmachen, befinden wir uns zugleich noch in einer anderen Welt – als hätte sich unser Leben plötzlich verdoppelt.

Bilder ziehen durch das Bewusstsein wie Nebelschwaden. Oft sind sie so schemenhaft, dass sie sich sofort verflüchtigen, sobald man versucht, sie zu erfassen. Manchmal jedoch sind die Traumbilder so überwältigend, dass man sie nicht abzuschütteln vermag und sie die Stimmung des ganzen Tages vorgeben. Gelegentlich kommen uns bestimmte Träume noch nach Jahren in den Sinn. In solchen Momenten spürt man, dass die Erfahrungen des Tages nur ein Ausschnitt der Wirklichkeit sind – und wie reich und interessant der andere Teil des Lebens sein kann, den wir gewöhnlich übersehen.

*

Träumen wir heute einfach weniger als frühere Generationen? Mit Sicherheit nicht. Dass Menschen, wohl auch Tiere, im Schlaf etwas erleben, ist eine angeborene Funktion des Gehirns. Und anders als der Körper ruht das Hirn nie. Lange galt es als ausgemacht, dass ein erwachsener Mensch nur ungefähr zwei Stunden pro Nacht träumt – und zwar ausschließlich während des sogenannten REM-Schlafs, von dem in Kapitel vier die Rede sein wird. Neue Untersuchungen haben diese Annahme als Mythos entlarvt. Alle Menschen sind in sämtlichen Phasen des Schlafs immer wieder oder sogar durchgehend bei Bewusstsein, sehen Bilder, haben Gefühle, hegen Gedanken, legen Erinnerungen an, üben Handlungen ein.

Wie konnten uns diese vielfältigen Erfahrungen so seltsam gleichgültig werden? Wir hetzen uns ab, um so viele Erlebnisse in unsere Tage zu pressen wie möglich. Viele Zeitgenossen versuchen verzweifelt, das Altern zu verzögern. Was gäben wir dafür, wenn uns jemand sechs Stunden zusätzliche Lebenszeit pro Tag verschaffen könnte? Das entspricht zwanzig weiteren Lebensjahren – und der Zeit, die der Deutsche im Durchschnitt träumend verbringt. Doch fast alles, was sich in dieser Zeit ereignet, ist schon am nächsten Morgen vergessen, verweht.

Zurück in die Traumwelt unserer Vorfahren können wir

nicht – und würden es auch nicht wollen. Einer der am wenigsten beachteten Umbrüche in der Menschheitsgeschichte ist, dass unsere Vorfahren erst vor etwa acht Generationen begannen durchzuschlafen. Wer nicht gerade unter Schlafstörungen leidet, erwartet heute ganz selbstverständlich, sich abends ins Bett zu legen und, höchstens von einem Gang zur Toilette unterbrochen, am nächsten Morgen wieder aufzuwachen. Für unsere Vorfahren war das undenkbar.

Sie verbrachten ihre Nächte abwechselnd schlafend und wach, üblich war es, vom »ersten« und »zweiten« Schlaf einer Nacht zu sprechen. Wer nach harter körperlicher Arbeit erschöpft am frühen Abend ins Bett fällt, kann unmöglich zehn oder mehr Stunden bis zum Tagesanbruch schlafend verbringen. Auch den Wohlhabenden fielen bei Kerzenschein und ohne viel Ablenkung frühzeitig die Augen zu. Zudem förderten die Orte, an die man sich zur Ruhe zurückzog, nicht gerade den Schlaf. Zugige Zimmer sorgten dafür, dass man spätestens in den frühen Morgenstunden fröstelnd erwachte. Bis dahin freilich hatten die zappelnden, hustenden und schnarchenden Bettgenossen den Schläfer schon mehrmals geweckt, schließlich teilte man sein Bett mit der ganzen Familie. Eine eigene Matratze und eine eigene Decke waren ein Luxus, den nur die wenigsten genossen, sie garantierten im Übrigen auch keine Ruhe, denn darin lauerten Flöhe und Wanzen.

Immer wieder wurden die Menschen so aus ihren Träumen gerissen. Wenn sie erwachten, war die Erinnerung an das Gesehene noch frisch, die Szenen standen ihnen in allen Details vor Augen. »Mein Schlaf ist zerbrochen und voller Träume«, heißt es in der Komödie *Gallathea*, die zeitgleich mit Shakespeares Dramen am englischen Hof aufgeführt wurde. Anhand von Tagebüchern der frühen Neuzeit konnte der Historiker Roger Ekirch nachweisen, wie oft die Menschen »aufgewühlt«,

»perplex« und manchmal auch »gequält« von ihren nächtlichen Erfahrungen waren.

*

In manchen Gegenden der Welt ist der Schlaf in mehreren Schichten heute noch üblich. Bei den Ávila Runa etwa, einem Volk am Oberlauf des Amazonas in Ecuador, ist der Schlaf sogar ein Teil des Gemeinschaftslebens. Niemand käme jemals auf die Idee, sich nachts in einem Zimmer zu isolieren; die Bewohner eines ganzen Dorfes schlafen nebeneinander unter einem freistehenden Strohdach. Wer von den Geräuschen der Tiere im Regenwald, der Unruhe seiner Nachbarn oder auch nur vom Vollmondlicht aufgewacht ist, setzt sich an ein die ganze Nacht brennendes Feuer, trinkt Tee und erzählt seine Träume. »Der Alltag ist untrennbar mit dem zweiten Leben des Schlafs und der Träume verwoben«, schreibt der Anthropologe Eduardo Kohn über seine Feldforschung bei den Runa. »Ihre Träume sind ein Teil der Erfahrungswelt.«

Die Unterbrechungen des Schlafs bewirken nämlich nicht nur, dass mehr Träume in Erinnerung bleiben, sondern führen auch dazu, dass die Traumszenen dem Erwachenden als besonders realistisch erscheinen. Das funktioniert auch bei modernen Großstädtern, wie der amerikanische Psychiater Thomas Wehr experimentell nachwies. Der Forscher simulierte im Labor lange Winternächte, die seine Versuchspersonen ohne Fernsehen und elektrisches Licht verbringen mussten; währenddessen maß Wehr ihre Hirnströme und Hormonwerte. Es zeigte sich, dass die Probanden keineswegs wachbewusst waren, wenn sie ihren ersten Schlaf hinter sich hatten und nach ein paar Stunden erwachten. Ihr Verstand befand sich vielmehr in einem etwas entrückten Zustand der Art, in dem sich die Grenze zwischen Außen- und Innenwelt auflöst. Meditierende kennen dieses Phänomen, und auch unsere Vorfahren müssen ihre Schlafpausen ähnlich erlebt haben. Erinnerten sie sich mitten in der Nacht an einen Traum, erschienen ihnen die Bilder so real wie die Gegenstände in ihrem Schlafzimmer.

*

Die Träume aus längst vergangenen Epochen bestimmen unser Leben bis heute. Denn die Bilder, die im Zwielicht zwischen Schlaf und Wachen ins Bewusstsein traten, prägten das Denken und hinterließen ihre Spuren in Philosophie und Religion. So formten die Träume unserer Ahnen unsere Vorstellung davon, wer wir Menschen eigentlich sind.

Heute meinen wir, in einer Wirklichkeit zu leben; sie aber lebten in zweien. Neben dem, was sie tagsüber wahrnahmen, stand gleichberechtigt die andersartige Erfahrung der Nacht. Damit führten frühere Generationen ein reicheres, aber auch widersprüchlicheres Leben als wir. Wie etwa war zu verstehen, dass im Schlaf Tote erscheinen, dass sich Dinge und Menschen ineinander verwandeln oder dass sich der Träumer mühelos über Raum, Zeit und sogar die Schwerkraft hinwegsetzen kann? Wer Träume als wirklich begreift, der muss auch davon ausgehen, dass es ihm in der Nacht möglich ist, zu fliegen und Toten zu begegnen. Der Schluss lag nahe, dass das Ich weder im schlafenden Körper angesiedelt noch den Naturgesetzen unterworfen sein kann. So brachte die Erfahrung des Träumens die wohl einflussreichste Idee aller Zeiten hervor: dass wir eine Seele haben. Und während die Seele tagsüber mit dem Körper verbunden ist, geht sie im Schlaf – und nach dem Tod – ihre eigenen Wege.

So argumentierte die vorsokratische griechische Philosophie, so denken traditionelle Kulturen bis heute. Für die Kiwai auf Papua-Neuguinea sind Träume die Erlebnisse von Seelen, die nachts wie Tauben durch die Welt fliegen (und auf ihrer Reise offenbar manchmal Geschenke bekommen). Die Ávila Runa, die am Oberlauf des Amazonas ihre Nächte gemeinsam verbringen, glauben, ihre Seelen würden im Schlaf mit verstorbenen Verwandten, aber auch den wilden Tieren des Dschungels Verbindung aufnehmen. Bei den philippinischen Tagalog ist es sogar verboten, Schläfer zu wecken, da ja deren Seele abwesend sei.

Uns mögen solche Vorstellungen naiv erscheinen. Und doch stellten die Mythen der Stammesvölker und die ersten Philosophen Träume in einen größeren Zusammenhang, den wir heute oft übersehen und den sich auch die Wissenschaft erst seit wenigen Jahren erschließt. Träume sind mehr als eine skurrile, doch belanglose Hervorbringung des Gehirns. Sie führen unmittelbar zu den großen Fragen der menschlichen Existenz: Was macht unsere Identität aus, Geist oder Körper? Und wie hängen beide zusammen? Ohne die Erfahrung ihrer Träume hätten sich die Menschen früherer Kulturen wohl nie diesen Rätseln gewidmet. Auf ähnliche Weise inspiriert das Phänomen »Traum« heute die Neurowissenschaft, die zeitgemäße Antworten auf diese Fragen sucht.

*

Die älteste Erklärung für die Bilder der Nacht ist, dass höhere Mächte sie dem Menschen eingeben. Eine der frühesten Erzählungen des Alten Testaments berichtet von Jakob, der erstaunliche Traumerfahrungen macht, weil in ihm »der Geist Gottes wohnt«: Er sieht im Schlaf die Himmelsleiter, an deren Ende Gott steht und Jakob viele Nachkommen verspricht. In einem anderen Traum kämpft Jakob mit einem rätselhaften Wesen, das sich schließlich als Gott zu erkennen gibt. Und weil Gott sich in Zeichen mitteilt, ist Jakobs Sohn Josef imstande, die Träume anderer zu deuten. Als der Pharao ihm von sieben fetten und sieben mageren Kühen erzählt, die er im Schlaf aus dem Nil steigen sah, sagt Josef Ägypten sieben gute und sieben schlechte Ernten voraus.

Aber schon bald näherten sich Menschen dem Geheimnis ihrer Träume auch auf andere Weise: Sie suchten in den nächtlichen Szenen Auskunft über sich selbst. Offenbar zeigte sich im Wachzustand nur ein Teil der Persönlichkeit, und um das menschliche Wesen besser zu erfassen, galt es, sich den Träumen zu öffnen. Eine lange buddhistische Tradition versteht die Erlebnisse im Schlaf als Entdeckungsreise, auf der sich die wahre Natur des Ichs offenbart und die sogar zur Erleuchtung verhelfen kann.

Auch die Weisen des Abendlandes erkannten, dass Träume nicht unbedingt chiffrierte Botschaften aus dem Jenseits sein müssen. Platon etwa, der große Lehrmeister der antiken Philosophie, sah sie entstehen, wenn »der wilde Teil der Seele … seine Triebe zu befriedigen sucht.« Die Denker der frühen Neuzeit schließlich begannen, in ihren Träumen nach Einsichten über die eigene Persönlichkeit zu suchen.

»Der weise Mann lernt sich selbst ebenso unter dem schwarzen Mantel der Nacht wie in den Strahlen des Tageslichts kennen«, schrieb der englische Essayist Owen Feltham im Jahr 1628. Doch die Nacht sei der bessere Lehrer, weil wir »im Schlafe die nackten und natürlichen Gedanken unserer Seelen« erfahren.

Feltham war auf dem richtigen Weg. Heute wissen wir einerseits, dass Menschen nachts tatsächlich Aspekte ihrer Lebensgeschichte erfahren und auf Ideen kommen können, die sich ihnen im Wachleben entziehen. Andererseits zeigen Träume, wie Bilder, Erinnerungen und Gedanken überhaupt in unseren Köpfen entstehen. Im Traum können wir zusehen, wie unser Geist funktioniert.

Und während unsere Vorfahren über ihre nächtlichen Erlebnisse nur mutmaßen konnten, sind wir heute imstande, sie zu erforschen. Damit eröffnet sich uns ein ganz neuer Zugang zu unseren Träumen – und die Chance, sie wieder zu einem Teil des Lebens werden zu lassen.

2. Neue Wege in die Innenwelt

Wie die Wissenschaft Träume greifbar macht

> Du letzter Stern
> der Morgendämmerung
> hinterlass Deine Botschaft
> halb verschlafen, geheim
>
> *Rabindranath Tagore*

Träumen Sie in Schwarz-Weiß oder in Farbe? Wenn Sie jünger als ungefähr 55 sind, dann sehen Sie wahrscheinlich Farben, auch wenn die Szenen oft dunstverhangen erscheinen mögen. Vielleicht erinnern Sie sich sogar an Nächte, in denen Ihnen die Welt so bunt und leuchtend vorkam, wie Sie es in der Natur nie erlebt haben. Blau wirkt dann blauer, Rot noch intensiver als sonst, unwirklich, als scheine ein Licht aus dem Inneren der Dinge heraus.

Stellt man diese Frage jedoch etwas älteren Menschen, so antworten sie, dass sie sich manchmal oder sogar immer durch eine Welt in Grautönen bewegen. Die farblosen Träume lassen sich nicht als Begleiterscheinung des Alterns deuten, denn die Betreffenden erklären, immer schon in Schwarz-Weiß geträumt zu haben.

So gaben im Jahr 1999 zwar 83 Prozent der befragten Amerikaner an, immer oder zumindest manchmal in Farbe zu träu-

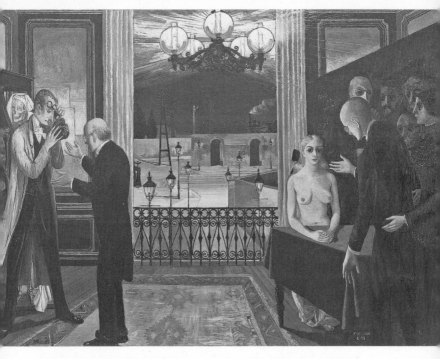

In seinem 1958 entstandenen Gemälde »Die Schule der Gelehrten« kritisierte der belgische Surrealist Paul Delvaux die beiden Richtungen der traditionellen Traumforschung: Der Neurobiologe links untersucht ein Gehirn, der Psychoanalytiker rechts deutet seiner Patientin deren verdrängte Wünsche. Aber niemand blickt auf die weite Traumlandschaft draußen.

men, doch ein paar Jahrzehnte zuvor fielen die Antworten ganz anders aus. Bei mehreren Untersuchungen in den 1940er und 1950er Jahren konnten sich gerade einmal zehn Prozent der Menschen an farbige Träume erinnern. Was hatte sich verändert?

Offenbar sind die schwarz-weißen Träume Mitte des 20. Jahrhunderts eine historische Anomalie, beschrieben doch Autoren von Aristoteles bis Freud bunte Bilder im Schlaf. Und wenn man heute Schläfer aus einem Traum weckt und sofort befragt, berichten sie ebenfalls von Farben. Im Jahr 1951 aber äußerte der führende Traumforscher Calvin Hall die Ansicht, Träume »in Technicolor« seien außergewöhnlich.

Wohl ohne sich dessen bewusst zu sein lieferte Hall damit das Stichwort zur Lösung des Rätsels: Das Kino habe die Traumerinnerung der Menschen verändert, erklärt der amerikanische Philosoph Eric Schwitzgebel. Zu allen Zeiten seien farbige Träume die Regel gewesen. Doch als Schwarz-Weiß-Filme erst über die Kinoleinwände, dann über die Fernsehschirme flimmerten, gewöhnte man sich daran, bewegte Bilder in Grautönen zu sehen. Und diese Erfahrung übertrugen die Filmzuschauer auf die Szenen der Nacht. So verschwand die Farbe aus den Träumen der Nachkriegsgeneration: Wenn die Menschen am nächsten Morgen zurückdachten, hatten sich die ursprünglich farbigen Bilder in Schwarz-Weiß-Szenen verwandelt.

Wer würde bestreiten, dass wir Träume als eine Art Kino empfinden? Mein Sohn erzählte im Alter von drei Jahren, er würde im Bett »Filme gucken«. Schwitzgebel ging der Frage auch in China nach und fand sich bestätigt: Dort gab es Farbfernsehen und Kinos lange Zeit nur in den Städten; die Landbevölkerung musste sich mit Schwarz-Weiß-Fernsehen begnügen. Und tatsächlich berichteten chinesische Städter von farbigen Träumen, Landbewohner hingegen von Szenen in Grau.

*

Die ergrauten Träume der Hollywood-Ära sind ein eindrucksvolles Beispiel für die Schwierigkeit, das nächtliche Erleben anderer Menschen nachzuempfinden, und erst recht, es zu erforschen. Irritierend ist, in welchem Maß wir uns schon über unsere eigenen Träume im Unklaren sind. Wer morgens Szenen in Schwarz-Weiß erinnert, nachts aber von Farben berichtet, retuschiert offenbar die eigenen Erfahrungen, ohne es auch nur zu ahnen. Und wie oft erwacht man, weiß genau, dass man etwas Interessantes geträumt hat, und will das Erlebte rekonstruieren. Sobald man aber versucht, der Spur nachzugehen, verliert sie sich.

Und niemand kann helfen. Träume gehören zu unseren intimsten Erlebnissen überhaupt. Während uns die geschlechtliche Liebe immerhin mit einem Partner verbindet, sind wir im Traum völlig allein. Keiner nimmt wahr, was wir sehen, weil die Bilder ohne Zutun der Sinne entstehen. Sie sind rein innere Erlebnisse. Schon im Wachzustand ist die Frage vertrackt, was genau ein anderer Mensch sieht, hört oder fühlt. Aber wenigstens gibt es Anhaltspunkte. Wenn ich Ihnen eine Rose hinhalte, werden Sie vermutlich ähnlich rot sehen wie ich, und Schmerz fühlen, wenn Sie sich an ihr stechen. Im Schlaf dagegen entfällt dieser Bezug zur äußeren Wirklichkeit. Jeder träumt in seiner eigenen Welt.

Deshalb haben Wissenschaftler so spät begonnen, sich diesem Phänomen zu widmen. Lange Zeit gab es über Träume so gut wie keine gesicherten Daten. Bis heute erforschen mehr Experten die Galaxienhaufen am Rande des sichtbaren Universums als das nächtliche Erleben von Milliarden Menschen. Überdies sprengt das Thema das Selbstverständnis der modernen Wissenschaft, die sich um Objektivität bemüht und subjektive Erfahrungen außen vor lässt. Träume jedoch sind per se subjektiv.

Schon wenn wir beginnen zu träumen, stellt sich das erste Problem: Wir merken nicht, was mit uns los ist. Das kritische Denken ist im Schlaf so eingeschränkt, dass wir Träume fast nie als solche erkennen. Erst im Spiegel der Erinnerung wird klar, was wirklich geschah – dass zum Beispiel die Verfolger, vor denen wir davonliefen, nur in unserer Innenwelt existierten.

Leider ist das Gedächtnis kein sonderlich zuverlässiger Zeuge. Erinnerungen verblassen nicht nur, sie verändern sich. So werden aus farbigen Träumen schwarz-weiße. Oft überlagern sich ähnliche Erfahrungen, beispielsweise ein Film und ein Traum. Wie leicht und unbemerkt sich sogar glatte Fälschungen im Gedächtnis festsetzen, haben die amerikanische Psychologin Elizabeth Loftus und ihre Kollegen in vielen Versuchen gezeigt. Zum Beispiel muss man Erwachsenen lediglich eine Fotomontage vorlegen, die sie als Kind vor einem Heißluftballon zeigt; schon meint sich die Hälfte aller Versuchspersonen an diese Szene zu erinnern und beginnt ausführlich von einer Ballonfahrt zu erzählen, die es nie gab.

Die Traumerinnerung ist um nichts verlässlicher – im Gegenteil. Tagsüber funktioniert das Gedächtnis noch vergleichsweise gut. Wer zu Bett geht, kann abends eine Fülle von Wahrnehmungen und Gedanken der vergangenen Stunden Revue passieren lassen. Als James Joyce in seinem experimentellen Roman *Ulysses* das innere und äußere Erleben des Leopold Bloom am 16. Juni 1904 schilderte, füllte er fast tausend Seiten.

Was aber bleibt am Morgen von den Bildern der Nacht? Die meisten Menschen erinnern allenfalls eine Handvoll Träume im Monat. Und wer seine nächtlichen Erfahrungen aufzuschreiben versucht, bleibt Lichtjahre von der Detailfülle des *Ulysses* entfernt. Die wenigsten Berichte umfassen mehr als eine Seite. Träume wandern nur selten ins Langzeitgedächtnis, weil das chemische Milieu im schlafenden Gehirn dessen Aufnahmefähigkeit einschränkt. Am besten prägen sich die Szenen unmittelbar vor dem Erwachen ein. Das heißt: Der größte Teil der Nacht rauscht an uns vorbei.

*

Eine weitere Schwierigkeit wirft die Definition des Begriffs »Traum« auf: Träume sind Erlebnisse im Schlaf. In aller Regel handelt es sich um bildhafte Vorstellungen, jedoch nicht zwangsläufig: Manchmal hört ein Schläfer vielleicht nur eine Stimme oder hat das Gefühl zu fallen. Ebenso gehören die mehr oder weniger wirren Gedanken, die uns während des Schlafs im Kopf herumgeistern, dazu.

Sieht man nun von »Traumreisen«, »Traumhochzeiten« und sonstigen Luftschlössern, die mit Schlaf nichts zu tun haben, einmal ab, so wird das Wort »Traum« in drei verschiedenen Bedeutungen verwendet. Erstens bezeichnet er eine Erinnerung an die Nacht. Ein »Traum« ist demnach schlicht das, was man im Nachhinein dafür hält. In diesem Sinn haben die Menschen seit jeher von ihren Träumen gesprochen – und waren sich im Unklaren darüber, wie sehr die Erinnerung ihre Erlebnisse verzerrt.

In seiner zweiten Bedeutung benennt das Wort »Traum« das gegenwärtige innere Erleben eines Schlafenden. Doch dieses ist schwer zugänglich, weil sich normalerweise weder der Träumende selbst seines Zustands bewusst ist, noch Außenstehende herausfinden können, was er gerade erlebt. Ausgerechnet das eigentliche, unverfälschte Geschehen entzieht sich also der forschenden Betrachtung.

Und schließlich muss im Gehirn und im Körper etwas vorgehen, damit ein Mensch im Schlaf Erlebnisse hat. Zum Beispiel lässt sich beobachten, wie manchmal die Augen unter den geschlossenen Lidern zu wandern beginnen: Die leichte Wölbung, die die Hornhaut des Auges auf dem Oberlid bildet, zieht wie beim Betrachten eines Bildes einmal nach links, einmal nach rechts. Weckt man jemanden in diesem Moment sanft auf, wird er einen Traum erzählen. Und welcher Hundebesitzer hat noch nie darüber gestaunt, dass sein schlafendes Tier plötzlich erbebt, mit den Beinen zuckt und gelegentlich sogar knurrt oder schnappt, als wolle es eine imaginäre Jagdbeute fassen? Zwar können wir streng genommen nicht wissen, inwieweit schlafende Hunde bewusst sind; trotzdem sprechen wir davon, dass das Tier träumt. In diesem dritten Sinne meint »träumen« vor allem einen körperlichen Prozess.

Mit dem einen Wort »Traum« bezeichnen wir folglich drei unterschiedliche Phänomene: erstens die Erinnerung an ein Erleben im Schlaf, zweitens dieses innere Erleben selbst, und drittens die körperlichen Vorgänge dabei. Und nur wenn wir herausfinden, wie diese drei Phänomene zusammenhängen, werden wir Träume wirklich verstehen.

*

Wer den Begriff »Traum« hingegen auf eine der Bedeutungen reduziert, stiftet Verwirrung. Im 20. Jahrhundert redeten Forscher aus diesem Grund ständig aneinander vorbei. Sie führten erbitterte Kämpfe, bei denen sich zwei Lager unversöhnlich gegenüberstanden: Das eine hing der von Sigmund Freud begründeten Psychoanalyse an, das andere der Neurobiologie. »Scharlatan« gehörte in den jahrzehntelangen Auseinandersetzungen noch zu den freundlicheren Worten.

Den Psychoanalytikern galt die Traumerinnerung als einzig brauchbarer Zugang. Sie verstanden »Traum« also im ersten Sinn. Aus der Traumerzählung versuchten sie den unbewussten seelischen Prozess zu erschließen, der das Erlebnis ausgelöst haben mochte. In der Analyse, schrieb Freud, stelle sich der Traum als ein »sinnvolles psychisches Gebilde« heraus. Kein Detail sei zufällig, alles lasse sich aus der Lebensgeschichte erklären. Weil sie einzig die persönliche Erinnerung interessierte, betrachteten die Analytiker die Traumwelt jedes Individuums als einen eigenen Kosmos, zogen also nie systematisch Vergleiche.

Die Neurobiologen dagegen verwarfen die Erinnerung des Träumers als unzuverlässig (und die Theorien der Analytiker als unwissenschaftlich). Für sie zählte nur, was man messen konnte: elektrische Erregungen, das Zirkulieren von Botenstoffen, der Blutfluss in einzelnen Hirnregionen. Sie untersuchten das Träumen also als rein körperlichen Vorgang, in der dritten Bedeutung des Wortes.

Dieser Ansatz führte sie dazu, den Inhalt der Träume für unwichtig zu erklären. So schrieb der Amerikaner Allan Hobson, einer der großen Pioniere der neurobiologischen Traumforschung, im Jahr 2002: »Wir sollten in Betracht ziehen, dass der Trauminhalt nicht nur ein Schatz sein könnte, sondern auch geistiger Müll, nicht nur ein Signal von irgendetwas, sondern auch Rauschen.« Im Schlaf, so lautete eine gängige Theorie, erzeuge das Gehirn chaotische Signale, die es als Bilder oder Gefühle interpretiere.

Beide Lager redeten nicht nur aneinander, sondern auch am Kern des Themas vorbei. Die Analytiker deuteten Erinnerungen, die Neurobiologen vermaßen das Gehirn, doch niemand interessierte sich für die unmittelbare Erfahrung des Schlafenden. Diese Ignoranz ging so weit, dass manche Wissenschaftler sogar erklärten, es gebe überhaupt keine Träume. So behauptete der amerikanische Philosoph Daniel Dennett, Menschen seien grundsätzlich nur im Wachzustand zu bewusstem Erleben fähig. Und einer der renommiertesten deutschen Schlaf-

und Gedächtnisforscher, Jan Born, vertrat noch im Jahr 2013 einen ähnlichen Standpunkt: Das Gehirn sei nachts erregt; wenn wir erwachen, legten wir uns schnell eine Geschichte zurecht. So erklärten wir uns selbst, warum wir so aufgewühlt sind – wie Kinder, die aus unruhigem Schlaf aufgeschreckt Monster unter dem Bett vermuten.

Mit dem Phänomen Traum schien die moderne Wissenschaft an eine unüberwindliche Grenze gestoßen: das Ich.

*

In den letzten Jahren jedoch öffneten sich der Wissenschaft gleich mehrere Tore zum subjektiven Erleben. Denn nicht nur die Techniken in den Hirnforschungslabors, sondern auch die Methoden der Innenschau haben sich weiterentwickelt. Beispielsweise lässt sich die Traumerinnerung trainieren, so dass jeder Mensch mehr über seine nächtlichen Erlebnisse herausfinden kann.

Lernen kann man sogar, im Schlaf Zeuge seiner Träume zu werden. Vielleicht haben Sie diese Erfahrung schon einmal gemacht: Mitten im Traum bemerken Sie plötzlich, dass etwas nicht stimmt. Sie fliegen oder tun andere unwahrscheinliche Dinge, alles sieht irritierend anders aus als tagsüber. Jetzt haben Sie die Gelegenheit, den Traum als Schöpfung Ihrer Fantasie zu beobachten, ihn manchmal sogar zu steuern. Solche Klarträume, mit denen sich das 14. Kapitel näher befasst, galten Wissenschaftlern bis vor kurzem als esoterisches Hirngespinst. Versuche bewiesen indes, dass es sie gibt. Damit erschließt sich auch das gegenwärtige innere Erleben der Forschung.

Und schließlich lässt sich der Unwille des Langzeitgedächtnisses, Träume zu speichern, aushebeln, indem man den Schlaf unterbricht. Der Weg, auf dem unsere Vorfahren unfreiwil-

Träume sind nicht mehr privat. Dieses Bild entstand aus Daten, die ein Hirnscanner am Zentrum für Neuroinformatik in Kyoto aus dem Kopf eines schlafenden Mannes auslas. Nach dem Erwachen schilderten die Versuchspersonen in 60 Prozent der Fälle Traumszenen, die den von den Wissenschaftlern rekonstruierten Sequenzen entsprachen.

lig zu ihrer reichhaltigen Traumerfahrung gelangten, hat sich auch für die Forschung als lohnend erwiesen. Besonders wirksam ist es, Menschen gezielt aus bestimmten Schlafphasen zu wecken. Sobald die Versuchspersonen zu sich gekommen sind, geben sie zu Protokoll, was sie gerade erlebt haben. So erhoben Forscher tausende Träume aus allen Abschnitten der Nacht, von Männern und Frauen, von Jungen und Alten, von Menschen aus allen Teilen der Welt, von Gesunden und Kranken. Sie entwickelten Codes, um jedes Bild, jede Handlung, jedes Gefühl zu erfassen und die Berichte so vergleichbar und in Datenbanken verfügbar zu machen. Eine riesige Bibliothek der menschlichen Träume entstand.

Ein japanisches Labor tat schließlich den ersten Schritt, das subjektive Erlebnis Traum objektiv fassbar zu machen. Waren Träume bislang ein durch und durch intimes Erlebnis, neugierigen Blicken entzogen, so gelang es im Jahr 2012 am Zentrum für Neuroinformatik in Kyoto erstmals, den Inhalt von Träumen in Echtzeit aus den Köpfen zu lesen. Yukiyasu Kamitani, der Leiter der Gruppe, bediente sich dazu eines Scanners, der die Aktivität in verschiedenen Hirnregionen aufzeichnet. Daraus lässt sich erschließen, was ein Mensch gerade sieht: Blickt er etwa in ein Gesicht, sieht dieses Aktivitätsmuster etwas anders aus, als wenn er ein Auto betrachtet. Dieselben Muster ergeben sich, wenn man sich ein Bild lediglich vorstellt. Insofern eignet sich die Methode zum Gedankenlesen. Weil sich die für ein Bild typischen Muster allerdings von Mensch zu Mensch unterscheiden, muss man die Technik für jede Versuchsperson neu einstellen.

Kamitani befragte drei junge Männer zunächst nach ihren Traumerlebnissen. Gab ein Proband zum Beispiel an, häufig von Straßenszenen zu träumen, so zeigte der Forscher ihm passende Fotos und vermaß die Hirnreaktion auf jedes Bild. Anschließend legten sich die Männer im Kernspintomographen schlafen. In diesem Gerät einzudösen, ist ein Kunststück, weil der Lärm im Inneren der Röhre ungefähr dem eines startenden Düsenflugzeugs entspricht. Mit Ohrenschützern gelang es allerdings. Währenddessen zeichnete die Maschine die Hirnaktivität der Schlafenden auf. Und aus deren charakteristischen Mustern konnten Kamitani und seine Kollegen tatsächlich häufig entnehmen, wovon der Mensch in der Röhre gerade träumte. So ahnten die Wissenschaftler schon, wie die Traumberichte ausfallen würden, wenn sie die Versuchspersonen nach ungefähr einer Stunde Schlaf weckten:

»Aus dem Himmel, dem Himmel, was war es? Ich habe so etwas wie eine große Bronzestatue gesehen. Die Statue stand auf einem kleinen Hügel. Unter dem Hügel waren ganz gewöhnliche Häuser, Straßen und Bäume.«

So stammelte der als Nr. 3 bezeichnete Proband nach der 114. Weckung. Zuvor hatten die Wissenschaftler Hirnaktivitäten aufgezeichnet, die mit folgenden Inhalten zusammenhingen: ein großes Gebilde, eine geologische Formation, ein Haus, eine Straße, eine grüne Pflanze. Indem sie die entsprechenden Bilder aneinanderreihten, schufen die Neurowissenschaftler sogar Filme, die den geträumten Szenen zumindest ähneln. Die sichtbar gemachten Träume sind auf Youtube zu bewundern.[1]

Bei 60 Prozent der Weckungen schilderten die Träumer Erfahrungen, die gut zu der Hirnaktivität während des Schlafs passten. Sie hatten diese Szenen also wirklich erlebt. Damit hat sich die Behauptung skeptischer Neurowissenschaftler, dass wir uns Träume nach dem Aufwachen bloß zusammenreimen, ganz offensichtlich erledigt.

Auch Forscher am Münchner Max-Planck-Institut für Psychiatrie können inzwischen bestimmte Traumszenen live verfolgen; ihre Experimente sind im 14. Kapitel beschrieben. Und in Versuchen mit Ratten gelang es bereits zu steuern, was die Tiere im Schlaf sahen. Die Wissenschaftler mussten die Käfige nur nachts mit Tönen beschallen, welche die Nager aus bestimmten Situationen kannten; prompt ließen sich entsprechende Hirnaktivitäten in der Sehrinde der Ratten nachweisen. Stolz schreiben Matthew Wilson und seine Kol-

1   Sie finden sie auch unter www.stefanklein.info/traumfilme

legen vom Massachusetts Institute of Technology in Boston: »Diese einfache Form der Traummanipulation eröffnet die Möglichkeit, während des Schlafs weitergehend auf das Gedächtnis Einfluss zu nehmen.« So ließen sich je nach Wunsch »Erinnerungen verstärken oder blockieren«. Werden wir also eines Tages unsere intimsten Gedanken und Gefühle preisgeben müssen? Könnte sich solches Wissen dazu einsetzen lassen, auch unsere Träume zu manipulieren? Abwegig klingen solche Befürchtungen keineswegs. Allerdings erscheint die Gefahr gering, in näherer Zukunft den elektronischen Traumfängern zum Opfer zu fallen. Die Geräte sind riesig und so laut, dass sie sich kaum zur heimlichen Traumspionage eignen. Vor allem verhält sich jedes Gehirn anders. Wer aber die typischen Reaktionen auf bestimmte Reize erfassen will, ist auf die Mitarbeit der Versuchsperson angewiesen. Gegen den Willen eines Menschen lassen sich seine Träume nicht durchleuchten.

*

Zweifellos hat eine neue Ära der Traumforschung begonnen. Allen voran hätte Sigmund Freud seine Freude an den Experimenten der letzten Jahre gehabt, erfüllten sie doch seine Prophezeiung. Anders als viele seiner Jünger glaubte Freud nämlich keineswegs, mit seinem Werk sei das letzte Wort über Träume gesprochen. Die von ihm begründete Psychoanalyse hielt er vielmehr für eine Übergangslösung. In seinem 1899 erschienenen Werk *Die Traumdeutung* beschrieb er etwas gewunden seine Vision: »Selbst wo das Psychische sich bei der Erforschung als der primäre Anlass eines Phänomens erkennen lässt, wird ein tieferes Eindringen die Fortsetzung des Weges bis zur organischen Begründung des Seelischen einmal zu finden wissen.« Das heißt: Eine Tages werden die Menschen ver-

stehen, dass ihr Körper und ihre Seele sich zueinander verhalten wie die zwei Seiten einer Medaille. Damit werden sich
Träume auf ganz neue Weise erschließen.

Heute ist es soweit.

3. Im Reich des Zwielichts

Traum und Wacherleben durchdringen einander

> Einschlafen, durch welches
> das Gehirn sich mild von
> der Außenwelt ablöset
>
> *Jean Paul*

Ich sah zwei Zitronen. Sie waren enorm groß und kamen hinter einer strahlend gelben Wolke hervor, die sich schließlich in einem goldenen Regen entlud. Plötzlich war alles grau, dann zogen neue Wolken auf, diesmal in Rot und Blau. Sie verdichteten sich allmählich zu amorphen Gebilden, die mich an die Trickfilmfiguren der damals laufenden Kindersendung »Barbapapa« erinnerten. Und doch waren sie ganz anders als alles, was ich kannte.

Auch Gesichter erschienen mir. Manche blickten freundlich, andere belustigt. Einige schienen mir böse zu sein. Obwohl mir die Gesichter vertrauter vorkamen als die meiner Familie, konnte ich unmöglich sagen, wem sie gehörten. Besaßen sie überhaupt einen Körper? Und von woher beobachteten sie mich?

Ich sah diese Bilder zum ersten Mal abends im Bett, als ich ungefähr zehn Jahre alt war. Sie leuchteten intensiver, waren anschaulicher und lebhafter als Tagträume. Und sie kamen ungebeten, wie eine Abfolge von Dias, die jemand auf die Innenseite meiner Lider projizierte, oder wie Szenen aus einem Traum. Ich hatte sie nicht bewusst vor meinem inneren Auge heraufbeschworen und konnte sie nicht beeinflussen. Aber um richtige Träume handelte es sich auch nicht, oder vielleicht besser: noch nicht. Diese Bilder erzählten keine Geschichte. Und offenbar war ich noch wach. Wenn ich wollte, konnte ich die Augen öffnen und die Umrisse meiner Kinderzimmermöbel erkennen.

Ich schwebte also gleichsam zwischen Wachen und Schlaf. Dort liegt ein weites und wenig erforschtes Terrain – eine Welt von seltsamer, manchmal auch unheimlicher Schönheit, die wir jeden Abend erkunden. Wer müde ist, durchquert sie in ein paar Sekunden; in anderen Nächten dagegen, wenn sich der Schlaf nicht einstellen will, kann man stundenlang in ihr verweilen. Allerdings kennt nicht jeder Mensch solche Bilder, wie ich sie damals sah und die der französische Psychologe Alfred Maury »hypnagog« nannte, altgriechisch für »zum Schlaf führend«. Oft sind sie so blass, dass man sie schlicht übersieht. Aber drei Viertel aller Befragten haben schon einmal hypnagoge Bilder erlebt, am häufigsten in der Kindheit, da sie dann besonders intensiv erscheinen. Jeder Zweite nimmt sie noch im Erwachsenenalter wahr.

Offenbar beschreibt der simple Gegensatz von Wachen und Schlafen die Möglichkeiten unseres Bewusstseins unzureichend. Der Geist kann keineswegs nur anwesend oder völlig abwesend sein: In vielen, vielleicht sogar den meisten Bewusstseinszuständen mischen sich Merkmale von Wachen und Träumen. Das Niemandsland an der Schwelle zum Schlaf erlaubt uns das einzigartige Schauspiel, der Entstehung unserer eigenen Träume zuzusehen.

Nicht alle hypnagogen Erfahrungen sind Bilder. Oft hörte ich auch eine Stimme. Sie klang, als wenn mir jemand ins Gewissen redete oder etwas befehle. Und doch wusste ich, dass die Stimme meine eigenen Gedanken aussprach. Auch mein Körpergefühl veränderte sich. Die Beine begannen zu zucken, als hingen meine Gliedmaßen an Fäden, die ein unsichtbarer Marionettenspieler bewegte. Entsetzen überkam mich, als ich zum ersten Mal das Gefühl hatte, mein ganzer Körper verzerre sich. Die pelzig gewordenen Arme und Beine wurden erst immer dicker, als wäre ich eine Gummipuppe, in die jemand zu viel Luft blies. Dann streckten sie sich in schier unendliche Längen. Mit gewaltigen Gliedmaßen, winzigem Rumpf und noch kleinerem Kopf sah ich bestimmt wie ein Tintenfisch aus. Wie sollte ich jemals wieder laufen, mich überhaupt bewegen?

Vielleicht hätte es mir geholfen, an die Erlebnisse von Alice im Wunderland zu denken, die ich damals schon kannte: Die schläfrige Alice fällt durch einen Tunnel in eine merkwürdige Gegend, wo sie an einem Zauberkuchen nascht. Daraufhin streckt sich ihr Körper ins Riesenhafte: »Was für ein komisches Gefühl … jetzt werde ich auseinander geschoben wie das längste Teleskop, das es je gab. Lebt wohl, Füße!« Aber in meiner Angst war ich unfähig, mich an irgendetwas zu erinnern. Und der Humor war mir vergangen.

Ich versuchte, ein Bein in eine andere Lage zu bringen. Es ging nicht. Auch die Arme reagierten nicht mehr. Voll Panik bemühte ich mich, wenigstens meine Finger zu krümmen – vergebens. Offenbar war ich gelähmt. Ich befürchtete, bei voller Aufmerksamkeit mitzuerleben, wie mein Körper Funktion um Funktion aufgibt. Mein Leben würde enden, bevor es richtig angefangen hatte. Plötzlich, als hätte sich in der Matratze eine Falltür geöffnet, meinte ich, in die Tiefe zu stürzen. Dann verblasste das Bewusstsein.

*

Ich traute mich nicht, irgendjemandem von meinen Erlebnissen zu erzählen. Bevor man mich auslachen oder für verrückt erklären würde, behielt ich sie lieber für mich. Damals hätte mir allerdings auch niemand sagen können, was zu Beginn der Nacht im Gehirn passiert und uns mitunter hypnagoge Erlebnisse beschert. Erst im Jahr 2010 klärte der französische Neurophysiologe Michel Magnin die Vorgänge während des Einschlafens auf. Er entdeckte, dass der Übergang von einem Bewusstseinszustand in den anderen Brüche hat. Wie ein Computer beim Herunterfahren ein Programm nach dem anderen beendet, verabschieden sich Teile des Gehirns zu unterschiedlichen Zeiten. So arbeiten manche Zentren noch im Wachbetrieb, während andere sich bereits im Schlafmodus befinden.

Verantwortlich für das Einschlafen ist ein Gebilde genau im Mittelpunkt des Kopfes, der Thalamus (siehe Grafik S. 44). Dieser Begriff bedeutet auf altgriechisch »innere Kammer« oder auch »Schlafzimmer«. Eher ähnelt der Thalamus in Größe und Form allerdings zwei Walnusshälften, die auf dem obersten Fortsatz des Rückenmarks balancieren. Der Thalamus hat die Funktion einer Schaltzentrale, von der zahllose Verbindungen in alle Richtungen ausgehen. Er verteilt die Signale von Auge und Ohr, von den Geschmackszellen der Zunge und den Tastsensoren der Haut an die höheren Zentren des Großhirns. Darum nennt man ihn auch das »Tor zum Bewusstsein«. Wenn dieses Tor sich schließt, geht die Sinneswahrnehmung verloren. Das geschieht jede Nacht: Im Schlaf sind wir fast vollständig taub und blind. Obwohl Auge und Ohr noch funktionieren und Reize empfangen, kommen im Großhirn keine Signale mehr an.

Lange gingen Hirnforscher davon aus, dass Thalamus und Großhirnrinde sich abstimmen und beim Einschlafen das ganze Zentralnervensystem gemeinsam in seinen Ruhezustand herunterfahren. Doch wie Magnin fand, schaltet der

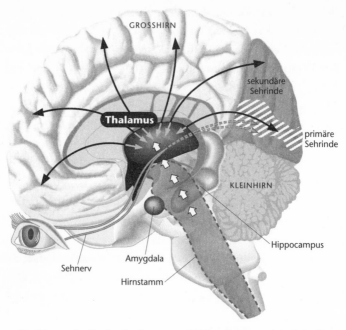

Im Längsschnitt durch das menschliche Gehirn zeigt sich die zentrale Stellung des Thalamus. Diese Hirnregion ist die Schaltstelle zwischen Sinnesorganen und Großhirnrinde. Beispielsweise treffen die Signale vom Auge über den Sehnerv im Thalamus ein und werden von dort zur weiteren Verarbeitung in die Sehrinde am Hinterkopf weitergeleitet. Wenn wir einschlafen, kappt der Thalamus diese Verbindung. Den Impuls dazu gibt der Hirnstamm, eine entwicklungsgeschichtlich sehr alte Fortsetzung des Rückenmarks. Der Thalamus ist aber auch mit fast allen anderen Teilen der Großhirnrinde verbunden. Man nimmt an, dass wir nur durch diesen Austausch von Informationen zwischen Thalamus und Großhirnrinde bewusste Erfahrungen machen können. Darum wird der Thalamus oft das »Tor zum Bewusstsein« genannt.

Thalamus vorzeitig um: Die Schleusen zur Außenwelt schließen, während sich die Großhirnrinde und damit das Bewusstsein noch im Wachzustand befinden. Wie in einem Haus, in dem zu später Stunde nach und nach die Lichter verlöschen, bleiben manche Großhirnregionen noch eine Minute länger aktiv, andere durchschnittlich zehn, wieder andere halten sogar noch eine halbe Stunde durch. Die Zeiten fallen zudem individuell unterschiedlich aus; das erklärt, warum manche Menschen beim Einschlafen oft Bilder sehen und Stimmen hören, andere fast nie.

Erstaunlich ist die Reihenfolge, in der das Gehirn die Schritte in den Schlaf vollführt. Ein Narkosepatient dämmert weg, weil zuerst weite Teile des Großhirns abschalten und er damit das Bewusstsein verliert; der Thalamus hingegen bleibt länger aktiv, denn er gehört zu den evolutionär alten Strukturen, die bereits in den Gehirnen von Reptilien und Haien existieren und daher robuster sind.

In den Minuten des Einschlafens verhält es sich genau umgekehrt. Wir beobachten dann gewissermaßen von der hohen Warte des Großhirns aus, wie sich mit dem Thalamus und anderen Zentren der primitiveren Teile unser Selbst in die Nacht verabschiedet.

Diese Ungleichzeitigkeit führt auch zu so seltsamen Körpererfahrungen wie meiner Mutation zum Tintenfisch. Im Schlaf vermindern der Thalamus und die darunterliegenden Kerne, die sogenannten Basalganglien, die Muskelspannung so weit, dass wir zu manchen Zeiten der Nacht bewegungsunfähig sind. Den Übergang in diesen Zustand nehmen wir häufig als Zuckungen wahr. In späteren Phasen der Nacht stellt sich dann eine vollkommene Lähmung ein. Normalerweise passiert dies erst nach längerem Schlaf, wenn sich das Wachbewusstsein verabschiedet hat. Doch gelegentlich gerät die Steuerung außer Tritt. Dann spüren wir die Gliederstarre bei voller Aufmerksamkeit – wie ich als Kind beim Einschlafen, machmal aber auch beim Erwachen. Damals wusste ich natürlich nicht, dass die beängstigende Schlaflähmung uns vor dem Ausleben unserer Träume bewahrt. Hätte ich geahnt, dass Schlafende sich selbst und andere verletzen, gar Morde begehen können, wenn das Abschalten der Muskeln nicht funktioniert, wäre ich vermutlich weniger besorgt gewesen.

*

Franz Kafka schrieb einmal von seinen »Träumen, die schon ins Wachsein vor dem Einschlafen strahlen.« Treffend hat er damit formuliert, was Hirnforscher erst so viel später bestätigten: Wachen und Träumen sind keine Gegensätze. Vielmehr können sich beide ineinander verschlingen. Genau das erleben wir auf dem Weg in den Schlaf, wenn die Gedanken ziellos zu kreisen beginnen, sich innere Bilder und Stimmen einstellen, die wir gleichwohl mit wacher Aufmerksamkeit verfolgen.

Bis vor einigen Jahren galten solche Zwischenzustände als Kuriosum beim abendlichen Wegdämmern. Erst seit kurzem ist bekannt, wie sehr sie auch unsere Tage prägen: Jedes Mal, wenn wir die Aufmerksamkeit von der Außenwelt abwenden, gleitet das Bewusstsein in diese Dämmerzone ab. So beherrschen Träume eben nicht nur unsere Nächte, sondern wirken in jeder Minute des Nachdenkens, des Fantasierens, des Nichtstuns und sogar bei jedem einzelnen Lidschlag auf uns ein.

Die traumartigen Zustände mitten am Tage wurden so lange übersehen, weil man eine falsche Vorstellung davon hatte, was das Großhirn eigentlich tut: Es schien, als würden seine grauen Zellen vor allem auf die Außenwelt reagieren, damit wir die Umwelt wahrnehmen und richtige Entscheidungen treffen können. In einem solchen Mechanismus wären Träume, wie überhaupt jede Geistesabwesenheit, Zeitverschwendung, wenn nicht gar lebensgefährlich. Heute allerdings weiß man, dass sich das Großhirn vor allem mit sich selbst beschäftigt. Nur ein winziger Bruchteil seiner Neuronen steht überhaupt mit der Außenwelt in Verbindung. Selbst im Sehsystem haben nur die wenigsten grauen Zellen mit den Augen Kontakt. Alle übrigen sind wie Beamte in einer riesigen Behörde damit befasst, Informationen zu ordnen, zu verdichten, zu verwalten, zu speichern und die verschiedenen Abteilungen zu koordinieren. Dafür benötigt das Gehirn mehr als 80 Prozent seiner Energie – und Ruhe. Strömen zu viele Reize von außen ein, bleiben die nötigen Aufräumarbeiten liegen. Wir brauchen ständig kurze und lange Rückzugsphasen von der Außenwelt. Diese Pausen geben dem Großhirn Gelegenheit, sich neu zu organisieren.

Träumen, tagträumen und scheinbares Nichtstun sind lebensnotwendig. Wie sich um das Jahr 2000 herausstellte, hat das Gehirn einen eigenen Betriebszustand für all diese Arten der inneren Aktivität. Diese Schaltung heißt auf Englisch »Default Mode Network«; auf Deutsch ist inzwischen der schöne Begriff »Bewusstseinsnetz« üblich geworden. Das Bewusstseinsnetz steuert die Träume in allen Phasen des Schlafes. Zugleich sorgt es aber auch für das Gedankenkreisen und die Bilder beim Einschlafen, springt beim Tagträumen an und wird sogar aktiv, wenn wir blinzeln. Bis zu zwanzigmal pro Minute schließen wir die Augen – viel öfter, als es zum Verteilen der Tränenflüssigkeit nötig wäre. Doch offenbar ist unser Hirn damit überfordert, ständig zu sehen. Die wenigen Zehntelsekunden, während derer sich unser Gesichtsfeld bei jedem Lidschlag verdunkelt, verschaffen ihm winzige Ruhepausen, um die Reize zu verarbeiten. So sind in jede Stunde des Tags tausendfach Vorstufen des Traums eingestreut. Weil sie nur kurz aufblitzen, entgehen sie in der Regel jedoch unserer Wahrnehmung. Und doch können die traumartigen Zustände des Tages uns helfen, die Träume der Nacht zu verstehen.

Viele Merkmale ihrer Verwandtschaft sind unverkennbar, andere offenbaren sich erst auf den zweiten Blick. So sind Tag- und Nachtträume fast immer Bilderfolgen. Allerdings kommen uns unsere nächtlichen Filme sprunghafter vor. Jede Szene scheint sich nur ein paar Augenblicke lang zu halten und dann unmotiviert in eine ganz andere überzugehen. Demgegenüber stellt man sich sein Denken im Wachzustand gemeinhin logischer und geordneter vor. Ein Irrtum, wie der Pariser Kognitionspsychologe Michel Denis nachwies: Wir verweilen selten länger als ein paar Sekunden bei einem Gedanken oder einer Vorstellung. Auch der wache Geist macht Bocksprünge; deswegen ist James Joyces bereits erwähnter Kolossalroman *Ulysses*, der den inneren Monolog eines Mannes wiedergibt, nicht gerade eine eingängige Lektüre. Im Alltag allerdings nehmen wir das Irrlichtern unseres Innenlebens selten wahr, weil uns die Wahrnehmung der Außenwelt ablenkt. Nur wenn eine Störung, ein klingelndes Telefon oder eine unerwartete Stimme, den Freilauf der Fantasien unterbricht, merkt man bisweilen, wie weit die Gedanken abgeirrt sind.

Der amerikanische Psychologe Russell Hurlburt hat unsere Zerfahrenheit im Alltag in einer umfangreichen Feldstudie dokumentiert. Er stattete fast 2000 Menschen mit einem kleinen Gerät aus, das in die Hosentasche passte und in unregelmäßigen Abständen Signale von sich gab. Wenn der Piepston ertönte, sollten die Probanden notieren, was ihnen in diesem Moment durch den Kopf ging. In mehr als jedem zweiten Fall beschrieben die Teilnehmer Gedanken oder Vorstellungen, die überhaupt nichts mit ihrer jeweiligen Tätigkeit oder ihrem

Aufenthaltsort zu tun hatten. Vielmehr befanden sie sich im Traummodus und hatten sich geistig von der Umwelt zurückgezogen. Mehr als die Hälfte unseres Wachlebens verbringen wir in diesem Zustand. Zwei typische Aufzeichnungen von Hurlburts Versuchsteilnehmern lauten:

>»Ich sah ein Bild meines Bruders, und gleichzeitig dachte ich, dass mein Haus einen neuen Anstrich bräuchte.«
>»Ich hörte, wie die Beatles ihr Lied ›Penny Lane‹ in meinem Kopf spielten. Es hörte sich genauso an wie im Radio.«

Diese Notizen könnten ebenso gut aus einem Traumbericht stammen. Der Amerikaner Frederick Snyder, ein Pionier der Erforschung unseres nächtlichen Erlebens, verglich bereits in den 1960er Jahren Traumprotokolle mit dem Tageserleben. Sein Fazit: 90 Prozent der Berichte hätten als »glaubhafte Beschreibungen einer Alltagserfahrung durchgehen können«. »Das Traumbewusstsein ... ist also eine erstaunlich genaue Nachbildung des Wachlebens.«

Snyder war seiner Zeit weit voraus. Zu seiner Zeit hielt man Träume für vollkommen anders geartet als die Erlebnisse des Tages; erst Snyder erkannte ihre intime Verbindung. Aus heutiger Sicht stellt sich freilich die Frage, ob wirklich die nächtlichen Erfahrungen das Wachleben imitieren – oder ob nicht das Gegenteil zutrifft. Wenn das Bewusstseinsnetz sowohl die Szenen der Nacht als auch die Vorstellungen des Tages speist: Ist dann die Wachwirklichkeit am Ende ein Kind unserer Träume?

*

Mit den Jahren hörte ich auf, die hypnagogen Bilder zu fürchten. Ich begann, die merkwürdigen Begleiterscheinungen des

Einschlafens sogar zu genießen, nachdem ich begriffen hatte, dass die irritierenden Körperverzerrungen keine Wiedergeburt als Oktopus nach sich zogen. Immer schon hatte ich als Kind und Jugendlicher schwer in den Schlaf gefunden; die abendlichen Bilder erleichterten mir diesen Weg. Wenn sie sich einstellten, soviel wusste ich nun, folgte der Schlummer binnen Minuten. Ich musste mich bloß den Farben, Formen und Stimmen überlassen. Und wenn der Schlaf doch einmal auf sich warten ließ, erlebte ich eben ein längeres Schauspiel.

Mit den Jahren veränderten sich meine hypnagogen Bilder. Nur noch selten begegnen mir die übernatürlich leuchtenden Farben, die Wolken, der goldene Regen. Umso häufiger erscheinen Landschaften, Gebäude und Menschen, die ich ähnlich auch mit geöffneten Augen sehen würde – nur weniger scharf gezeichnet und nicht so fantastisch.

Aber noch immer irritieren mich manche Erlebnisse nachhaltig. Bis heute hallen mir die Worte »Hamburg, Hamburg« im Gedächtnis wider, die eine übernatürlich klingende Stimme mir an einem Abend vor mehr als zwei Jahrzehnten zurief. Ich wohnte zu diesem Zeitpunkt glücklich in München und konnte mir nicht im Entferntesten vorstellen, dass die Hansestadt drei Jahre darauf mein Lebensmittelpunkt werden sollte. Manchmal scheint es mir, es könnte doch prophetische Momente geben.

4. Die Stufen der Nacht

Die Muster des Schlafs bestimmen unsere Träume

Manchmal geht eine großartige Entdeckung auf eine absurde Idee zurück. Der deutsche Arzt Hans Berger bemühte sich sein Leben lang, eine rätselhafte Begebenheit seiner Jugend zu erklären, die sich im Frühjahr 1892 zutrug.

»Als 19-jähriger Student bin ich bei einer militärischen Übung in Würzburg schwer verunglückt und mit knapper Not einem sicheren Tode entgangen. Ich stürzte, auf dem schmalen Rand eines steilen Hohlwegs reitend, mit dem sich aufbäumenden und sich überschlagenden Pferde in eine in der Tiefe des Hohlwegs fahrende Batterie und kam unter das Rad eines Geschützes zu liegen. Im letzten Augenblick hielt das mit 6 Pferden bespannte Geschütz an, und ich kam mit dem Schrecken davon … Am Abend desselben Tages erhielt ich von meinem Vater eine telegraphische Anfrage, wie es mir gehe.«

Nie zuvor – und später nie wieder – habe sich jemand auf diese Weise nach ihm erkundigt, schreibt Berger. Er meinte sogar zu wissen, wer seinen Vater zu der Depesche veranlasst hatte:

»Meine älteste Schwester, mit der ich in besonders innigem geschwisterlichen Verkehr stand, hatte diese telegraphische Anfrage veranlasst, weil sie plötzlich meinen Eltern gegenüber behauptete, sie wisse bestimmt, dass mir ein Unglück zugestoßen sei. Meine Angehörigen lebten damals in Coburg. Das ist eine spontane Gedankenübertragung, bei der ich wohl im Augenblick der höchsten Gefahr, den sicheren Tod vor Augen, als Sender und die mir besonders nahestehende Schwester als Empfängerin tätig war.«

Das unerwartete Telegramm beeindruckte ihn so sehr, dass er systematisch versuchte, selbst telepathische Nachrichten abzusetzen. Leider erhielt er fast nie eine Antwort. Auch hatte er nun den Eindruck, als würden seine Träume »einschlägige Botschaften« enthalten. Nach dem Erwachen am Morgen oder auch nach einem kurzen Nachmittagsschlaf kamen ihm bisweilen Begebenheiten in den Sinn, an die er lange Zeit nicht gedacht hatte. Einmal erschien etwa das Bild eines alten Schulfreundes vor seinem inneren Auge, und genau dieser Kamerad rief ein paar Stunden später bei ihm an. Berger begriff derart unvermutet aufschimmernde Erinnerungen als Versuche telepathischer Kontaktaufnahme.

Als Sohn eines Arztes war er jedoch davon überzeugt, dass sich die Welt wissenschaftlich erklären lässt. Auch scheinbar übersinnliche Phänomene mussten seiner Ansicht nach den Naturgesetzen folgen. Gab es womöglich so etwas wie eine psychische Energie, die Raum und Zeit zu überwinden vermag? Nicht zuletzt um dieser Frage nachzugehen studierte Berger Medizin. Im Jahr 1897 wurde er Assistent an der Jenaer psychiatrischen Klinik. Er nutzte seine Anstellung, um mit Temperaturmessungen am Gehirn zu experimentieren. Denn sollte der Kopf psychische Energie abgeben, so Bergers kurioser Gedankengang, müsste er sich nach den Gesetzen der Energieerhaltung ja abkühlen.

Die psychische Energie blieb unauffindbar, doch Berger gab seine Messreihen erst nach mehr als zehn Jahren auf. Trotz seiner eigenwilligen Forschungen wurde er Klinikdirektor. Im Jahr 1924, mehr als ein Vierteljahrhundert nach seinen ersten Experimenten, kam er auf eine neue Idee: Vielleicht hing die psychische Energie mit elektrischen Strömen zusammen, die durch das Gehirn fließen? Schon damals führten Chirurgen bestimmte Operationen am Kopf bei vollem Bewusstsein des Patienten durch, weil das Gehirn nicht schmerzempfindlich ist, und Berger nutzte diese Eingriffe, um Elektroden an die Hirnrinde der Kranken anzuschließen. Am 6. Juli, einem Sonntag, hatte er Erfolg. Auf dem Operationstisch lag, wach und mit geöffnetem Schädel, ein junger Mann und wartete auf die Entfernung eines Tumors. Berger stellte ihm eine Rechenaufgabe. Und tatsächlich: Während der Patient nachdachte, floss aus seinen Hirnwindungen elektrischer Strom in das Galvanometer und ließ die Nadel erzittern. Berger war es gelungen, die Aktivität des Gehirns zu messen. Sein Notizbucheintrag dieses Tages zeugt von vorsichtigem Triumph (»wohl positive Ergebnisse«), dennoch behielt Berger seine Entdeckung zunächst für sich. Bevor er der Welt die Sensation verkündete, wollte er jeden Zweifel ausräumen. Drei Jahre lang wiederholte er seine Versuche Woche für Woche.

Irgendwann in dieser Zeit kam er auf den Gedanken, die elektrische Aktivität des Gehirns bei intakter Schädeldecke zu messen. Möglicherweise ließen sich die Hirnströme ja auch von der Kopfhaut ableiten. Berger besorgte ein empfindlicheres Messgerät und schloss seinen 15-jährigen Sohn Klaus daran an. Vorher musste sich der Junge die Haare bis auf einen

Flaum scheren lassen. Nach einem Dutzend Sitzungen gelang Berger das beinahe Unglaubliche: Das Galvanometer schlug aus! Die elektrische Spannung betrug zwar nur zwei Zehntausendstel Volt, kam jedoch zweifelsfrei aus dem verkabelten Gehirn. Auf dem Papierstreifen, den das Messgerät ausspuckte, waren abwechselnd hohe weite und flache kurze Wellen zu sehen. Und die Form der Schwingungen hing offensichtlich davon ab, was in Klaus' Kopf gerade vorging. Wenn der Junge nachdachte oder sich auch nur aufmerksam umsah, verdichteten sich die Wellen. Schloss er dagegen die Augen, wurden sie länger. Döste Klaus ein, verstetigte sich der Rhythmus: Zehnmal pro Sekunde erreichte das elektrische Signal den Gipfel eines Wellenbergs, zehnmal ging es wieder zurück. Der Papierstreifen zeigte den elektrischen Pulsschlag eines ruhenden Gehirns.

Berger experimentierte weitere zwei Jahre, bis er endlich mit einer Serie von Aufsätzen mit dem Titel *Über das Enzephalogramm des Menschen* seinen Fund veröffentlichte. Die Presse reagierte begeistert. Der Düsseldorfer Stadt-Anzeiger vom 6. Juni 1930 feierte »die Aufzeichnung der Gedanken in Gestalt einer Zick-Zack-Kurve« und verkündete, die »elektrische Schrift des Menschenhirns« sei gefunden: »Heute sind es noch Geheimzeichen, morgen wird man vielleicht Geistes- und Hirnerkrankungen aus ihnen erkennen und übermorgen sich gar schon Briefe in Hirnschrift schreiben.«

Niemand sprach mehr von der psychischen Energie – nicht einmal Berger selbst. Die Hirnstromkurven erklärten nicht die merkwürdigen Erlebnisse, die Berger an Telepathie glauben ließen. Es gab nicht das geringste Anzeichen paranormaler Einflüsse. In skeptischen Momenten hatte sich Berger selbst eingestanden, dass »die wenigen ereignisreichen Versuche … auch auf Zufall beruhen könnten«. (Bis heute blieben sämtliche Ver-

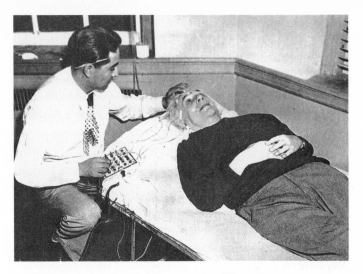

Albert Einstein bei einer Messung seiner Hirnströme

suche erfolglos, prophetische Träume, Telepathie oder ein zweites Gesicht nachzuweisen.)

Auch die Fachwelt feierte Bergers Einsichten. Mit den neuen Kurven, die man bald EEG nannte, hatte sich ein Fenster zum Gehirn aufgetan. Auf der anderen Seite des Atlantiks sorgten die Neuigkeiten aus Jena für so viel Aufsehen, dass einer der reichsten Investmentbanker New Yorks, Alfred Loomis, seine Karriere an der Wall Street beendete, um sich dem Studium der Hirnströme zu widmen. Auf seinem Landsitz errichtete Loomis ein mit modernen Präzisionsinstrumenten ausgestattetes Labor. Dort gab er Wissenschaftspartys, zu denen sich Nobelpreisträger im Frack einfanden, um die elektrische Aktivität ihrer Gehirne vermessen zu lassen. Im November 1935 war Albert Einstein zu Gast. Ehrfürchtig beobachteten die Zuschauer, wie es im Kopf des illustren Gastes arbeitete. Ein Mitarbeiter Loomis' erinnert sich:

»Sie legten ihn hin, und zuerst zeigte er die typischen langsamen Wellen des Schlafes. Dann wechselte das EEG auf die schnellen Wellen der Erregung. Er erwachte plötzlich, bat um ein Telefon und rief seine Kollegen an, um ihnen zu sagen, dass er soeben einen Fehler in den Rechnungen des vorigen Tags entdeckt hatte. Anschließend konnte er wieder schlafen.«

Loomis' Maschine konnte auf einer schier endlosen Papierrolle die Hirnströme einer ganzen Nacht aufzeichnen. So entdeckte er neben den langsamen Wellen, auf die schon Berger gestoßen war, weitere Muster: Bald nach dem Einschlafen stellten sich noch langsamere, allerdings unregelmäßige Schwingungen ein. Noch später schwankten die Hirnströme in jeder Sekunde nur noch viermal oder seltener. Und diese Wellen wurden ihrerseits immer wieder durch plötzliche Erregungen unterbrochen, die auf der Messkurve als spindelförmige Ausschläge erschienen.

Mit dem EEG schenkte Hans Berger der Schlafforschung ihr bis heute wichtigstes Instrument. 1940 wurde dieser wissenschaftliche Außenseiter sogar für den Nobelpreis nominiert, der aber wegen des Krieges nicht verliehen wurde. Vermutlich war der Gutachterkommission unbekannt, dass der Kandidat aus Jena als förderndes Mitglied die SS unterstützte und als Beisitzer am sogenannten Erbgesundheitsobergericht Zwangssterilisationen zu verantworten hatte.

Seine Verwicklungen in die Verbrechen der Nazis lassen Hans Berger in schlechtem Licht erscheinen, schmälern aber nicht den Wert seiner Entdeckung. Eine seiner wichtigsten Einsichten war, dass das Gehirn während des Schlafs mitnichten ausgeknipst wird wie eine Lampe. So dachten damals selbst die Experten; doch bereits in den Experimenten mit seinem Sohn Klaus hatte Berger die damals vorherrschende Meinung widerlegt. Das Gegenteil stimmte: Die elektrischen Wellen, die das Gerät auffing, wurden sogar steiler, wenn Klaus die Augen schloss. Der Schlaf ist alles andere als ein Zustand der Passivität. Auch brachte Bergers EEG den Nachweis, dass er nicht gleichförmig verläuft. Die unterschiedlichen Muster der Hirnwellen lassen sich nur dadurch erklären, dass die Nacht ihre Etappen hat. Wie in einer musikalischen Komposition wechseln sich Zeiten der Erregung mit stilleren Phasen ab.

*

Die erste Phase, deren Hirnwellen das EEG anzeigt, ist der Tiefschlaf. Sobald die Bilder des Einschlafens abgeklungen sind, durchlaufen wir in aller Regel eine bewusstlose Phase. Als würden wir in die Tiefe des Ozeans abtauchen, wo kein Licht mehr einfällt, verdunkelt sich der Verstand. Alle Bilder, auch die Gefühle verebben. Tagsüber wäre dies ein völlig unmöglicher Zustand, da sich der wache Geist immer irgendeine Beschäftigung sucht. Wer aber einen Menschen in dieser ersten Stunde nach dem Einschlafen weckt und fragt, was er gerade erlebt hat, erhält meist die Antwort: »Nichts«.

Vermutlich steht diese Erfahrung hinter der Idee, der Schlaf sei der kleine Bruder des Todes. So hieß es schon vor mehr als 5000 Jahren im mesopotamischen *Gilgamesch*-Epos. Ein Abschied von der Welt der Lebenden klingt auch in Johannes Brahms' Wiegenlied mit: »Morgen früh, wenn Gott will, wirst du wieder geweckt.« Erst Bergers EEG konnte die Welt davon überzeugen, dass wir schlafend nicht weniger lebendig sind als am Tage, sondern nur auf andere Weise aktiv. Auch mit einem Energiesparmodus wie bei Fernsehern und Computern hat dieser Zustand wenig zu tun. Der gesamte Energieverbrauch des Gehirns sinkt beim Einschlafen nur um ein Zehntel; in manchen Teilen des Gehirns steigt er sogar.

Wie Alfred Loomis als erster erkannte, schwanken die Hirnströme während des Tiefschlafs höchstens viermal pro Sekunde. Dafür sind die Wellenberge höher, die Täler tiefer geworden. Das Flackern der Hirnströme im Wachzustand hat sich in ein kraftvolles Pulsieren verwandelt.

Heute wissen wir, dass diese großen Wellen entstehen, weil immer mehr Hirnzellen in einen langsamen Gleichtakt geraten. Während es tagsüber im Kopf wie in einem Vogelkäfig zwitschert, bilden die grauen Zellen in dieser Phase einen Sprechchor, dem sich immer mehr Stimmen anschließen. Je tiefer der Schlaf ist, desto größere Hirnbereiche erfasst dieser Chor. Mit einem Mal scheint im Kopf Ordnung zu herrschen. Vermutlich haben die synchronen Signale tatsächlich mit einem nächtlichen Aufräumen im Gehirn zu tun. Zudem erklären sie, warum man besonders in den ersten Phasen des Tiefschlafs kaum etwas erlebt: Erfahrungen kommen zustande, wo Abwechslung herrscht; in der Gleichförmigkeit dagegen steckt wenig Information.

Trotzdem ist selbst der Tiefschlaf nicht ganz ohne Bewusstsein. Sogar in diesen Phasen blitzt so etwas wie Geistesklarheit auf, zugleich erscheinen einfache Bilder. Werden Schläfer in solchen Momenten geweckt, dann sagen sie manchmal nur ein Wort: »Wolke« zum Beispiel. Noch lange werde ich mich an das wunderbare, silbrige Licht erinnern, das ich sah, als mich ein Assistent im Schlaflabor aus einer solchen Schlafphase herausriss. Die Strahlen waren reine Helligkeit, pure Schönheit, doch sie beschienen keinen Gegenstand. Solche Erfahrungen mögen christliche Mystiker als Gottes Abglanz gedeutet haben, buddhistische Lehren brachten den Tiefschlaf seit jeher mit dem Nirvana in Verbindung.

*

Der erste Tiefschlaf, also die Phase nach dem Einschlafen, dauert rund 90 Minuten. Dann klingen die langsamen Wellen ab, die Hirnströme werden unruhiger und schneller. Herzschlag und Atmung beschleunigen sich, die Augen beginnen zu rollen, und der erste ausführlichere Traum der Nacht stellt sich ein. Der REM-Schlaf hat begonnen.

Entdeckt hat diese legendäre Schlafphase ein 30-jähriger Student, der im Auftrag seines Doktorvaters der wenig aufregenden Frage nachgehen sollte, ob Kleinkinder beim Einschlafen allmählich oder plötzlich aufhören zu blinzeln. Eugene Aserinsky verbrachte Monate an Kinderbetten, ohne dass seine Dissertation ernsthaft vorankam. Doch da Aserinsky scharf beobachtete, fiel ihm auf, dass die Kinder im Schlaf mit den Augen zu rollen begannen. Er verfolgte den Rhythmus dieser Bewegungen und konnte bald fast auf die Minute genau vorhersagen, wann die Kinder erwachen würden – zum großen Erstaunen der Mütter.

Aserinsky beschloss, der Sache nachzugehen. Im Keller seines Instituts in Chicago stand noch ein Polysomnograph, ein Exemplar von Hans Bergers Maschine zum Messen der Hirnströme. Damit ließen sich auch die Erregungen der Augenmuskeln aufzeichnen. Aserinsky wollte die Prozedur der nächtlichen Verkabelung lieber keinem fremden Kind zumuten. So schloss er seinen sechsjährigen Sohn Armond an das alte, unzuverlässige Gerät an. Noch Jahrzehnte später erinnerte sich Armond an die qualvollen Nächte im Labor mit der Maschine, die ständig zusammenbrach: »Aber mein Vater brauchte Hilfe.«

Im Lauf einer Nacht spuckte der Somnograph, wenn er denn funktionierte, einen mehr als einen halben Kilometer langen Papierstreifen aus. Deutlich zeigte er, dass sich Armonds Augen zu bestimmten Zeiten regelmäßig hin und her, auf und ab bewegten. Als ob sich das Kind im dunklen Raum umsehen würde, wanderten beide Augen im Gleichtakt. So ging es zehn, zwanzig, manchmal auch fünfzig Minuten lang. Dann standen die Pupillen des Jungen ein oder zwei Stunden lang still, bis das gespenstische Spiel wieder begann.

Seltsam verhielten sich auch die Hirnströme in diesen Phasen. Sobald Armond die Augen bewegte, ähnelte seine Hirnaktivität mehr dem Wachzustand als zuvor. Lag der Junge wach? Der Vater sprach ihn an, Armond reagierte nicht. Wenn Aserinsky ihn jedoch in diesen Phasen weckte, stammelte der Junge von heftigen Träumen.

Der Forscher schloss seine neugeborene Tochter Jill an das Gerät an. Das Baby verbrachte noch mehr Zeit als Armond in jener Schlafphase, während der die Augen unablässig hin- und herwandern. Aserinsky nannte diese Phase »REM« nach den Anfangsbuchstaben von »rapid eye movement«, also schnelle Augenbewegungen. Schließlich untersuchte Aserinsky Erwachsene: Auch sie bewegten im Schlaf die Augen, allerdings etwas seltener als die Kinder. Wenn der Forscher sie aus der REM-Phase wachrüttelte, berichteten die Probanden meist von einem Traum. »27 Weckungen während der Augenbewegungen offenbarten 20 detaillierte Träume mit visuellen Eindrücken«, schrieben Aserinsky und sein Doktorvater Nathaniel Kleitman 1953 in der Zeitschrift *Science*. Offenbar gab sich der Traum, das innerste Erleben eines Menschen, über die Augenbewegungen äußerlich zu erkennen. Träume, schlossen Aserinksy und Kleitman, seien die Folge einer »bestimmten Gehirnerregung«.

*

Die erste REM-Phase der Nacht dauert nur gut 20 Minuten. Dann verblassen die Träume, und der Schläfer taucht wieder ganz in den Tiefschlaf ab. Diesmal hält die Phase der größten Bewusstseinsferne aber nur kurz an. Schon nach wenigen Minuten beschleunigen sich die Wellen der Hirnströme wieder. Jetzt stellt sich ein leichterer Tiefschlaf ein, den die Wissenschaftler etwas fantasielos Nonrem-2 getauft haben. Ich werde ihn in diesem Buch »Spindelschlaf« nennen, denn er gibt sich durch jene spindelförmige Formation der Hirnwellen zu erkennen, die Loomis als Erster beobachtet hat. Allerdings ist der Übergang zwischen beiden Formen des Tiefschlafs fließend. Heute ist bekannt, dass wir auch im Spindelschlaf träumen; Aserinsky und Kleitman übersahen diese Erlebnisse, weil sie weniger ausführlich sind als während der REM-Phase. (Siehe Grafik S. 62.)

Nach etwa einer halben Stunde im Spindelschlaf beginnen die Augen wieder zu wandern, werden die Träume verwickelter, und die zweite REM-Phase der Nacht beginnt. Sie dauert etwas länger als die erste, doch nach spätestens 25 Minuten beginnt der nächste Abstieg. Nach kurzem Aufenthalt auf dem Grund des Tiefschlafs klettert das schlafende Gehirn wieder in den Spindelschlaf und in die nächste REM-Phase hoch, die wiederum länger als die vorige anhält. Auch im weiteren Verlauf der Nacht durchlebt der Schläfer ein rhythmisches Auf und Ab: Die Wechsel der Schlafphasen wiederholen sich insgesamt vier- bis sechsmal im Abstand von 90 Minuten. Allerdings verschieben sich von Zyklus zu Zyklus die Gewichte: Je näher der Morgen rückt, umso seltener und kürzer werden die Abschnitte des Tiefschlafs. Dafür nehmen die REM-Phasen immer mehr Zeit in Anspruch.

Weil die ersten Stunden der Nacht überwiegend dem Tiefschlaf gehören, lassen sich die meisten Menschen zu dieser Zeit so schwer wecken. Und da der REM-Schlaf vor allem die Morgenstunden ausfüllt, spielen sich die intensivsten Träume vor dem Erwachen ab. Die Dramaturgie der Nacht mit ihren

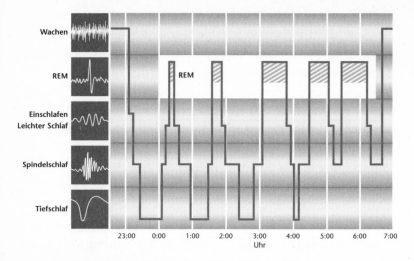

Eine typische Abfolge von Schlafphasen und Hirnströmen im Verlauf einer Nacht. Vom Wachzustand mit seinen schnellen, unregelmäßigen Hirnströmen gelangen wir zunächst in eine Einschlafphase. Die Frequenz der Hirnströme sinkt auf vier bis acht Schwingungen pro Sekunde. Nach einiger Zeit treten die ersten Schlafspindeln auf. Diese charakteristischen Wellenmuster im EEG zeigen an, dass sich der Schlaf stabilisiert hat. Im Tiefschlaf schließlich erreicht die Frequenz der Hirnströme ihr Minimum von einer halben Schwingung pro Sekunde. Nach der ersten Tiefschlafphase beschleunigen sich die Hirnwellen wieder. Über Spindelschlaf und leichten Schlaf gelangen wir in den REM-Schlaf, in dem wir besonders intensiv träumen. Im EEG ist der REM-Schlaf an plötzlichen Ausschlägen, den sogenannten PGO-Wellen, zu erkennen. Der gesamte Zyklus wird nun mehrmals durchlaufen. Je weiter die Nacht fortschreitet, umso kürzer werden die Tiefschlafphasen und umso mehr Zeit verbringen wir im REM-Schlaf.

Zyklen erklärt auch, warum Menschen mal hellwach, dann wieder völlig verwirrt sind, wenn man sie weckt – und warum es eine Rolle spielt, ob nach einer kurzen Nacht Abend- oder Morgenschlaf fehlt.

*

Den Wechsel der Schlafphasen steuert eine innere Uhr, die sogenannte Formatio reticularis. Diese Struktur sitzt im Hirnstamm und ist mit dem darüber gelegenen Thalamus, dem Tor zum Bewusstsein, verbunden. Beide zusammen bilden einen Schrittmacher für das Großhirn: Je schneller der Takt ist, den sie vorgeben, umso wacher sind wir. Wer tagsüber aufmerksam das Geschehen ringsum verfolgt, dessen Schrittmacher pulsiert mit 40 Schlägen pro Sekunde. Beim Einschlafen sinkt der Takt auf sieben, im Tiefschlaf auf maximal vier Impulse pro Sekunde. Deshalb zeichnen die Hirnstrommessgeräte umso längere Wellen auf, je tiefer der Mensch schläft.

In der REM-Phase dagegen verkürzen sie sich. Nun steigen aus dem Hirnstamm elektrische Impulse einer besonderen Art auf, die sogenannten PGO-Wellen. Sie bringen das Großhirn dem Wachzustand näher. Teile der Sehrinde sowie Hirnregionen für willentliche Bewegungen und natürlich die Augenmuskulatur werden tätig: Wir sehen bewegte Bilder im Traum, glauben zu laufen, zu klettern oder zu fliegen.

Die Illusion ist perfekt, denn auf den Körper wirkt die Schaltung im Hirnstamm genau entgegengesetzt: Sie lähmt die Muskulatur. Normalerweise wechselt man im Schlaf immer wieder die Position, ohne dabei zu erwachen. Doch ausgerechnet in der REM-Phase, wenn sein Gehirn dem Wachzustand am nächsten ist, liegt der Schläfer regungslos da wie eine Leiche. Nur die Augen vollführen unter den geschlossenen Lidern ihre unermüdlichen Wanderungen. Alle anderen

Muskeln, die wir normalerweise willkürlich bewegen können, sind erschlafft.

Dafür strömt das Blut in die Genitalien. Bei Frauen erigiert die Klitoris, bei Männern der Penis, so dass ein Mensch jede Nacht bis zu drei Stunden mit erregten Geschlechtsteilen verbringt. Dass dieser Umstand ein Anzeichen bewegter Träume sein kann, war offenbar schon unseren Ahnen in der Steinzeit bekannt. Eines der frühesten gegenständlichen Kunstwerke der Menschheit, eine Malerei in der Höhle von Lascaux in Frankreich, zeigt einen Mann, der zwischen einem Ochsen und einem auf eine Stange gespießten Vogel liegt. Sein Geschlechtsteil ragt auf. Die surrealistische Darstellung kann kaum eine Jagdszene zeigen, sonst hätte das riesige Rind den Liegenden längst überrannt. Vermutlich handelt es sich also um einen Schlafenden, der von dem Tier – seiner Jagdbeute? – träumt. (Dass er sexuelle Abenteuer erlebt, ist eher unwahrscheinlich: Von Erotik handeln bei Männern nur elf Prozent, bei Frauen nicht einmal vier Prozent aller erinnerten Träume.)

Hingegen erleben wir in REM-Träumen oft starke Gefühle. Auch das ist eine Folge der typischen Hirnaktivität während dieser Phase. Im REM-Schlaf springt nämlich eine Schaltung an, die wir von sehr fernen Vorfahren geerbt haben: das sogenannte limbische System. Schon bei Reptilien steuert es instinktive Verhaltensmuster wie Aggression oder Flucht, und bis heute ist es die treibende Kraft, wenn wir die Beherrschung verlieren. Die evolutionär neueren Teile des Großhirns, denen der Mensch sein weitsichtiges Denken verdankt, werden in solchen Momenten umgangen.

Tagsüber halten bestimmte Botenstoffe das limbische System einigermaßen im Zaum: Serotonin trägt dazu bei, starke Gefühlsaufwallungen zu dämpfen, Noradrenalin fördert das logische Denken. Doch im REM-Schlaf geizt das Gehirn mit

Zeichnung in der Höhle von Lascaux, ca. 17000 v. Chr. Die darge-stellte Bisonjagd ist vermutlich ein Traum des in der Mitte liegen-den Mannes. In der REM-Phase des Schlafs, während der beson-ders intensiv geträumt wird, sind die Geschlechtsteile erigiert.

beiden Hormonen. So erlebt der Träumer einen Sturm der Ge-fühle und Szenen jenseits aller Vernunft, taumelt durch Sze-nen voller Angst und Aggression. Das limbische System hat die Kontrolle übernommen – wir fallen in einen archaischen Zustand zurück.

Dass Tiere ganz ähnlich träumen, demonstrierte Michel Jouvet 1962 in einem klassischen Experiment. Der französische Neurobiologe wusste, was jeder Katzenfreund schon einmal beobachtet hat: Die Tiere bewegen im Schlaf manchmal ihre Pfoten, als würden sie laufen. Hebt man in solchen Momenten vorsichtig ein Lid an, sieht man, wie sich die Augen der Katze rasch bewegen. Auch sonst zeigen die Tiere alle Anzeichen des REM-Schlafs. In einer kleinen Operation durchtrennte Jouvet Katzen eine Nervenverbindung im Hirnstamm, die seiner Meinung nach für das Erschlaffen der Muskeln im REM-Schlaf verantwortlich war.

Nach dem Eingriff schliefen die Katzen ein wie gewöhnlich. Doch sobald sie in die REM-Phase eintraten, erhoben sie sich, machten einen Buckel, fauchten und schlugen wie bei einem Angriff mit den Pfoten in die Luft. Oft liefen sie mit geschlossenen Augen minutenlang durch ihr Gehege, als jagten sie eine Maus oder spielten mit einer nicht vorhandenen Beute. »Manchmal waren die schlafenden Katzen so wild, dass wir vor ihnen zurückschreckten«, schreibt Jouvet.

Sein Versuch hatte sichtbar gemacht, was den träumenden Katzen durch den Kopf ging: Der REM-Schlaf ließ Aggressionen aufsteigen und setzte offenbar Jagdroutinen in Gang. Sehr eindrücklich demonstrierten die operierten Katzen, warum die Muskeln im REM-Schlaf normalerweise außer Betrieb sind: Allein diese natürliche Lähmung verhindert, dass ein Träumer seine enthemmten Impulse in die Tat umsetzt. Sie bewahrt schlafende Tiere und Menschen davor, sich oder andere zu verletzen.

Erst im Jahr 1982 entdeckten US-Mediziner eine Störung, die Menschen dazu bringt, ihre bewegten Träume auszuagieren – wie Jouvets Katzen. Heute ist bekannt, dass die sogenannte REM-Verhaltensstörung fast ausschließlich Männer über 60 heimsucht. Ursache ist offenbar der Abbau bestimmter Hirn-zellen, denn so gut wie alle Patienten leiden Jahre später auch an der Parkinson-Krankheit oder einer bestimmten Demenz.

Die Schläfer erleben ungewöhnlich aggressive Traumsze-nen – und ihre Partner Akte unkontrollierter Gewalt. Rowena Pope, die Ehefrau eines der ersten bekannten Patienten, erzählt von dem Morgen, an dem ihr Mann sie im gemeinsamen Bett zum ersten Mal angriff:

»Er trat und prügelte auf mich ein, seine Füße waren wie Hämmer! Die Attacke dauerte ungefähr eine Minute, die mir aber wie ewig vorkam. Er schlief. Ich fragte ihn ›Was ist los?‹. Er sagte: ›Ich weiß nicht‹.«

Sie habe Ärger und Angst empfunden, berichtet Rowena Pope, in erster Linie aber Verwirrung, denn es gab keinen offensichtlichen Grund für die Gewalt. Sie und ihr Mann Cal waren zu diesem Zeitpunkt 33 Jahre glücklich verheiratet. Am Morgen erinnerte Cal sich an einen Traum der vergangenen Nacht: Ein Einbrecher sei in das gemeinsame Schlafzimmer ge-kommen, und er habe versucht, ihn zu verjagen.

»Die nächsten neun Jahre Ehe waren die Hölle«, klagt Ro-wena. Jede Nacht habe ihr Mann im Traum geschrien und um sich geschlagen. Rowena zog aus dem gemeinsamen Schlaf-zimmer aus, das Cal in seinen nächtlichen Anfällen allmählich demolierte. Bilder flogen von der Wand. Einmal donnerte er mit seinem Kopf so heftig gegen den Kleiderschrank, dass das Holz brach. Seine Faustschläge gegen die Wände hinterließen Löcher im Putz. Und natürlich verletzte er sich selbst: Häufig erwachte Cal mit blutigen Fingern, manchmal mit einem ge-brochenen Zeh.

Cal Pope erkrankte 1979, als die Krankheit noch unerforscht war; kein Arzt konnte helfen. Psychologen suchten in der ge-meinsamen Biographie des Paares nach Ursachen für die Gewalt, vergebens. Beide blickten auf ein Leben ohne belastende Ereignisse zurück und erfreuten sich einer stabilen Persönlichkeit. Sie standen sich so nahe, dass Rowena unter dem Auszug aus dem gemeinsamen Schlafzimmer, wo ihr Mann Nacht für Nacht randalierte, ernsthaft litt.

Jahre später erfuhr sie aus dem Fernsehen von einer Schlafklinik in Minneapolis, die ähnliche Fälle behandelte. Kurz darauf beobachtete sie, wie Cal bei einem Nickerchen von der Couch fiel. Statt zu erwachen, brüllte er wie ein verwundetes Tier und kroch in den Raum zwischen Sofa und Wand, als ob er sich in einen Bau zurückziehen würde.

Rowena ließ ihn in die Klinik bringen, wo die Ärzte ihm ein Beruhigungsmittel verschrieben. Das Medikament kann zwar den gestörten Mechanismus der Muskellähmung nicht wiederherstellen, dämpft aber die Erregung so weit, dass Cal ruhiger träumt und nur noch selten aufschreckt. Seitdem schwebt Rowena nachts nicht mehr in Lebensgefahr.

Weder die Gewalt, sinnlos und stereotyp, noch Cals kläglicher Rückzug hinter das Sofa lassen sich psychologisch deuten. Hunderte ähnlicher Leidensgeschichten von Menschen, die im REM-Schlaf ihren Traum ausagieren müssen, haben Forscher seither gesammelt. Immer wieder finden sich dieselben Motive: In den harmloseren Phasen beobachten die Angehörigen seltsame Pantomimen, bei denen die Schläfer Alltagsbewegungen einzustudieren scheinen: Zum Beispiel winkeln manche Patienten im Bett abwechselnd die Beine an, als würden sie im Schlaf eine unendlich lange Treppe hochsteigen. In dramatischen Momenten schlagen die Männer dagegen wild um sich, als kämpften sie um ihr Leben. Später erzählen sie einmütig, sie hätten sich von Eindringlingen, wilden Tieren oder Monstern bedroht gefühlt und verzweifelt gewehrt, um ihre Familien zu verteidigen.

So zeigen die entfesselten Träume Szenen einer Zeitreise, die wir Nacht für Nacht unternehmen. Im REM-Schlaf geraten wir in einen Zustand, in dem es auf instinktive Reaktionen und elementare Bewegungen ankommt – wie vor Millionen Jahren, als unsere Vorfahren in der Savanne um ihr Überleben liefen, kämpften und jagten. Bei den frühen Hominiden mag die emotional aufgeladene und körperorientierte Geistesverfassung, die wir im Traum erleben, auch tagsüber vorgeherrscht haben, schreibt der amerikanische Neuropsychologe Jaak Panksepp: »Was heute der REM-Zustand ist, geht vielleicht aus einer ursprünglichen Form unseres Wachbewusstseins hervor, als Gefühle im Wettbewerb um Ressourcen mehr zählten als der Verstand. Diese alte Form des Wachbewusstseins mag während der Evolution verdrängt worden sein, damit die höhere Evolution des Gehirns voranschreiten konnte.«

Oft sind wir versucht, verstörende Träume voller Angst und Aggression aus unserer Lebensgeschichte heraus zu deuten. In Wahrheit spiegeln sie eher die Regungen aus einer viel ferneren Vergangenheit: In den bewegten Träumen des REM-Schlafs sieht sich der Mensch als ein Geschöpf der Natur. Selbst wer ein beschauliches Leben führt und jeden Tag hinter dem Schreibtisch sitzt, liefert sich nachts mitunter Verfolgungsjagden, rennt, prügelt oder droht in tödliche Abgründe zu stürzen.

Denn der Traum führt uns immer wieder zurück in eine archaische, wilde Vergangenheit: Daran erinnern die Jagdszenen von Lascaux ebenso wie die Erzählungen der australischen Aborigines von einer mythischen Traumzeit. Und genau das erlebte Rowena Pope, als sie ihren Mann sich wie ein Tier verkriechen sah.

5. Durch die Augen einer Blinden

Wie die Bilder der Nacht in den Kopf kommen

> Träume, die uns Gefühle
> bescheren, die man im
> Leben nicht fühlt.
>
> *Fernando Pessoa*

Einmal habe sie im Traum eine Perle betrachtet, erinnert sich die amerikanische Schriftstellerin Helen Keller:

> »Es war ein glatter, edel geformter Kristall, und als ich in seine schimmernde Tiefe blickte, erfüllten mich eine sanfte Ekstase und Staunen, wie jemanden, der zum ersten Mal in das kühle, süße Herz einer Rose schaut. Meine Perle war Tau und Feuer, das Samtgrün von Moos, das weiche Weiß der Lilien, die Nuancen und die Süße Tausender Rosen …«

Bei aller Poesie klingen die Zeilen doch ein wenig irritierend: Warum löst eine schlichte Perle so überschwängliche Gefühle aus? Wie erklären sich die ungewöhnlichen Vergleiche mit einem Kristall und einer Rose? Und welche Perle wäre je moosgrün gewesen? Die Antwort ist, dass die Autorin nie eine echte Perle gesehen hat. Denn Helen Keller war blind. Im Alter von 19 Monaten hatte sie eine schwere Infektion erlitten, vermutlich eine Hirnhautentzündung. Die Krankheit zerstörte nicht nur ihr Augenlicht restlos, sondern beraubte die kleine Helen obendrein ihres Gehörs.

Doch obwohl die Außenwelt fortan in Dunkelheit und Stille versinkt, bleiben ihre Träume ihr Leben lang erfüllt von Farben, Bildern und Klängen. All die Erfahrungen, die ihr im wirklichen Leben versagt sind, beschert ihr der Schlaf. Als setze sich ihr Innenleben über die zerstörten Sinne einfach hinweg, hört sie im Traum Wasser rauschen und menschliche Stimmen. »Und oft besucht mich ein wunderbares Licht in der Nacht ... Dann schaue und schaue ich, bis es verschwindet.«

Speisen sich diese sinnlichen Träume aus Erinnerungen an ihre ersten Lebensmonate? Ist das herrliche Licht ein Widerschein aus jener Zeit, als sie noch sah? In ihrem 1902 erschienenen Lebensbericht fragt sich Helen Keller selbst, ob ihr Geist nicht »durch den Schleier des Schlafes« Funken aus ihren ersten Lebensmonaten erblicke. Schließlich können wir uns selbst im Traum nichts vorstellen, das in der Wirklichkeit keinerlei Entsprechung hat: »Geister ähneln immer jemandem.«

Doch würden die geträumten Bilder und Klänge nur aus der Erinnerung stammen, müsste Keller nachts immer wieder dieselben Szenen aus dem Alltag eines Kleinkinds erfahren. Tatsächlich aber mischt sie sich im Traum in das Gedränge auf der Straße und in Kneipen. Sie erlebt Verfolgungsjagden und verzweifelte Kämpfe. Sie, die sich am Tage vorsichtig durch das Leben tasten muss, klettert im Traum, jagt und wird selbst verfolgt. Sie kämpft bis auf den letzten Tropfen Blut, klettert und schwebt über den Wolken, ist in ständiger Bewegung. Selbst durch dichtes Gedränge schreitet sie, ohne dass jemand sie führt. Alles erscheint ihr selbstverständlich, nie beschleicht sie ein Zweifel.

Nur selten erinnert ein Traum sie an ihre Behinderung. Einmal sucht sie ein Buch aus ihrem Bücherregal, macht es sich in einem Sessel bequem und versucht zu lesen. Doch die Seiten sind blank. Keller ist so sehr daran gewöhnt, in ihren Träumen zu sehen, dass sie schmerzhafte Enttäuschung empfindet. Sie versucht die Buchstaben zu tasten, als wäre es Blindenschrift, doch umsonst. Tränen fallen ihr auf die Hand.

*

Die erste Zeit nach ihrer Erkrankung verbrachte Helen Keller in völliger Isolation. Zwar beherrschte sie eine Reihe von Gebärden, doch wurde sie oft nicht verstanden, ihre Frustration darüber führte häufig zu unkontrollierten Wutausbrüchen. Erst als sie sieben Jahre alt war, gelang es einer speziell geschulten Lehrerin, mit ihr Kontakt aufzunehmen. Anne Sullivan zeichnete Helen Buchstaben auf die eine Handfläche und gab ihr den entsprechenden Gegenstand zum Betasten in die freie Hand. Zunächst wusste das Mädchen nichts mit den Zeichen anzufangen. Doch eines Tages, als ein Wasserstrahl über die eine Hand lief und sie die Buchstaben »W-A-T-E-R« auf der anderen Hand spürte, begriff sie schlagartig: Jedes Ding hat einen Namen. Und mit den Zeichen konnten sie allem, was sie erlebte, Ausdruck verleihen.

Mit unstillbarer Wissbegierde machte sich Keller nun daran, die Namen aller Dinge zu erfahren und die Welt für sich zu entdecken. Sie ging zur Schule, erreichte einen Studienabschluss und veröffentlichte mit 22 Jahren ihr erstes Buch. Anne Sullivan blieb ihre engste Gefährtin, als Keller längst eine erfolgreiche Schriftstellerin war, befreundet mit Persönlichkeiten wie Mark Twain und Charlie Chaplin. Ihre Energie schien unbegrenzt: Neben dem Schreiben und ihren Reisen in 40 Länder engagierte sich Keller politisch. Sie setzte sich in der Sozialistischen Partei für die Rechte der amerikanischen Arbeiter ein und kämpfte dafür, die Lebenschancen Behinderter zu verbessern. Um sich direkter mit Menschen verständigen zu können, lernte sie sogar sprechen. Hochgeehrt starb Helen Keller 1968 im Alter von 88 Jahren.

Ihre Lebensgeschichte zeigt, zu welch unfassbaren Leistungen der menschliche Geist imstande ist, welche Widrigkeiten er zu überwinden vermag. Und sie wirft Fragen auf, wie dieser Geist eigentlich funktioniert: Woher kommen unsere Träume, überhaupt all unsere inneren Bilder und Vorstellungen? Verdanken wir alles, was wir sehen, allein unseren Sinnen? Dann wäre das Gehirn nur eine Art Album, das festhält, was die Sinnesorgane ihm zutragen. Diese Vermutung klingt zwar plausibel. Doch wie hätte Helen Keller unter diesen Bedingungen eine Perle im Traum sehen können?

Oder sind Bilder zumindest in einer Rohform schon im Menschen angelegt, bevor er überhaupt die Augen öffnet? In diesem Fall besäße unser Geist eine vorgefertigte Idee von der Welt, ein angeborenes Schema, in das wir unsere Erfahrungen einordnen. Selbst wer blind geboren ist, könnte dann eine angeborene Ahnung von Licht, Gestalten, Farben haben. Und Träume riefen lediglich ab, was wir immer schon wussten.

Der Streit über diese Fragen ist so alt wie die Geschichte des westlichen Denkens. In seinem Kern dreht er sich darum, was wir als wirklich empfinden. Schon vor mehr als 2500 Jahren nahmen die beiden großen Pioniere der europäischen Philosophie entgegengesetzte Standpunkte ein. Aristoteles behauptete, alle Erfahrung gehe von der Sinneswahrnehmung aus. Sein Lehrer Platon erklärte dagegen, die Wirklichkeit liege hinter dem, was wir mit Augen und Ohren aufnehmen. Nur dem Geist sei sie zugänglich. Wenn wir sehen und hören, erkennen wir Platon zufolge diese höhere Wirklichkeit wieder. In unserem Verstand seien seit jeher nicht nur die Idealbilder von

Licht oder der geometrischen Körper, sondern sogar von Konzepten wie der Schönheit verankert. Einem Platoniker fällt es leicht zu erklären, warum die Mona Lisa oder eine bezaubernde Landschaft so gut wie jeden Menschen anrührt: In ihnen begegnet uns eine Verkörperung der Idee »Schönheit«.

Welcher Denker recht hat, lässt sich im Wachzustand kaum entscheiden, denn dann verfügen wir in aller Regel über beides, Sinneswahrnehmung und Verstand. Wir können unmöglich beurteilen, was davon mit welchem Anteil zum inneren Erleben beiträgt. Im Schlaf hingegen bekommen wir von der Außenwelt so gut wie nichts mehr mit. Was wir im Traum sehen oder hören, entspringt also offenkundig uns selbst. Allerdings könnte es sich um bloße Erinnerungen handeln. Über den Umweg des Gedächtnisses wären in diesem Fall wiederum die Sinne Quell aller Erfahrung, Träume nichts als ein Widerschein früherer Erlebnisse. Kellers Erfahrungsberichte sprechen freilich gegen diese Deutung. Wenn sie, die als Kleinkind erblindete, in ihren Träumen wirklich gesehen hat, was sie beschreibt, müssen Bilder ohne Zutun der Augen in uns entstehen können.

*

Forscher vertrauen auf ihre Messungen und Daten, sie sind Aristoteliker. Kein Wunder also, dass die Wissenschaft Helen Keller lange nicht ernst nahm. Die meisten Experten bezweifelten nicht nur, dass Blinde im Traum Bilder sehen können, sondern bestritten, dass diese überhaupt träumen.

Denn was macht Träume aus, wenn nicht ihre Bilder? Die Studien im Schlaflabor lassen keinen Zweifel daran, dass wir in fast jedem Traum etwas sehen. Und weil Teile der Sehrinde des Gehirns im Schlaf sogar stärker aktiv sind, als wenn wir wachen, strahlen die Farben der nächtlichen Bilder oft intensiver als die Dinge bei Tageslicht, und Konturen erscheinen übernatürlich scharf; treffend sprach Jorge Luis Borges von einem »wundersamen Glanz«, der Traumszenen umhülle. Aber diese besondere Sinnlichkeit zeichnet nur die Bilder aus. Charles Baudelaire dichtete erschrocken:

> Über diese bewegten Wunder
> senkte sich – furchtbare Entdeckung:
> Alles für's Auge, nichts für die Ohren –
> ein ewiges Schweigen!

Tatsächlich hören wir nicht einmal in jedem zweiten Traum etwas, und dass sich der Körper bewegt oder berührt wird, spüren wir nur in jedem dritten. Vom Schmecken oder Riechen berichten Versuchspersonen in nicht einmal einem Prozent der Fälle, von Körperschmerzen noch seltener.

So kamen Wissenschaftler seinerzeit zu durchaus nachvollziehbaren Schlüssen: Wenn das Auge keine Bilder liefert, bleibt vom Traum nicht viel übrig. Richtig träumen könnten Blinde folglich nur, wenn sie nach ihrem fünften Lebensjahr erkrankten und ihr Gedächtnis zuvor ausreichend viele Bilder abspeichern konnte. Ein seit frühester Kindheit sowohl blinder als auch gehörloser Mensch wie Helen Keller hingegen müsse im Schlaf eine Welt ohne Raum, ohne Farben, ohne Formen und ohne Töne erfahren, die Leere eines körperlosen Geistes verspüren. Alles andere sei Einbildung.

Doch im Jahr 2003 lieferten Helder Bértolo und Teresa Paiva einen mehr als überraschenden Gegenbeweis. Die beiden portugiesischen Schlafmediziner weckten zehn blind geborene Frauen und Männer in ihrem Labor wiederholt auf und fragten, was die Probanden erlebt hätten. Fast immer beschrieben die Blinden Bilder. Insgesamt berichteten sie genauso häufig von visuellen Träumen wie Versuchspersonen ohne Behinderung. Bértolo und Paiva legten die Protokolle unabhängigen Gutachtern vor, die nicht wussten, wer die Beschreibungen verfasst hatte. Die Experten waren außerstande, die Berichte blinden oder sehenden Menschen zuzuordnen.

Mit diesem Vorgehen vermieden Bértolo und Paiva die Fehler früherer Untersuchungen. Wer nämlich Blinde erst am Morgen interviewt und fragt, ob sie im Traum etwas gesehen hätten, bekommt fast immer eine negative Antwort. Denn wer blind geboren wurde, kann sich kaum vorstellen, dass er im Schlaf Bilder sieht. Daher verschwinden diese Eindrücke im Nachhinein aus dem Gedächtnis – ähnlich wie Menschen, die mit Schwarz-Weiß-Filmen groß wurden, die Erinnerung an Farben im Traum tilgen. Ein Proband gestand Bértolo, dass ihm sehr wohl bewusst war, im Schlaf zu sehen. Doch niemand hatte ihm je geglaubt, wenn er davon erzählte. So behielt er seine Erfahrungen lieber für sich.

Bértolo und Paiva fanden sogar überzeugende Belege dafür, dass ihre blind geborenen Versuchspersonen keiner Selbsttäuschung unterlagen: Sowohl bei blinden als auch bei sehenden Probanden deuteten die Hirnströme darauf hin, dass die Schlafenden in Bildern träumten.

Und schließlich vermochten die Blinden sogar den Inhalt ihrer Träume zu zeichnen! Sie brachten, wenngleich etwas desorientiert, Gegenstände, Landschaften und menschliche Figuren zu Papier. Wiederum konnten die Gutachter nicht eindeutig sagen, ob eine bestimmte Zeichnung von einem Menschen mit oder ohne Augenlicht stammte. Nur minimale Unterschiede ließen sich feststellen: Die Blinden zeichneten ihre Figuren etwas häufiger auf die linke Blatthälfte und stellten sie öfter mit Ohren dar – vielleicht, weil diese Sinnesorgane eine so wichtige Rolle für sie spielen.

Der Traum eines Blinden. Die portugiesischen Mediziner Helder Bértolo und Teresa Paiva weckten blind geborene Menschen aus ihren Träumen und baten sie, ihre Erlebnisse zu zeichnen. Die Darstellungen waren von den Traumzeichnungen sehender Versuchspersonen kaum zu unterscheiden.

Aber wie waren diese erstaunlich detaillierten Vorstellungen entstanden? Ein Proband skizzierte sogar eine Palmeninsel samt Segelboot und strahlender Sonne. Diese Bilder konnten sich nicht aus der Erinnerung speisen; schließlich kamen diese Menschen blind auf die Welt. Die Sonne oder eine Palme haben sie nie gesehen.

*

Zu klären ist daher, wie Bilder überhaupt in unsere Köpfe geraten. Wenn Sie aus dem Fenster blicken, sehen Sie Häuser, Menschen, Bäume, darüber den Himmel. Wie kommt es dazu?

Selbstverständlich nehmen Sie an, dass Sie die Wahrnehmung Ihren Augen verdanken. Und tatsächlich trifft in jeder Sekunde die kaum vorstellbare Informationsmenge von 10 Milliarden Bit auf Ihren Netzhäuten ein – fünfzigmal mehr Daten, als Ihr Computer über den derzeit schnellsten Internetanschluss bekommt. Und doch ist es nicht diese Datenflut, die Ihr Erleben hervorruft. Denn in das Bewusstsein gelangt nur ein winziger Teil dieser Informationen – ungefähr 100 Bit pro Sekunde. Das ist gerade ein Zehnmillionstel dessen, was Ihre Augen sehen. Und dieser kümmerliche Rest reicht nicht aus, um eine Vorstellung davon zu erzeugen, was gerade in Ihrer Umgebung geschieht.

Offenbar löscht das Gehirn erst den größten Teil des Bildes, um sich dann aus anderen Quellen ein neues zu schaffen. Fast 40 Prozent des Großhirns befassen sich denn auch mit dem Verarbeiten visueller Informationen. Das Sehsystem des Großhirns besteht im Wesentlichen aus zwei großen Teilen, der primären Sehrinde und den Assoziationsfeldern. Die primäre Sehrinde, unter der Ausbeulung des Hinterkopfes oberhalb des Nackens gelegen, nimmt die Signale von den Augen in Empfang, filtert sie und analysiert, ob sich die Formen und Farben auf der Netzhaut verändert haben (siehe Grafik Seite 44).

Mit dieser Information allein könnten wir allerdings wenig anfangen. Besäßen wir nur die primäre Sehrinde, wäre die Welt für uns ein Chaos. Beispielsweise bewegen wir ständig unbewusst die Pupillen, um die Umgebung abzutasten; so erzeugt das Auge in jeder Sekunde bis zu 100 verschiedene und noch dazu meist unscharfe Bilder. Auch gäbe es keine beständigen Farben. Ein weißes Hemd erschiene unter einem Baum grün, bei Sonnenuntergang rot. Denn mit dem Licht, das auf die Dinge fällt, ändern sich auch ihre Farben. Ohnehin wären wir unfähig, irgendeinen Gegenstand zu identifizieren. Denn die primäre Sehrinde erkennt zwar Kanten und Flächen, gibt uns aber nicht den geringsten Hinweis darauf, wie diese zu-sammengehören. Etwa hilft sie Ihnen nicht zu unterscheiden, ob die mit Fältchen übersäte Oberfläche vor ihren Augen noch ein Teil des Buchs ist oder schon ihre Hand, die danach greift.

Die primäre Sehrinde leistet also nur Vorarbeit. Sie leitet ihre Daten an weitaus größere Hirnareale, die sogenannten Asso-ziationsfelder, weiter. Erst hier entsteht, was wir als Bild er-leben. Wohlgemerkt haben die Assoziationsfelder gar kei-nen direkten Kontakt zu den Augen, sondern werten nur die Signale der primären Sehrinde aus.

Lange dachte man, dass Bilder entstehen, indem die Asso-ziationsfelder die Rohinformation aus der primären Sehrinde geschickt zusammensetzen – wie ein Maler, der Linie für Linie, Fläche für Fläche, Farbe für Farbe sein Kunstwerk aufbaut. Doch wie wir heute wissen, ist das falsch: Die Bilder sind schon da. Die Assoziationsfelder arbeiten nicht wie ein Maler, son-dern eher wie ein Collagekünstler, der vorhandenes Material sichtet, passendes auswählt, es neu zusammenstellt und ab-wandelt. Die Abbildung auf Seite 80 zeigt nur unregelmäßige schwarze und weiße Flächen, und ohne Vorkenntnis sehen Sie auch nichts anderes darauf. Sobald Sie aber wissen, dass sich die Flecken im Zentrum des Bildes zu einem schnüffelnden Dalmatiner ergänzen, erkennen Sie das Tier. Jedes Mal, wenn Sie das Bild betrachten, rufen Sie nun unwillkürlich die Gestalt eines Hundes aus Ihrem Gedächtnis ab.

Wir sehen die Dinge also nicht so, wie sie sind, sondern wie wir sie kennen. Jeder Brillenträger weiß, was geschieht, wenn er sich seinen Freunden zum ersten Mal mit einem neuen Gestell zeigt: Nichts. Obwohl mitten in seinem Gesicht, un-übersehbar, statt einer fragilen Metallfassung eine markante Hornbrille thront, reagiert niemand darauf. Fragt man seine Nächsten, wie ihnen die neue Brille gefällt, reagieren sie er-

Sehen beruht auf Vorwissen. Nur wer mit dem Anblick eines Dalmatiners vertraut ist, kann die Figur auf dieser Grafik erkennen. Wir sehen, indem wir die Information aus dem Auge mit Bildern aus dem Gedächtnis abgleichen.

staunt: »Habe ich gar nicht bemerkt.« Und so ist es auch: Mit den Augen sahen sie zwar das neue Gestell, doch die neue Information kam im Bewusstsein nicht an.

Sie können sich nicht vorstellen, sich so zu täuschen? Betrachten Sie das linke Foto auf der folgenden Seite, zählen Sie

Fixieren Sie für ungefähr zehn Sekunden das linke Bild. Schließen Sie fünf Sekunden lang die Augen, blicken Sie dann auf das
rechte Bild. Sehen Sie einen Unterschied?

bis zehn und schließen dann fünf Sekunden lang die Augen.
Nun sehen Sie sich das rechte Bild an. Bemerken Sie einen Unterschied? Im Internet können Sie einen ähnlichen Test mit
einem kurzen Film machen[1]. Sie werden feststellen, dass Ihnen
gewaltige Veränderungen entgehen. Möbel in einem Zimmer
werden gegen andere ausgetauscht, neue Personen erscheinen,
die Beleuchtung wechselt: Solange Sie Ihre Aufmerksamkeit
nicht auf die Unterschiede richten, fallen sie Ihnen nicht auf.
»Veränderungsblindheit« heißt dieses Phänomen: Statt des
neuen Bildes, das Ihre Augen liefern, sehen Sie die alte Version
aus Ihrem Gedächtnis. »Die Augen sind nur der Auslöser, der
Geist sieht«, schreibt der Neurowissenschaftler Giulio Tononi.

1   www.stefanklein.info/traumfilme

Ähnliches geschieht, wenn wir träumen. Im Schlaf stellen nicht bloß die Augen, sondern auch die primäre Sehrinde den Betrieb ein. Die Assoziationsfelder allerdings, die Collagen montieren und die Wirklichkeit so oft unbekümmert ignorieren, arbeiten weiter. Deshalb glauben wir im Traum zu sehen; in Wirklichkeit erinnern wir uns.

*

Was aber geschieht, wenn die Erinnerung an Bilder fehlt? Bei vielen Blinden sind nur die Augen oder die primäre Sehrinde beschädigt, während die Assoziationsfelder funktionieren. Sie können deshalb visuelle und auch räumliche Vorstellungen haben. Weil sich die Imagination aber erstaunlich weit von der Wahrnehmung abkoppeln kann, funktioniert sie selbst dann, wenn ein Mensch niemals mit seinen Augen gesehen hat.

Denn die Assoziationsfelder stützen sich auf mehrere Informationsquellen, um ein inneres Bild zu erzeugen – die gegenwärtige Wahrnehmung und die visuelle Erinnerung, aber auch all unsere sonstigen Kenntnisse der Welt. Was Sie in diesem Augenblick sehen, konstruiert das Gehirn erstens aus dem Lichtspiel auf Ihrer Netzhaut, zweitens aus dem, was Sie früher sahen, und drittens aus Ihrem Wissen. Fallen wie bei den Blinden die Wahrnehmung und die visuelle Erinnerung aus, kann auch allein aus dem Wissen eine Vorstellung entstehen.

Was diese Blinden ertastet haben oder was andere ihnen schilderten, übersetzen also ihre Assoziationsfelder in eine Art innerer Bilder. Ein blind geborener Mann hat diesen Vorgang amerikanischen Traumforschern beschrieben. In einem seiner Träume verwandelt er Tasterfahrungen in das Bild eines Geldautomaten:

»Ich stelle mir die Oberfläche mit den Knöpfen vor. Vielleicht weil ich sie mir in meinem Geist ausmale, kann ich sie nicht wirklich mit den Augen sehen. Aber ich habe sie berührt, darum weiß ich, wie die Tastatur aussieht. Nun kann ich mich daran erinnern, wo die Knöpfe sind, ohne sie auf der Tastatur zu erfühlen.«

Wenn Sie philosophisch gebildet sind, denken Sie bei diesen Worten vielleicht an Immanuel Kant. Der große Denker aus Königsberg suchte einen Kompromiss zwischen den beiden Extrempositionen, nach denen wir unseren Sinnen entweder alle oder gar keine Erkenntnis verdanken. Einerseits, erklärte Kant, müsse das Wissen über die Welt in den Kopf kommen, und das könne es nur über die Sinne. Doch damit Ordnung unter den Eindrücken entsteht, brauche die Sinneserfahrung einen Rahmen, und diesen kann sie nicht selbst erzeugen. Darum müssten uns bestimmte Wahrnehmungsmuster angeboren sein. Und diese Muster wirken selbst dann, wenn ein Sinneskanal ausfällt. Zu solchen »Formen der Anschauung«, wie Kant sie nannte, zählte er Raum und Zeit. In diese Formen pressen wir jede Erfahrung; wir sehen die Welt nicht so, wie sie ist, sondern wie wir sie sehen können.

Demnach musste sich der blinde Träumer von der Tastatur des Geldautomaten, die er nur mit seinen Händen erfühlt hatte, zwangsläufig eine Vorstellung schaffen, in der es links und rechts, oben und unten gibt – ein inneres Bild. Natürlich vermag niemand zu sagen, inwieweit seine Vorstellung von der Tastatur einem Bild gleicht, welches ein Mensch mit intakten Augen hätte.

Allerdings spricht manches dafür, dass Blinde keineswegs nur in einem übertragenen Sinn von Traumbildern sprechen. Ohne visuelle Vorstellungen, also innere Bilder, könnten sie ihre

Träume schließlich kaum zeichnen. Und nicht nur Blinde machen offenbar im Schlaf Erfahrungen, die ihre Sinne ihnen tagsüber verwehren. Helen Keller, die zugleich taub war, nahm im Traum ja auch Geräusche wahr. Andere Gehörlose berichten von der gleichen Erfahrung. Die Frankfurter Psychologin Ursula Voss hat Träume von Menschen gesammelt, die ohne Gehör auf die Welt kamen. In genau 49 Prozent dieser Berichte – und damit genauso häufig wie bei nicht hörbehinderten Menschen – ist von Tönen die Rede. Den Gehörlosen kam es so vor, als hätten sie im Schlaf Stimmen auf Deutsch und in anderen Sprachen gehört, Musik, oder auch einen Knall. Und in 43 Prozent der Träume sprachen sie selbst. Eine Probandin meinte sich sogar daran zu erinnern, wie sie im Chor sang. Dabei waren sich die schlafenden Gehörlosen ihrer Behinderung durchaus bewusst. Die folgende Traumszene aus Voss' Sammlung spielt auf der Sitzung eines Gehörlosenvereins:

»Der 1. Vorsitzende geht in den Keller und telefoniert. Er sagt, ich solle das Fahrrad herunter bringen. Ich frage, warum und wie kannst du telefonieren? Er sagt, er verstehe nicht viel, aber ein bisschen. Ich schaue ungläubig und frage noch einmal. Er hat das Fahrradgeschäft angerufen, um ein Rad zu kaufen.«

Die Perle, von der sie einst träumte, habe sie davon überzeugt, dass sich der Geist seine eigene Welt erschaffe, schreibt Helen Keller. Vorstellungen bildeten sich aus »Erfahrungen und Andeutungen«, die uns die Außenwelt gebe, könnten sich aber von der Sinneswahrnehmung lösen: »Ich sehe, aber nicht mit den Augen. Ich höre, aber nicht mit den Ohren. Ich spreche, und andere sprechen mit mir, doch ohne Stimme.« In diesem

Kosmos stünden dem Menschen Erlebnisse offen, die ungleich schöner seien als alle, die ihm die Sinne verschafften: »Der Glanz des Sonnenuntergangs, den meine Freunde betrachten, ist wunderbar; doch der Sonnenuntergang der inneren Visionen bringt reine Freude, weil er die wunderbare Verschmelzung all der Schönheit ist, die wir kennen und uns ersehnen.«

Lange Zeit lebte Helen Keller ausschließlich in dieser geistigen Welt. Ohne Bilder und Töne von außen erschien ihr jede Tageszeit gleich – wie eine stille Nacht, in der sie innere Erlebnisse hatte. »Nur dadurch, dass ich abends zu Bett ging und am Morgen aufstand, nahm ich überhaupt einen Unterschied zwischen dem Traumland und der Wirklichkeit wahr. Ob ich wachte oder schlief, spürte ich allein mit dem Körper.« Dass sich Innenwelt und Außenwelt unterscheiden, merkte sie erst, als es ihr gelang, den Panzer des Schweigens zu brechen: Die Botschaften, die sie mit ihrer Lehrerin durch Buchstabenzeichnen auf den Handflächen austauschte, offenbarten ihr die Grenze zwischen Träumen und Wachen. Und doch blieb Keller ihr Leben lang überzeugt, dass zwischen beiden eine untrennbare Verbindung besteht. Diese Verknüpfung nahm sie deutlicher wahr als die meisten ihrer Mitmenschen, weil ihr die äußere Wirklichkeit nicht selbstverständlich war.

Diese Sichtweise hat Konsequenzen. Schließlich glauben wir, dass sich Vorstellungen grundsätzlich von Wahrnehmungen unterscheiden: Die einen entstehen in unseren Köpfen, während wir die anderen für Abbilder der Außenwelt halten. Darum erscheinen uns Träume unwirklich; das, was wir sehen und hören, akzeptieren wir als real.

Helen Keller hingegen hat erkannt, dass ihr Wissen über die äußere Wirklichkeit ebenfalls eine Vorstellung ist. Das Bild, das sie sich von einem Baum macht, dessen Rinde sie gerade ertastet, ist genauso wirklich oder unwirklich wie eine Eiche im

Traum. Beide hat ihr Gehirn aus dem konstruiert, was es über Bäume weiß.

Doch bei Menschen, die über ihr volles Augenlicht verfügen, verhält es sich nicht anders. »Unsere Wahrnehmung der Welt ist eine Fantasie, die mit der Wirklichkeit zusammenfällt«, schreibt der britische Kognitionspsychologe Chris Frith. Weil diese Vorstellung bei Menschen mit intakten Sinnen unmittelbarer zustande kommt als bei Blinden, wird man sich ihrer selten bewusst. Helen Keller muss den Umweg über das Tasten und die Erzählungen anderer nehmen, normalerweise helfen die Netzhaut und die visuelle Erinnerung. Doch letztlich tun wir alle, ob blind oder sehend, im Traum nur das, was wir die ganze Zeit tun: Wir schaffen uns die Illusion einer Welt. Rodolfo Llinás, ein aus Kolumbien stammender führender Hirnforscher, hat es so formuliert: »Wachen ist nichts anderes als ein traumartiger Zustand, der sich in einem Rahmen bewegt, den die Sinne ihm setzen.«

Lange gingen Wissenschaftler davon aus, dass das Gehirn hauptsächlich auf äußere Einflüsse reagiert. Llinás hingegen begreift das Gehirn nicht als offenes, sondern als weitgehend geschlossenes System – kein Glaspalast mit Panoramafenstern, sondern eine mit Gucklöchern versehene Kammer.

Ihm zufolge entstehen bewusste Erfahrungen durch ein Wechselspiel zwischen dem Thalamus und der Großhirnrinde, den thalamo-corticalen Schleifen – und zwar in einer weitgehend abgeriegelten Innenwelt. Diese Hirnschaltungen haben wir bereits im Kapitel über das Einschlafen und in der Grafik auf Seite 44 kennengelernt. Sie sorgen dafür, dass wir kurz vor dem Wegdämmern noch Bilder sehen, obwohl der Thalamus den Sehnerv bereits abgekoppelt hat. Nichts anderes geschieht, wenn wir wach sind: Zwar gelangen dann Sinnesinformationen zum Thalamus, doch immer noch entstehen die

Bilder, die uns bewusst werden, im Gehirn selbst. Die von den Augen eingehenden Reize wirken lediglich als Anregungen.

So sind Träume viel mehr als nur der verzerrte Widerschein des Wachlebens, für den wir sie zumeist halten. Vielmehr zeigen sie uns, welche Vorstellungen das Gehirn hervorbringt, sobald es vom Dauerfeuer der Sinne verschont bleibt. Träume sind ein Spiel mit Möglichkeiten. In ihnen durchwandern wir eine von uns selbst konstruierte Wirklichkeit, die wir dann nach dem Erwachen in der Außenwelt suchen. Vielleicht aus diesem Grund kommen wir immer wieder an Orte, erleben wir Szenen, von denen uns scheint, wir kennen sie längst aus einem Traum.

II. WAS TRÄUME ÜBER UNS SAGEN

6. Die Düfte des Barons d'Hervey

Träume öffnen das Tor zur Erinnerung

Marie Jean Léon le Coq, der Baron d'Hervey de Jucherau und Marquis von Saint-Denys, gehört bis heute zu den einfallsreichsten und produktivsten Erforschern der Nacht. 1822 in eine Pariser Adelsfamilie hineingeboren, begann er mit 14 Jahren, Buch über seine Träume zu führen. Der Reichtum seiner Vorfahren erlaubte es ihm, ungestört seinen Interessen nachzugehen. Abwechselnd auf seinem Loireschloss und in einem Pariser Stadtpalais verweilend, widmete sich d'Hervey dem Studium seiner Träume sowie der chinesischen Literatur. Er wurde ein berühmter Sinologe. Zur Pariser Weltausstellung 1867 ließ er auf eigene Kosten einen vielstöckigen »Pavillon des himmlischen Kaiserreichs« errichten, in dessen Theatersaal er Pekingopern spielen, mongolische Riesen und aus Fernost herangeschaffte Zwerge auftreten ließ. Im selben Jahr fasste er die Ergebnisse seiner inzwischen dreißigjährigen Beschäftigung mit den eigenen Träumen zusammen.

»Les rêves et les moyens de les diriger« (»Träume und wie man sie lenkt«) hieß das Werk, das d'Hervey anonym herausgeben ließ, wahrscheinlich um Neidern nach seinem grandiosen Auftritt während der Weltausstellung nicht noch mehr Angriffsfläche zu bieten. Schließlich widersprach d'Hervey

Baron d'Hervey und seine Freunde bekommen im Traum Besuch. Die Illustration ziert das Titelblatt von d'Herveys 1867 erschienenem Werk »Träume und wie man sie lenkt«.

fast allem, was der sogenannte gesunde Menschenverstand glaubte, über das Thema zu wissen. Sein Text gipfelte in der Behauptung, der Schläfer könne sich seines Zustandes bewusst werden und dann in einem »luziden Traum« willentlich genau die Bilder hervorrufen, die er sich wünsche. Es gebe aber auch andere Methoden, um seine Träume zu steuern.

Die erste Seite des erlesen gestalteten Buchs ziert eine Farblithographie, auf der eine kleine Essensgesellschaft dargestellt ist. Drei leger gekleidete Männer und eine Frau haben sich um einen Tisch versammelt, auf dem schon eine Suppenterrine steht; aller Blicke sind aber auf eine Türe gerichtet, die gerade aufgesprungen sein muss. Herein tritt ein vierter Mann, sichtlich aufgebracht und mit dem Hut in der Hand. An seinem Arm führt er eine splitternackte junge Frau. Ihre schwarzen Locken sind zerzaust, in der Hand hält sie eine Reisetasche.

Die Bildunterschrift verweist auf eine Stelle des Buchs, wo d'Hervey eine Serie von Versuchen behandelt, um die Herkunft seiner Traumbilder aufzuklären. Dazu habe er einen Ferienaufenthalt in der Hügellandschaft der Ardèche genutzt, schreibt er, außerdem ein besonders markantes Parfüm, das er sich vor der Abfahrt besorgte. Erst am Zielort öffnete er das Fläschchen, tränkte sein Taschentuch mit der Essenz und schnupperte regelmäßig daran, »zur Belustigung meiner Umgebung«. Bei der Abreise wurde der Flakon wieder verschlossen und viele Monate später einem Diener übergeben. Dieser hatte den Auftrag, das Parfüm an einem frühen Morgen seiner Wahl auf das Kissen des schlafenden Barons zu träufeln, aber den Zeitpunkt für sich zu behalten. Zehn Tage lang geschah nichts, dann träumte d'Hervey von Bergen, auf denen die berühmten Kastanienbäume der Ardèche wuchsen. Beim Aufwachen roch er den Duft, den der Diener in der Nacht verteilt hatte. Offenbar hatte der Geruch die Erinnerung an die Tage in Südfrankreich ausgelöst, ohne selbst zum Gegenstand des Traumes zu werden.

Ermutigt begann d'Hervey, auch mit anderen Düften zu experimentieren. Etwas enttäuscht stellte er allerdings fest, dass sich »eine gewisse Verwirrung« einstellte, wenn er seinem Gedächtnis zumutete, mit sieben oder noch mehr Parfüms zu jonglieren. Diese Schwierigkeit brachte ihn freilich auf eine noch kühnere Idee: Ließen sich mit Hilfe der Düfte verschiedene Erinnerungen in einem Traum gezielt miteinander verschmelzen? Der Diener musste nun also die Bettwäsche insgeheim mit zwei Parfüms gleichzeitig benetzen. Eines Morgens notierte d'Hervey jenen Traum, der auf dem Frontispiz seines Buches dargestellt ist:

>Ich wähne mich im Esszimmer des Hauses in der Ardèche, wo die Familie meines Gastgebers und meine eigene gemeinsam dinieren. Plötzlich öffnet sich die Türe, und Herr D. wird angekündigt, der Maler, der mich damals in seiner Kunst unterrichtete. Er erscheint in Begleitung eines nackten Mädchens, das ich als eines der schönsten Modelle wiedererkenne, das wir je im Atelier hatten. Herr D. erzählt, die Kutsche, in der die beiden reisten, sei umgekippt, er bitte nun um Gastfreundschaft.«

Tatsächlich war das Phantom des Malers D. ein Gast, eingeladen allerdings von d'Herveys Butler. Dieser nämlich hatte in der Nacht neben den Ferienduft ein Parfüm geträufelt, das d'Hervey während seiner Malstunden bei Herrn D. (die nicht im Urlaub stattfanden) auf dem Taschentuch trug. Ein anderes Mal führte dieselbe Mixtur zu Träumen von einem Freiluftmaler, der eine Berglandschaft skizzierte. So hatte sich d'Hervey gezielt Träume verschafft, in denen sich verschiedene Episoden aus bestimmten Lebensbereichen zu einer neuen Erfahrung verbanden.

*

Träume sind Zeitreisen. Nicht nur werden die Bilder, Stimmungen und Gedanken des vergangenen Tages in ihnen wieder lebendig, der Schlaf katapultiert uns auch um Monate, Jahre, oftmals sogar Jahrzehnte zurück. Mit seinen Experimenten zeigte d'Hervey, was einen solchen Sprung in die Vergangenheit auslöst: Reize, die Teil einer Erinnerung sind.

Ein Geruch versetzt uns wieder in das Dorf, in dem wir die Ferien unserer Jugend verbrachten, eine Enttäuschung lässt uns wieder zu dem Kind werden, das an seinen Geschwistern verzweifelt. Wir sehen die Gesichter und die Kulissen von damals, und doch ist alles ganz anders. Auch tagsüber können wir solche Erlebnisse haben. Hinter ihnen steht viel mehr als nur Sentimentalität. Aus solchen Erinnerungsbildern konstruieren wir nämlich unsere Identität. Die Gesichter der Eltern, während sie mit uns spielten, die Umgebung, in der wir groß wurden, der erste Kuss, die erste eigenständige Reise, der erste Tag im Beruf – all die Szenen, auf die Sie zurückblicken, geben Ihnen die Sicherheit, eine bestimmte Person und keine andere zu sein. Denn es ist Ihre Geschichte. Sie erleben ein »Ich«, das in Ihrem Bewusstsein die Zeit überdauert. (Neuropsychologen sprechen vom »autobiographischen Selbst«.)

Im Traum wird der Zeitsprung offensichtlich. In Szenen aus fernen Jahrzehnten spuken Menschen herum, die uns seinerzeit noch unbekannt waren, und die Jugendliebe, die wir seit langem aus den Augen verloren haben, besucht uns in unserer heutigen Wohnung. Dass »früher« und »später« keine Bedeutung mehr haben, erscheint uns widersinnig, solange wir wachen, doch genau diesen Zustand beschert uns der Traum: Er löst die Zeit auf. Viele Menschen halten Träume für chaotisch, weil sie in ihnen nicht die vertraute Reihenfolge der Ereignisse wiedererkennen. Doch genau diesen Anschein widerlegen d'Herveys Versuche. An die Stelle der Chronologie treten nämlich andere Regeln: die Gesetze der Erinnerung.

Tagsüber bleiben uns diese Prinzipien, denen wir unser »Ich« verdanken, meistens verborgen. Wir setzen voraus, dass die Chronologie das Rückgrat unserer Erinnerung bildet. Schließlich kommt uns das Gedächtnis wie eine Filmrolle vor, auf welcher der Handlungsstreifen unseres Lebens konserviert ist. Sich zu erinnern hieße demnach, einfach den Streifen zurückzuspulen und die Bilder und Töne in richtiger Reihenfolge auf die Leinwand des Bewusstseins zu projizieren.

Aber das ist ein Irrtum. In Wahrheit funktioniert das Gedächtnis ganz anders als Kino. Denn die Erlebnisse der Vergangenheit sind keineswegs so abrufbereit gespeichert, dass wir sie nur vor dem inneren Auge abzuspielen brauchten. Viel treffender als mit einem Film lässt sich das Gedächtnis mit einem Stegreiftheater vergleichen, in dem verschiedene Akteure nach dürftigen Regieanweisungen bei jeder Vorstellung aufs Neue Stücke erfinden. (Jeder Polizeiermittler weiß, was geschieht, wenn man einen Zeugen mehrmals zum selben Vorfall vernimmt: Derselbe Zeuge, der bei der ersten Vernehmung zu Protokoll gab, er habe einen Verdächtigen im grauen Anzug in einen Volkswagen steigen sehen, beschwört nun, dieser Mensch sei mit einem T-Shirt bekleidet Opel gefahren. Und bei der nächsten Befragung gibt der Zeuge eine dritte Version der Geschichte zum Besten – als würde die Wirklichkeit bei jedem Verhör in seinem Kopf neu zusammengebaut.)

*

Tatsächlich existiert im Gehirn kein Organ für das Gedächtnis, kein Ort, wo die Erinnerungen wie auf einer Filmrolle oder der Festplatte eines Computers zentral aufbewahrt werden. Die einzelnen Sinneseindrücke, Gefühle und Gedanken werden vielmehr dort erfasst, wo sie entstanden, als die Erinnerung Gegenwart war: Der Anblick der Berge im südfranzösischen Urlaubsort hat im Sehsystem seine Spuren hinterlassen, das Rauschen der Pinien im Wind hat sich dem Hörzentrum eingeprägt, der Duft des Lavendels dem Riechkolben über der Nasenwurzel. Erst wenn wir die Erinnerung an jene Tage heraufbeschwören, fügt sie sich wieder aus ihren Bestandteilen zusammen.

Dabei kommt alles auf die richtige Verbindung zwischen den gespeicherten Eindrücken an. Denn nur wenn die verschiedenen Gefühle und Wahrnehmungen einander richtig zugeordnet werden, können sinnvolle Erinnerungen entstehen. Sonst sehen wir die Kastanienwälder der Ardèche vor dem inneren Auge und hören dazu das Donnern der Brandung am Meer. Die Erinnerungen werden nach inneren Zusammenhängen sortiert, und deswegen rufen Düfte auf dem Kopfkissen ohne Rücksicht auf die Chronologie passende Traumbilder hervor.

Das Gedächtnis ist also als ein Beziehungsgeflecht organisiert, und nur weil es nach Bedeutungen ordnet, können wir mit unseren Erinnerungen überhaupt etwas anfangen. Andernfalls würden wir beispielsweise einen Ort, den wir einmal im Sommer besucht haben, unter einer Schneedecke im Winter nicht wiedererkennen. Doch die Struktur unserer Erinnerung erlaubt es, die neuen Eindrücke in die Vorstellung einzufügen, die wir über dieses Dorf bereits gespeichert haben. Deshalb können wir uns vergegenwärtigen, dass auf den Hängen, die jetzt kahl und weiß sind, im letzten Jahr Wiesenblumen blühten. Würde Erinnerung hingegen wie eine Filmrolle funktionieren, käme jede neue Erfahrung einfach als weitere Szene hinzu – ohne Bezug zu früheren Erlebnissen.

Allerdings können wir im Traum die Bilder aus dem Gedächtnis nicht als solche erkennen: Wir erleben sie, als ob sie Wirklichkeit wären. Vielleicht ist unser Dorf in einer Szene rosenumrankt und wird im nächsten Moment von einem Schneesturm heimgesucht. Solche scheinbar surrealen Verwandlungen scheinen mit unserem vernünftigen Denken unvereinbar – und sind doch eine seiner Begleiterscheinungen.

Denn der Traum zeigt uns nichts anderes als die innere Ordnung der Erinnerungen. Ohne sie jedoch könnte es gar keine Vernunft geben.

*

Im Traum konnte d'Hervey also gleichsam sein Gedächtnis bei der Arbeit beobachten. Merkwürdig erscheint nur, dass der Auslöser seiner Erinnerungen selbst keine Rolle spielte: So detailreich die Szenen waren, fehlte doch jeder Hinweis auf den Duft, der sie erst wach rief. Dass d'Hervey Spuren in diese Richtung übersah, erscheint bei einem so geübten Traumjournalisten als wenig wahrscheinlich. Eher schon liegt es daran, dass wir im Traum generell selten Gerüche erleben.

D'Hervey selbst muss sich ähnliche Fragen gestellt haben, denn während der Ballsaison startete er ein neues und noch aufwendigeres Experiment. Der erste Schritt war, zwei Damen der Pariser Gesellschaft auszusuchen, von denen er sich wünschte zu träumen; der zweite Schritt, zwei besonders einprägsame Walzer zu wählen; der dritte, den Kapellmeister eines gerade besonders angesagten und daher beinahe allgegenwärtigen Orchesters für sich zu gewinnen, was d'Hervey selbstverständlich gelang. Abend für Abend ließ dieser Musiker fortan eines der beiden Stücke aufspielen, sobald d'Hervey die erste Auserwählte zum Tanz bat, und das andere, wenn er die zweite Dame aufforderte. Für jede Tänzerin war also eine bestimmte Melodie reserviert. Als die Saison vorüber war, besorgte der unermüdliche d'Hervey zwei Spieluhren, die jeweils einen der beiden Walzer wiedergaben, und verband deren Mechanik mit der eines Weckers. Statt dessen Schrillen erklang nun entweder das eine oder das andere Musikstück. D'Hervey stellte den Wecker auf eine frühe Morgenstunde – und träumte, je nach Melodie, prompt von der entsprechenden Dame.

Dass er, aus welchen Gründen auch immer, nicht wieder seinen Diener bemüht, sondern die Uhr selbst gestellt hatte, war eine Schwäche des Experiments, denn auch Erwartungen nehmen Einfluss auf unsere Träume. Dadurch hatte d'Hervey die Erinnerung an seine Tanzpartnerinnen möglicherweise schon beim Einschlafen reaktiviert.

Umso aufschlussreicher ist aber, was genau er in diesen Nächten erlebte: Die Bilder der Frauen waren lebhaft präsent, aber nichts deutete auf die vergangenen Tanzgesellschaften hin. Obwohl doch die Musik spielte, die er so oft gehört hatte, zeigten die Träume weder das Orchester, noch den Ballsaal, nicht einmal die Abendroben der Damen – als ob das Gedächtnis die Gesichter der beiden Frauen aus dem Erlebten herausgelöst und vor einen anderen Hintergrund gestellt hätte. So, wie er bei seinen Duftexperimenten das Model und den Maler plötzlich im Landhaus seiner Freunde auftauchen sah, so begegnete er nun seinen Balldamen bei eleganten Diners, im Theater, einmal sogar zu einer Statue verwandelt.

Nimmt man d'Herveys Beobachtungen ernst, so besteht das Ausgangsmaterial der Träume also nicht aus gespeicherten Bildern, etwa den Ansichten eines Ballsaales mit tanzenden Paaren. Vielmehr setzen sie sich aus viel allgemeineren Gedächtnisbausteinen zusammen, aus »Abstraktionen des Geistes«, wie d'Hervey es ausgedrückt hat. Ein solcher Gedächtnisbaustein ist wie eine Akte, die das Gehirn über einen Menschen oder einen Gegenstand angelegt hat. Darin sind alle wesentlichen Informationen versammelt – bei einer Tanzpartnerin zum Beispiel ihr Name, die Züge ihres Gesichts, der Klang ihrer Stimme, ihre Art, sich zu bewegen, möglicherweise auch ihr Lieblingsparfüm. Einzelheiten, zum Beispiel ihr Kleid an einen bestimmten Abend, gehören dagegen nicht unbedingt zu den Daten, die das Gehirn in dieser Akte aufbewahrt.

In seinen Träumen scheint d'Hervey genau diesen Bausteinen der Erinnerung zu begegnen. So können ihm die Damen in einer Aufmachung und in Situationen erscheinen, wie er sie in Wirklichkeit niemals gesehen hatte. Dass Erinnerungen in Bausteinen und nicht als vollständige Bilder archiviert sind, hat einen offensichtlichen Vorteil: Das Gehirn spart Speicherplatz, weil es nur die wesentlichen Informationen aufbewahrt.

*

D'Herveys Experimente mögen bizarr, seine Beschreibungen wenig glaubwürdig wirken. Vielleicht ist das der Grund, warum sein Traumbuch in Vergessenheit geriet. Doch 150 Jahre später studierten deutsche Schlafforscher erneut, ob sich mit Gerüchen während der Nacht die Erinnerung beeinflussen ließ. Sie übertrugen d'Herveys Experimente mit Aromen in ein modernes Schlaflabor, in dem zu bestimmten Zeiten Rosenduft ausströmte. Das Ergebnis dieser Versuche, auf die ich im zwölften Kapitel ausführlicher eingehen werde: D'Hervey lag grundsätzlich richtig. Atmen wir im Schlaf Düfte ein, die wir aus bestimmten Situationen kennen, können sie unser Gedächtnis manipulieren.

Überdies machten Hirnforscher in Los Angeles im Jahr 2005 eine Entdeckung, die d'Herveys Erlebnisse in einen größeren Zusammenhang stellt. Rodrigo Quian Quiroga und seine Kollegen arbeiteten mit Epileptikern, denen Ärzte Elektroden ins Hirn eingepflanzt hatten, um die Krankheitsherde zu finden. Dieses Diagnoseverfahren mutet grässlich an, bereitet aber keinerlei Schmerzen. Die Patienten hatten sogar ihren Spaß dabei, wenn Quian Quiroga mit den Elektroden im Kopf experimentierte. Beispielsweise zeigte er ihnen Bilder und registrierte, wie die mit den Elektroden verbundenen Hirnzellen reagierten. Oft waren es Fotos von Filmschauspielern, denn die Klinik lag nur wenige Kilometer von Hollywood entfernt. Einmal wurde eine Frau behandelt, die in den Studios arbeitete und Jennifer Aniston persönlich kannte. Wenn Quian Quiroga ihr ein Bild dieses Filmstars vorlegte, feuerte immer dasselbe Neuron im Schläfenlappen. Erstaunlicherweise reagierte es aber nur auf Aniston, weder auf andere Schauspieler noch auf andere Blondinen.

Hingegen sprang es zuverlässig selbst auf Fotos einer verkleideten Jennifer Aniston an. Mehr noch, es feuerte sogar, sobald die Patientin den Schriftzug »ANISTON« zu sehen oder diesen Namen vorgelesen bekam. Diese graue Zelle also codierte nicht das Gesicht, sondern das viel umfassendere Konzept »Jennifer Aniston«, zu dem der Name ebenso wie die bildliche Vorstellung gehört. War in diesem Neuron enthalten, was d'Hervey eine »Abstraktion des Geistes« genannt hatte?

Nicht allein Jennifer Aniston hatte sich im Gehirn von Quian Quirogas Probanden eingenistet. Im Kopf eines Fußballfans entdeckte der gebürtige Argentinier ein Neuron, das nur auf seinen Landsmann Diego Maradona reagierte. In anderen Hirnen fand er graue Zellen für Marilyn Monroe, Luke Skywalker und den schiefen Turm von Pisa. Offenbar hat jeder Mensch spezialisierte Gruppen von Neuronen für alles, womit er vertraut ist und was ihn häufig beschäftigt – graue Zellen für den Partner, die Kinder, die Haustiere, das Auto und eben auch für Fantasy-Figuren, Sehenswürdigkeiten und Prominente.

Diese Zellen sitzen im Hippocampus, einem Gebilde tief im Gehirn. Der lateinische Name bedeutet »Seepferdchen« und spielt auf die Form der Hirnstruktur an. Der Hippocampus ist eine Schaltstelle der Erinnerung. Er legt Erinnerungen an, indem er die im Gehirn verstreut gespeicherten Einzelheiten, die zu einer Erfahrung gehören, miteinander verbindet. Zum Beispiel werden Marilyn Monroes Gesichtszüge, der Schriftzug und Klang ihres Namens sowie das Wissen über ihre Filme so eng verzahnt, dass sie fortan untrennbar zusammengehören. Ein Fan dieser Schauspielerin kann nun gar nicht anders, als Marilyns Schmollmund vor sich zu sehen, sobald er nur den Titel »Manche mögen's heiß« hört: Ein Baustein der Erinnerung, ein Konzept, ist entstanden. (In der neurowissenschaftlichen Literatur heißen daher die entsprechenden Neuronen im Hippocampus auch »Konzeptzellen«.) Durch die Verknüpfung bekommen die vorher belanglosen Informationen eine Bedeutung. Intuitiv wissen wir nun, dass sie Marilyn Monroe betreffen.

Eben dies ist die Erfahrung im Traum: Wenn uns bekannte Menschen erscheinen, spüren wir unmittelbar, um wen es sich handelt. Dabei haben die Figuren, denen wir in den nächtlichen Szenen begegnen, oft nicht einmal ein erkennbares Gesicht. Und noch seltener hören wir ihre Stimme. Im Wachzustand wären uns derart schemenhafte Figuren ein Rätsel, denn da identifizieren wir einen Menschen anhand von äußeren Merkmalen wie Aussehen, Stimme und seiner Art, sich zu bewegen. Wir müssen zunächst sehen und hören, dann erst können wir wissen. Im Traum dagegen verhält es sich genau umgekehrt. Alles, was wir darin wahrnehmen, kommt aus dem Gedächtnis. Und weil das Gedächtnis aus Bausteinen besteht, sind sämtliche Informationen sofort verfügbar. Wir wissen, bevor wir sehen.

*

In einer seiner morgendlichen Aufzeichnungen beschreibt d'Hervey minutiös, wie sich die Blöcke der Erinnerung zu einer Traumhandlung verbinden:

»Ich meine, in den Tuilerien zu sein. Ich bemerke ein attraktives Mädchen und fühle mich mit der Hemmungslosigkeit, die den Träumen eigen ist, zu ihr hingezogen. Bei ihr stelle ich ähnliche Gefühle fest, obwohl es natürlich nur meine Vorstellung ist, die sie sprechen und handeln lässt. Ich frage sie nach dem Namen. ›Silvia‹, sagt sie. Ich weiß nicht, wie ich auf diesen Namen kam, doch kaum ist er ausgesprochen, finde ich mich in einem dichten Wald wieder. Das Mädchen hat sich in einen kleinen himmelblauen Vogel verwandelt, der auf meiner Schulter sitzt, nicht weit von meinem Ohr, schön nah auch an meinen Lippen.«

Auslöser der Verwandlung sei der Name des Mädchens gewesen – »silva« ist Lateinisch für »Wald«. Damit war dieses Wort für d'Hervey wie ein Tor, durch das er aus der einen Szene in die nächste gelangte: Sobald durch die Nennung des lateinischen Begriffs das Konzept »Wald« angeregt war, meinte er auch schon unter Bäumen zu stehen.

Aber unserer Vorstellungskraft ist eine gewisse Trägheit zu eigen. Statt jähe Schnitte wie im Film zuzulassen, blendet sie sanft von einer Szene zur nächsten über: So findet sich Silvia, die junge Frau aus den Tuilerien, als Vogel in der Waldszene wieder. Wie um die Übergänge zwischen den rohen Bausteinen der Erinnerung zu glätten, erfand der träumende Verstand eine neue Figur. Diese ausschmückenden Einfälle nannte d'Hervey »sekundäre Ideen«, weil sie keine aufsteigende Erinnerung, sondern eine Reaktion auf die Traumhandlung sind. So deutete er auch den Wagenunfall, der den Maler D. und seine unbekleidete Begleiterin angeblich zwang, in d'Herveys Ferienheim um Quartier zu bitten: Die seltsame Geschichte verwischt den Widerspruch, dass Herr D. an einem Ort auftaucht, wo er eigentlich gar nicht hingehört. Wie ein Romancier, der sich von einer Vielzahl teils selbst erlebter, teils aus zweiter Hand überlieferter Szenen anregen lässt, so spinnt der Traum zwischen den Erinnerungen ein Netz von Geschichten.

Wer seine Träume Revue passieren lässt, beobachtet also die Mechanismen der Erinnerung in Aktion. Unsere nächtlichen Erlebnisse erlauben einen unverstellten Blick in tiefere Schichten des Bewusstseins, auf jene Prozesse, die gewissermaßen unterhalb der Benutzeroberfläche ablaufen. Schließlich funktioniert die Erinnerung auch tagsüber so. Nur sind wir dann wachsamer, wenn die Szenen, die sich das Gehirn zusammenfabuliert, einander allzu offenkundig widersprechen. Allerdings prüft auch diese Kontrolle nur auf Plausibilität, nicht auf Wahrheit; darum trügen unsere Erinnerungen uns viel öfter, als wir es wahrhaben möchten. Was wir im Wachzustand vor unserem inneren Auge heraufbeschwören, unterscheidet sich eben nicht grundlegend von einem Traum.

So ähnelt auch die Fortsetzung von d'Herveys Traum der schönen Erinnerung an eine Affäre. Die Dame Silvia jedenfalls hört auch als Vogel nicht auf, mit d'Hervey anzubandeln:

»Ich sprach also weiter mit ihr, sagte ihr sehr zärtlich, dass ich fürchtete, sie zu erschrecken und davonfliegen zu sehen. Ich dankte ihr sogar dafür, dass sie diese neue Gestalt angenommen hatte, denn so könnten wir länger zusammenbleiben, ohne Aufmerksamkeit zu erregen. Und als dann der Schnabel dieses Vogels zwischen meine Lippen glitt, wurde mir klar, wie sehr wir unsere größten Genüsse der Vorstellung verdanken, denn ich war so überwältigt wie vom sinnlichsten aller Küsse, die es in Wirklichkeit gibt.«

7. Die Elementarteilchen des Ichs

Wer wir im Traum sind

Manchmal geschehen im Traum Dinge, die wir uns wach nicht einmal vorstellen können. So träumte der amerikanische Arzt und Autor Percy Stiles einmal, er habe einen Furunkel im Nacken. Stiles wollte die Entzündung genauer untersuchen und wählte den denkbar einfachsten Weg: Der Träumende nahm den eigenen Kopf ab wie einen Hut und betrachtete die Sache aus der Nähe. Leider ging er beim Abmontieren des Kopfes wohl etwas unvorsichtig vor; jedenfalls träumte er weiter, wie seine Zirbeldrüse aus dem offenen Hals zu Boden fiel. Messerscharf überlegend versuchte er nun das kleinere Übel zu finden: Sollte er das abgestürzte Organ wieder einbauen, was zu einer Infektion führen könnte? Oder lieber auf die Zirbeldrüse verzichten?

Der schlafende Arzt trifft seine medizinische Abwägung nach allen Regeln der Kunst. Eindrucksvoll widerlegt die Szene den Irrglauben, dass man im Traum nicht denken kann. Sogar die Details stimmen: Die Zirbeldrüse sitzt tatsächlich am Ende des Hirnstamms und tritt zutage, wenn man den Schädel vom Hals trennt. Und natürlich muss ein Arzt ungewöhnliche Wege gehen, um seinen eigenen Hinterkopf zu untersuchen.

Der Arzt Percy Stiles untersucht im Traum einen Furunkel an seinem Nacken, wozu er seinen Kopf abnehmen muss. Die Zeichnung stammt von Stiles selbst.

Doch nur ein Träumer verfiele auf die Idee, dass die Lösung darin bestehen könnte, sich selbst zu enthaupten. Selbst wer mit blühender Fantasie gesegnet ist, scheitert im Wachzustand an der Vorstellung, sich selbst mit dem Kopf in der Hand zu sehen – als gebe es im Gehirn eine Sperre, die allzu irrsinnige Einfälle verbietet, damit wir keine Zeit mit ihnen verschwenden. Merkwürdig muten auch Stiles' medizinische Prioritäten im Traum an: Bei allem Realismus kümmert ihn einzig die Frage, ob es schlimmer sei, ohne Zirbeldrüse weiterzuleben oder eine Hirninfektion zu riskieren. Um seine ohnehin eher kurze Lebenserwartung bei geöffneter Halsschlagader scheint er hingegen unbesorgt. Erst recht nicht bemerkt er die Widersprüchlichkeit seiner Lage. Mit welchen Augen sieht er seinen abgeschnittenen Kopf? Und wer ist er überhaupt: der Kopf, der Körper oder ein außerhalb von beiden schwebender Geist?

*

In den vorigen Kapiteln haben wir die Elemente untersucht, aus denen Träume sich zusammensetzen: die Erinnerungen, die Bilder. Aus diesem Rohmaterial kann sich das Gehirn ohne Zutun der Sinnesorgane eine eigene Welt schaffen. Aber in dieser Welt sind wir keine passiven Zuschauer wie jemand, der vor dem Fernseher einen Film an sich vorbeiziehen sieht: Der kopflose Percy Stiles handelt, wägt ab, trifft Entscheidungen. Dieser Vorgang lässt sich nicht allein durch das Kombinieren von Gedächtnisfetzen und Emotionen erklären. Vielmehr fügen sich die Elemente des Traums zu einer Handlung, deren Akteure wir sind. Wir nehmen einen Standpunkt ein, reagieren auf das, was uns geschieht, denken nach. Kurz gesagt, wir haben ein Ich. Wer aber sind wir im Traum?

Träumer seien »verwirrte Denker«, schreibt der Frankfurter Philosoph Thomas Metzinger. Seine Formulierung trifft, weil sie anerkennt, dass Träume eben kein beliebiges Hirngespinst sind. Vielmehr besitzen sie ihre eigene Logik, deren Faden uns aber immer wieder entgleitet. Einerseits sprudeln gerade im Schlaf die Einfälle, andererseits sind wir desorientiert: Das Traum-Ich ist dem Wach-Ich überlegen und unterlegen zugleich. Und es kann viel über das Wach-Ich verraten.

*

Immer schon spürten die Menschen, dass ihr Geist im Schlaf über ungewöhnliche Fähigkeiten verfügt, und erklärten sich auf diese Weise, warum Träume so rätselhaft sind. Die antiken Wahrsager nahmen an, dass sich der menschliche Geist nachts für göttliche Eingebungen öffne; Sigmund Freud dagegen sah Mechanismen der Zensur, Verdichtung und Verschiebung am Werk, mit denen der Traum seine Botschaft unkenntlich mache.

Oft heißt es, der Traum sei ein Zustand fern aller Vernunft. In seltener Eintracht haben Forscher von Sigmund Freud bis Allan Hobson Träume sogar eine Form des Wahnsinns genannt. Hoffnungslos sei der Schläfer in Täuschungen und Konfusionen verstrickt. Doch wie wir gesehen haben, ist der Unterschied zwischen Tages- und Nachterleben kleiner als gedacht. Dass wir im Wachzustand oft alles andere als geistesklar sind, uns diese Verwirrtheit aber gewöhnlich entgeht, habe ich früher beschrieben. Andererseits kommen folgerichtige Gedankengänge im Traum keineswegs selten vor. Nicht nur der schlafende Stiles war imstande, schlüssige Überlegungen anzustellen (und das ohne Kopf!). Eine klassische Untersuchung stieß in immerhin 13 Prozent aller Träume von Männern auf logisches Denken; bei Frauen waren es sogar 21 Prozent. (Was die Abweichung über die Unterschiede zwischen den Geschlechtern aussagt, darüber schweigen die Autoren Calvin Hall und Robert van de Castle sich aus.) Ich selbst erinnere mich nach dem Erwachen gelegentlich an Kopfrechnungen, die ich im Traum löste, wenn auch nicht unbedingt richtig. Einmal sah ich mich am Frankfurter Flughafen in ein Flugzeug einsteigen und versuchte herauszubekommen, zu welcher Ortszeit ich bei einer Reisedauer von acht Stunden in New York ankommen würde. Von Klarträumern ist bekannt, dass sie mit etwas Anstrengung Zahlen bis ungefähr 20 addieren und subtrahieren können; dabei werden dieselben Hirnregionen aktiv, die auch im Wachzustand für das Rechnen zuständig sind.

*

So befinden wir uns im Schlaf zwar nicht im Vollbesitz der Vernunft, aber eben auch nicht im Delirium. Um den Traum zu verstehen, hilft es nicht viel, seinen Mangel an Logik festzustellen. Denn was diesen Zustand ausmacht, ist weniger die Abwesenheit von Verstand als vielmehr der Rückzug der Sinne. Erstaunlich viele Eigenheiten des Traums ergeben sich aus der schlichten Tatsache, dass wir nichts von der Umwelt erfahren, aber trotzdem bewusst sind. Das erzeugt eine ähnlich verwirrte Geistesverfassung wie bei der taubblinden Helen Keller, ehe sie lernte, sich über die Handflächenschrift mit ihrer Umgebung zu verständigen. Was innere Vorstellung, was äußere Wirklichkeit war, vermochte das Mädchen damals kaum zu unterscheiden, obwohl es sich mit Riechen, Tasten und dem Sinn für Körperbewegungen in der Welt verorten konnte.

Dem Träumer bleibt nicht einmal das, um seine Erlebnisse als Hervorbringung der Innenwelt zu begreifen. Er scheitert daran, dass innere Bilder und Stimmen auch das Wachleben durchziehen. Doch tagsüber gleicht das Gehirn sie fortwährend mit den Signalen ab, die es von Augen und Ohren empfängt. Nur wenn sich eine Vorstellung mit den aktuellen Sinneseindrücken verträgt, nimmt man diese als Wirklichkeit wahr. Sind die Widersprüche zu groß, erkennen wir sie hingegen als Ausgeburt unseres Geistes. Wer beispielsweise vor kurzer Zeit einen sehr nahen Menschen verlor, meint gelegentlich seine Stimme zu hören, ihm zu begegnen. Auch Verliebte halluzinieren manchmal ihren Partner. Selbst wenn der andere Kilometer weit weg ist, scheint er oder sie plötzlich leibhaftig im Zimmer zu stehen. Und doch wissen wir normalerweise genau, dass wir einer Sehnsucht erliegen, weil das Auge dort, wo uns vermeintlich ein Mensch gegenübertritt, nichts sieht.

Sobald uns im Traum ein Mensch einfällt, nimmt er ebenso vor dem inneren Auge Gestalt an; doch nun können unsere Sinne die Illusion nicht entlarven. Das Bild scheint real, weil ihm nichts widerspricht. Tritt im nächsten Moment eine andere Person in unser Bewusstsein, so sehen wir diese, während die erste verschwindet. Deswegen erleben wir Träume als Kaleidoskop, während uns tagsüber die Sinneseindrücke immer wieder aus den flatterhaften Vorstellungen in eine konsistente Wirklichkeit zurückholen. »Das Leben ist ein etwas weniger unbeständiger Traum«, schrieb Pascal, als hätte der französische Philosoph das subtile Wechselspiel zwischen wachendem und träumendem Bewusstsein geahnt.

Dass wir mangels Wahrnehmung zwischen Wirklichkeit und Vorstellung keinen Unterschied machen können, mag zudem erklären, weshalb wir im Traum so oft Angst haben. Wenn wir tagsüber etwas befürchten, wissen wir, dass es sich nur um eine Möglichkeit handelt, die nicht eintreten muss. Der Traum hingegen kennt kein »vielleicht«. Wach können wir Pläne machen, wie wir unsere Wohnung am besten vor Einbrechern schützen; im Traum sehen wir den Räuber schon vor uns stehen.

Wie Aladins Wunderlampe lässt das träumende Gehirn jeden Einfall sofort als Realität erscheinen. Deshalb ist es ausgeschlossen, sich im Traum zu erinnern. Denn sobald etwa ein Ereignis der Kindheit im Bewusstseinsstrom auftaucht, fühlen wir uns in diese Zeit zurückversetzt. Wir sehen die Geschwister, das Elternhaus, die Straße, in der wir einst Fangen spielten.

Nur selten, wenn sich das Gehirn in den Morgenstunden dem Wachzustand annähert, meldet sich zaghafter Widerspruch. Aber nicht einmal dann stellen wir das Erlebte in Frage. Wir sind nur verwirrt, weil die Szenen mit Wissenssplittern kollidieren, die uns nun zugänglich sind: Kann es tatsächlich sein, dass ich noch im Elternhaus wohne, wo ich doch schon den 40. Geburtstag hinter mir habe? Wieso sprechen alle Leute Deutsch, obwohl ich doch gerade in New York aus dem Flugzeug gestiegen bin? Meist geht der Traum nach einer kleinen Irritation weiter.

*

Ohnehin regt sich solche Opposition selten. In den meisten Träumen nehmen wir die absurdesten Unstimmigkeiten klaglos hin. So hatte auch Percy Stiles nicht die geringsten Schwierigkeiten, enthauptet den eigenen Kopf zu begutachten. Wie kommt es, dass selbst eingefleischte Skeptiker alles glauben, sobald sie zu Bett gegangen sind? Ein genereller Verlust der geistigen Kräfte im Schlaf kann, wie wir gesehen haben, nicht die Ursache sein. Vielmehr ähnelt das Gehirn nun einem Betrieb, dessen Chef sich davongemacht hat, aber dessen Abteilungen nun weiterwursteln.

Wir betrachten es als selbstverständlich, dass uns tagsüber die Welt als logisch zusammenhängendes Ganzes erscheint und dass wir imstande sind, planvoll in ihr zu handeln. Doch jede alltägliche Begebenheit erfordert ein erstaunliches Maß an Organisation, das es in jedem Moment aufzubringen gilt. Beim Smalltalk auf einer Party etwa erzählen Sie in aller Regel das, was Sie selbst oder Ihre Zuhörer interessiert. Sie müssen alle Gedanken unterdrücken, die Ihnen in diesem Moment ebenfalls durch den Kopf gehen, mit dem Gespräch aber nichts zu tun haben. Ebenso filtern Sie Störungen von außen heraus. Sie hören nur die Stimme Ihres Gegenübers, während der Lärm der Umgebung verschwimmt und in den Hintergrund rückt. Und Sie treffen die richtigen Zuordnungen. Mischt sich eine zweite Person in die Unterhaltung ein, ist Ihnen klar, welche Stimme zu welchem Gesicht gehört, selbst wenn Sie gerade in eine andere Richtung schauen. Nach der Unterbrechung nehmen Sie den Faden des ersten Gesprächs mühelos wieder auf. Und natürlich würden Sie stutzig, wenn Ihr Gegenüber jetzt etwas behauptete, was im Widerspruch zu dem zuvor Gesagten steht.

All das gelingt Ihnen nur, weil die entscheidenden Informationen im Stirnhirn zusammenlaufen. Die Windungen des sogenannten präfrontalen Cortex sind so etwas wie der Manager im Kopf. Neuropsychologen sprechen von der Exekutivfunktion, denn diese Schaltung erfüllt sämtliche Aufgaben, denen ein fähiger Chef nachkommen sollte: Erstens trifft sie strategische Entscheidungen, indem sie die Wahrnehmung der Außenwelt verfolgt und prüft, wie sich diese mit unseren langfristigen Absichten verträgt. (Sie beleidigen Ihren Gesprächspartner nicht, selbst wenn Sie sich danach fühlen.) Zweitens filtert der Manager hinter der Stirn Informationen. (Sie hören Ihre Stimme, nicht das Gerede der anderen.) Drittens verteilt er Arbeitsaufträge an andere Regionen des Hirns, sobald dies zum Erreichen unserer Ziele beiträgt. (Sie winken Ihrer Chefin zu, die gerade auf der Gesellschaft erscheint.) Viertens hält das Stirnhirn im Arbeitsgedächtnis alle Daten bereit, die wir zur Erledigung einer Aufgabe benötigen. (Sie legen sich die Pointe zurecht, die Sie gleich erzählen werden.) Und fünftens überprüft es die Ergebnisse. Nur wenn sich herausstellt, dass die Rückmeldungen plausibel sind, sorgt der präfrontale Cortex sechstens für das Gefühl, dass alles seine Richtigkeit hat. (Ihr Gegenüber hat an der falschen Stelle gelacht!)

Wenn Sie schlafen, ist allerdings der präfrontale Cortex weitgehend außer Betrieb, wie Messungen zeigen. Der Chef hat also Feierabend gemacht. Deswegen erleben Sie dieselbe Partyszene im Traum ganz anders: Sie können weder störende Einfälle noch Gefühle unterdrücken. Wenn Sie einen Groll gegen Ihren Gesprächspartner hegen, hindert Sie nichts daran zuzuschlagen. Sobald neue Gesichter auftauchen, verschwindet die Person ohnehin, denn Sie sind unfähig, mit Ihrer Aufmerksamkeit bei einem Gegenstand zu verweilen. Und weil mit dem präfrontalen Cortex auch jede Plausibilitätskontrolle außer Kraft gesetzt ist, wundern Sie sich nicht einmal, wenn einer der Neuankömmlinge Ihre Hand ergreift und mit Ihnen davonschwebt.

*

Weil der Aufpasser hinter der Stirn ruht, sind Sie impulsiv, sprunghaft und unkritisch geworden. Ungehindert treibt die Vorstellungskraft jetzt ihr Spiel. Weder müssen Ihre Einfälle Rücksicht darauf nehmen, was Sie über die Welt wissen, noch auf das, was in der vorigen Traumszene geschah. Der Träumer kann keine logische Handlungsfolge mehr herstellen, er lebt ausschließlich im Jetzt.

So verlieren Sie auch das Gefühl, das Geschehen zu beherrschen. Dinge geschehen mit Ihnen. Nicht etwa, dass Sie willenlos wären, im Gegenteil. In zahllosen Träumen versuchen wir verzweifelt, etwas zu erreichen, und schaffen es nie. Vielleicht wollen Sie verreisen, doch immer neue Hindernisse stellen sich Ihnen auf dem Weg zum Bahnhof entgegen. Die Abfahrtszeit rückt näher und näher, am Ende wird der Zug ohne Sie fahren – als habe sich die ganze Welt gegen Ihr harmloses Ansinnen verschworen. In Wahrheit müssen Sie scheitern, weil Ihr Traum-Ich einfach nicht bei der Sache bleiben kann. Es treibt von einem Bild zum nächsten, und jeder Einfall, jede Befürchtung nimmt sofort Gestalt an. Fortwährend verdrängen neue Eindrücke, mit denen Sie sich zwanghaft beschäftigen müssen, Ihr eigentliches Ziel: die rechtzeitige Ankunft am Bahnsteig. Falls es im Wirbel der Assoziationen überhaupt wieder auftaucht, sind Sie ihm natürlich keinen Schritt nähergekommen. Ihre Geistesverfassung ähnelt der eines Menschen mit Aufmerksamkeitsstörung: Auch bei diesem psychischen Defizit nimmt der präfrontale Cortex seine Aufgaben nicht richtig wahr.

*

Weil Träumende ihren Zustand nicht als Traum erkennen, erscheint ihnen alles, was sie erleben, selbstverständlich. Nur nach dem Erwachen wundert man sich. Was uns nachts geschah, kommt uns erst dann irreal vor, wenn wir versuchen, es mit den Tageserlebnissen in Einklang zu bringen.

Doch was ist Realität, was Illusion? Träume konfrontieren uns mit der verstörenden Einsicht, dass wir viele Erfahrungen im Wachzustand zu Unrecht für naturgegeben halten: Wir meinen, dass wir die Außenwelt sehen; tatsächlich verdanken wir die Bilder mehr der Erinnerung als unseren Augen. Die Szenen der Vergangenheit, die uns unantastbar vorkommen, entstehen erst in dem Augenblick, wenn wir sie abrufen. Wir meinen, dass die Zeit unser Leben regiert, doch unser Gedächtnis ordnet nicht nach »früher« und »später«.

Jeder Traumbericht lässt erkennen, aus wie vielen oft widersprüchlichen Facetten unser Erleben besteht. Das Bewusstsein ist nur scheinbar ein einheitlicher, durch die Zeit fließender Strom. Vielmehr setzt es sich aus zahllosen einzelnen Flüssen zusammen, die sich machmal vereinigen, doch häufiger trennen. Und jeder Fluss teilt sich wiederum in kleinere Arme, in die Informationskanäle der einzelnen Sinne, der Erinnerung, der Gefühle und Wünsche. Was uns als einheitliche Erfahrung eines Augenblicks erscheint, ist in Wirklichkeit ein nachträglich und aufwendig zusammengesetztes Flickwerk.

Und schließlich entzaubert sich sogar die Instanz, die diese Erfahrungen macht: das eigene Ich. Was macht dieses Ich eigentlich aus? Vor diese Frage gestellt, tun Sie vermutlich zwei Dinge: Sie schauen auf Ihr bisheriges Leben zurück und suchen nach prägenden Erlebnissen. Und Sie stellen eine Liste von mehr oder weniger günstigen Charakterzügen zusammen, die Sie beschreiben. Die Summe aus beidem, so scheint es, sind Sie. Aber sind Sie es wirklich? Unbestreitbar haben Sie im Traum die Empfindung, Sie selbst zu sein. Wenn Sie sich verfolgt sehen, so herrscht da nicht einfach nur Angst. Es ist *Ihre* Angst, die Sie empfinden. Und wenn Sie selig im Ozean schwimmen, so ist es *Ihr* Glück.

Aber verdanken Sie dieses Bewusstsein Ihrer selbst der Erinnerung – oder dem, was Sie über sich selbst wissen? Im Schlaf können Sie sich ja nicht an die vorige Traumszene, geschweige denn an Ihre Lebensgeschichte erinnern. Und das Bündel von Eigenschaften, das typisch sein soll für Ihre Person, zerfällt jede Nacht. Selbst die elementarsten Regungen, die am Tag scheinbar unauflöslich zusammengehören, lösen sich im Traum voneinander. So spüren Sie plötzlich einen übermächtigen Willen in sich und sind zugleich außerstande, sich zu entscheiden. Haben alle Gefühle des Wiedererkennens, aber keine Erinnerung. Denken, wie der kopflose Arzt Stiles, mit messerscharfer Logik – jedoch absurd.

Unglaublicherweise übersteht die Empfindung, ein Ich zu sein, all diese Verwandlungen. Allan Hobson vermutet, dass es so etwas wie einen innersten Kern des Bewusstseins unserer Selbst gibt. Um diesen Kern legen sich Gedächtnis, Sprache und Gedanken wie die Schichten einer Zwiebel, die im Schlaf abgeschält werden. So begegnen wir träumend unserem innersten Selbst, dem »Proto-Bewusstsein«. Es verarbeitet elementare Gefühle und Bilder, erzeugt vor dem inneren Auge eine virtuelle Welt, in der wir einen Standpunkt einnehmen und uns scheinbar bewegen. Vielleicht verankern wir an diesem Ort unsere eigene Identität. Und vielleicht ist dies der Bewusstseinszustand, in dem wir einst als Säuglinge, noch ohne Erinnerung und ausgeprägte Charakterzüge, ein Empfinden dafür entwickelten, wer wir sind. Immerhin verbringen Babys acht Stunden täglich im traumreichen REM-Schlaf.

Hobsons Theorie ist Spekulation, doch sie zeigt, auf welche grundsätzlichen Fragen die Erforschung der Träume führt. Wer sich darauf einlässt, was uns Nacht für Nacht widerfährt, erlebt Überraschungen von ähnlicher Art wie die Physiker, die zu Beginn des 20. Jahrhunderts den Aufbau der festen Körper erforschten und dabei feststellten, dass die Dinge ganz anders sind, als sie erscheinen. Ein menschlicher Körper, ein Stein, ein Stahlträger, auf dem ein ganzes Haus lasten kann – sie alle bestehen aus Leere. Die winzigen Atomkerne und noch kleineren Elektronen sind von hunderttausendmal größeren Zwischenräumen getrennt. Und selbst die Atomkerne scheinen nur solide. Untersucht man sie genauer, findet man wiederum Leere, dann noch kleinere Elementarteilchen, die Protonen, Neutronen, schließlich Quarks und Gluonen, die sich fortwährend neu bilden und wieder verschwinden.

Im Traum löst sich das Ich in seine Elementarteilchen auf. Zu erleben, dass unsere Persönlichkeit nicht so festgefügt ist, wie wir glauben, kann beunruhigend sein – aber auch befreiend. Albert Einstein und seine Kollegen empfanden tiefste Verunsicherung, als sie in den fremden Kosmos des Allerkleinsten vorzudringen begannen. Doch indem sie ihr gewohntes Denken und ihre Vorstellungskraft auf die Probe stellten, eröffneten sie ein neues Verständnis der Materie. Genauso weist der Traum uns den Weg zu einem tieferen Verständnis unser selbst.

8. Inseln des Bewusstseins

Warum wir nachts so viel mehr erleben als tagsüber

Leicht übersieht man die stilleren Träume. Weil sie knapp und ohne große Gefühle daherkommen, prägen sie sich der Erinnerung schlecht ein. Oft sind sie sogar nur Fetzen aus wenigen Bildern. Ein solches Fragment beschreibt Guiseppe Ungaretti, ein in Ägypten aufgewachsener italienischer Dichter:

> Der schattige Nil
> die dunklen Schönen
> flüssig gekleidet
> verspotten den Zug
>
> vorbei

Hunderte solcher Erlebnisse haben wir im Lauf einer einzigen Nacht. Ohne uns mit ihnen zu beschäftigen, lassen wir sie vorüberziehen. Dabei versäumen wir viel, denn oft erzählen die stillen Träume mehr noch als die Gefühlsstürme des REM-Schlafs, was uns innerlich beschäftigt. Vor allem aber verraten sie viel darüber, was unser Bewusstsein eigentlich ausmacht.

Auch die Wissenschaft hat die ruhigen Vorkommnisse, die den größten Teil unserer Träume ausfüllen, lange Zeit übersehen. Zum einen waren die Forscher von der Entdeckung des REM-Schlafs wie berauscht. Was nicht den opulenten Träumen dieser Phase ähnelte, interessierte sie nicht. Zum anderen stellten sie die falsche Frage.

Wenn sie Menschen im Schlaflabor mitten in der Nacht weckten, um sich nach ihren Erlebnissen zu erkundigen, wählten sie die Worte: »Was haben Sie gerade geträumt?« Die Erwachten erzählten in der Regel vor allem dann etwas, wenn man sie gerade aus dem REM-Schlaf gerissen hatte. Sonst hielten sie sich eher bedeckt. Offenbar verstanden sie die Frage so, dass nur ausführliche und lebhafte Szenen, wie sie die REM-Phase prägen, der Rede wert seien. So entstand der bereits erwähnte Irrglaube, dass wir nur im REM-Schlaf und damit höchstens zwei Stunden pro Nacht träumen.

Jahre dauerte es, bis Wissenschaftler lernten, die Frage offener zu formulieren: »Was ging Ihnen vor dem Aufwachen durch den Kopf?« Plötzlich sprudelten die Traumberichte nur so heraus. Aus allen Schlafphasen berichteten die Versuchspersonen nun von Erfahrungen. Ihre Schilderungen wirken so vielfältig wie das Leben selbst: Es geht um Verführung und große Gefühle, um Fliegen und Flüchten, aber eben auch um stille Bilder, alltägliche Begebenheiten und bloße Gedanken. Zu Protokoll geben die Geweckten gewalttätige Episoden ebenso wie Träume voll hintergründigem Humor oder Momente, in denen der Held überlegt, ob er jemanden mit einer unbedachten Bemerkung beschämt hat. Das Vorurteil, Träume seien stets unlogisch, gilt inzwischen als widerlegt. Ein Teil der Traumerzählungen liest sich so vernünftig, dass Experten sie in Blindversuchen mit Berichten aus dem wachen Alltag verwechseln. Selbst einfache logische Probleme lassen sich im Schlaf lösen, wie im vorigen Kapitel beschrieben.

Es gibt keinen typischen Traum – so wenig, wie es typische

Tageserlebnisse gibt. Im Wachzustand empfinden wir unterschiedlich, wenn wir zornig oder nachdenklich sind, unsere Aufmerksamkeit auf einen anderen Menschen oder nach innen richten, still dasitzen oder uns beim Sport verausgaben. Noch größer ist das Spektrum der Erfahrungen im Traum. Denn vom Einschlafen bis zum Klingeln des Weckers wechselt das Gehirn mindestens ein Dutzend Mal seinen Betriebszustand. Damit ändert sich auch unser Empfinden.

Der Schlaf erscheint wie ein Labor, in dem die Natur mit verschiedenen Bewusstseinszuständen experimentiert. Wir müssten schon mehrere Leben gleichzeitig führen, wollten wir tagsüber auf eine ähnliche Vielfalt von Erfahrungen kommen. Was uns in einer einzigen Nacht widerfährt, lässt sich damit vergleichen, den Alltag einer Woche zu bewältigen, mindestens eine Fernreise zu machen, vorübergehend wieder ein Kind zu sein, eine Querschnittslähmung zu durchleiden und obendrein mehrere Drogentrips zu erleben. Die intensivste Zeit des Lebens beginnt, wenn das Licht ausgeschaltet ist.

*

Dass Schlafen fast immer auch Träumen bedeutet, war für viele Wissenschaftler eine störende Erkenntnis. Allzu lange hatten sie die nächtlichen Erlebnisse mit dem REM-Schlaf gleichgesetzt. Sie hofften, nur diesen einen Hirnzustand verstehen zu müssen, um das Rätsel der Träume zu lösen. Doch nun stellten sich ihre Einsichten über die REM-Phase lediglich als Teil der Wahrheit heraus, wenngleich als höchst interessanter. Aber wie sollte man Träume durch spezielle Hirnerregungen erklären, wenn Menschen in allen physiologisch doch so verschiedenen Etappen der Nacht Erlebnisse haben?

Manche Wissenschaftler versuchten, die Bilder in anderen Schlafphasen als Erinnerungen an zuvor erlebte REM-Träume zu deuten. Aber Mark Solms, ein aus Südafrika stammender Neurologe und Psychoanalytiker, versperrte diesen Ausweg durch eine umfassende Studie. Solms untersuchte 361 Männer und Frauen, die nach einer Schädigung des Hirnstamms keinen REM-Schlaf mehr erlebten. Trotzdem berichteten diese Menschen von lebhaften Träumen. Bestimmte Antidepressiva können ebenfalls den REM-Schlaf unterdrücken; auch Patienten, die diese sogenannten MAO-Hemmer schlucken, träumen allnächtlich und anschaulich. So erzählte ein MAO-Patient bei einer Weckung aus dem Spindelschlaf. Ein anderer berichtete aus dem Tiefschlaf:

»Ich war in einem Flur, der mir schnell entgegenkam. Dort hielten mich Leute gewaltsam auf. Sie sahen vertraut aus, aber ich weiß nicht, wer sie waren. Es war unangenehm.«

Nur wenn man Menschen aus dem ersten Tiefschlaf der Nacht reißt, wissen sie nicht viel zu sagen. In späteren Tiefschlafphasen scheint hingegen deutlich mehr los zu sein, wie Francesca Siclari und Giulio Tononi von der amerikanischen Universität Madison zeigten. Die beiden Neurowissenschaftler holten sieben Versuchspersonen in mehreren Nächten insgesamt 778-mal aus verschiedenen Schlafphasen. Bei immerhin knapp einem Viertel der Weckungen aus dem Tiefschlaf berichteten die Probanden von einem Traum. Je mehr Zeit seit dem Einschlafen verstrichen war, desto häufiger schilderten sie Erlebnisse.

Aber auch diejenigen, die sich an keinen Traum erinnern konnten, hatten häufig das Gefühl, dass da »etwas war«. Bei fast jeder zweiten Weckung aus dem Tiefschlaf erklärten die Versuchspersonen, sie hätten eine Erfahrung gemacht, die sich ihnen jedoch nicht eingeprägt habe – so, als würde man an einen unauffälligen Tag zurückdenken, dessen Ereignisse im Gedächtnis keine Spuren hinterließen. Trotzdem bezweifelt man nicht, dass man auch an diesem Tag etwas erlebt hat. In der Schlafforschung bekam dieses Phänomen sogar einen eigenen Namen: Man spricht von »weißen Träumen«.

Zweifellos sinkt im Tiefschlaf der Grad an Bewusstsein. Vorübergehend scheint es sogar ganz zu erlöschen. Die verbreitete Überzeugung, in dieser Schlafphase sei der Mensch gänzlich bewusstlos, trifft jedoch offensichtlich nicht zu: Insgesamt drei Viertel der geweckten Versuchspersonen berichteten ja davon, sich gegenwärtig gefühlt zu haben, auch wenn sich nicht alle an das Geschehen erinnern konnten.

Möglicherweise gibt es also im Tiefschlaf längere Abschnitte, in denen wir träumen, während zwischenzeitlich geistige Funkstille herrscht. Unklar ist allerdings, wie sich diese Perioden physiologisch von jenen ohne Bewusstsein abgrenzen lassen, denn im EEG zeigt sich während des Tiefschlafs ja immer das gleiche Muster. Ich vermute daher, dass sich das Bewusstsein in dieser Schlafphase regelmäßig einstellt und wieder verabschiedet – so, wie der Strahl eines Leuchtturms periodisch aufblitzt. Mit verfeinerten Messungen lässt sich nämlich eine Struktur in den langsamen Hirnwellen nachweisen, die den Tiefschlaf charakterisieren. In den Tälern der Wellen unterbrechen die Neuronen zwar ihr Feuern, dann herrscht für gut eine halbe Sekunde tatsächlich so etwas wie Stille im Kopf. Doch sobald die Welle wieder ansteigt, nehmen die Hirnzellen erneut ihre Tätigkeit auf, und auf dem Gipfel der Welle sind sie fast so aktiv wie während wir wachen. Auch sind die Erregungsmuster dann von denen im Wachzustand kaum zu unterscheiden – der Neurowissenschaftler Vincenzo Crunelli spricht von »Fragmenten des Wachens«. In diesen Momenten auf dem Gipfel also könnte sich der Geist regen, freilich nur solange, bis die Welle wieder abzuklingen beginnt. Wiederum dauert dies etwa eine halbe Sekunde.

Diese Zeitspanne ist zu kurz für eine ausführliche Traumszene. Um aber ein einzelnes Bild, ein Gefühl oder einen einfachen Gedanken aufkommen zu lassen, reicht sie aus. Schließlich dauern die kürzesten bewussten Erfahrungen, die wir machen, ungefähr eine zehntel Sekunde. Wenn das Bewusstsein auf den Wellenbergen für einen Augenblick erwacht, könnte dies also die eigentümlichen, elementaren Erfahrungen erklären, von denen viele Probanden aus dem Tiefschlaf berichten – zum Beispiel jenes überirdisch klare Licht, das mir einmal im Schlaflabor vor Augen stand. Mit der Welle der Hirnaktivität zieht sich das Bewusstsein wieder zurück, und die Information wird gelöscht. Nur wer zufällig gerade dann aus dem Schlaf gerissen wird, wenn ein Erlebnis besonders intensiv ist, kann sich daran erinnern.

*

Damit eröffnet der Schlaf einen bisher kaum bekannten Zugang zur Frage, was unser Bewusstsein eigentlich ausmacht – das vielleicht größte und zugleich alltäglichste aller Rätsel. Sie sehen die Buchstaben dieses Buchs, im Hintergrund ein Zimmer oder den Himmel. Sie hören Geräusche, vielleicht sogar Musik. Und Ihnen ist bewusst, dass Sie die Person sind, die das alles erlebt. Bewusstsein ist die Fähigkeit, Erlebnisse zu haben. Es ähnelt also einem Scheinwerfer, der die Außenwelt und unser eigenes Innenleben erleuchtet.

Möglicherweise wundern Sie sich nicht sonderlich darüber, dass Sie diese Fähigkeit haben. Im Gegenteil, Ihr Bewusstsein erscheint Ihnen als natürlichste Sache der Welt. Und in einem gewissen Sinn haben Sie recht: Ohne Bewusstsein würden Sie ja weder spüren, dass es Sie selbst gibt, noch, dass überhaupt irgendetwas existiert. Weil also das Bewusstsein die Voraussetzung für alles ist, was Sie wahrnehmen, empfinden und denken, setzen Sie es als selbstverständlich voraus. Wenn Sie in diesem Moment auf die Buchstaben vor Ihnen schauen oder die Geräusche der Straße hören, kommt es Ihnen so vor, als würden Sie einfach Eindrücke von außen empfangen. Da allerdings täuschen Sie sich: Um Sie herum gibt es weder Farben noch Formen noch Töne, nur elektromagnetische Wellen und Schall. Alles andere entsteht offenbar in Ihnen selbst: Irgendwie verwandelt sich eine physikalische Erregung von Augen und Ohren in ein bewusstes Erlebnis – ein Bild oder den Klang einer vertrauten Stimme.

Sie erleben so etwas wie einen Film, der in Ihrem Kopf spielt. Und diese Erfahrung machen Sie sowohl im Wachzustand als auch, wenn Sie träumen. In der Regel kommt etwas Zweites hinzu: Sie wissen, dass es sich um Ihre Erlebnisse handelt. Sie empfinden sich also als die Hauptperson in diesem Film. Doch damit Sie sich als ein »Ich« erleben können, müssen Sie zuerst einmal in der Lage sein, überhaupt etwas zu erleben. Es gelte daher, zu verstehen, wie »der Film in den Kopf kommt«, argumentiert Antonio Damasio, ein führender amerikanischer Neurologe.

Bewusstsein hat verschiedene Schichten, deren Aufbau wir im vorigen Kapitel mit dem einer Zwiebel verglichen haben. Im Wachzustand erleben wir normalerweise die äußerste Schicht: Wir haben Erlebnisse, erfahren uns als ein »Ich«, können die Zukunft planen und in die Vergangenheit blicken. In dieser Schicht liegen also das Empfinden eines freien Willens und eine Biographie.

Nachts dringen wir weiter nach innen vor, die Zwiebel entblättert sich. So stoßen wir in den meisten REM-Träumen auf die nächste Schicht, wie im vorigen Kapitel beschrieben. In dieser Schicht machen wir zwar noch Erfahrungen, haben Gefühle und empfinden uns als ein »Ich«. Doch alle Erinnerung und das Empfinden, frei entscheiden zu können, sind verlorengegangen. Die Ordnung der Zeit löst sich auf. In dieser Schicht, die Allan Hobson »Proto-Bewusstsein« nannte, zählt einzig die Gegenwart.

In den einfachen Träumen des frühen Tiefschlafs ist schließlich auch das Ich-Empfinden verschwunden. Nur Farben, Licht und andere elementare Eindrücke können wir in diesem Zustand erfahren, manchmal auch ein vereinzeltes Bild oder einen versprengten Gedanken. Aber weder haben wir das Gefühl, als Person anwesend zu sein, noch fragen wir uns, wer eigentlich diese Erfahrungen macht. Sie sind einfach da. Wir haben den Kern des Bewusstseins erreicht.

*

In allen Kulturen erklärten sich die Menschen das Phänomen »Bewusstsein« als eine Hervorbringung der Seele, die auf geheimnisvolle Weise mit dem Körper verbunden sei. Die alten Ägypter und Hebräer vermuteten die Seele im Herzen, die Maya sahen die Leber als ihren Sitz an. Heute steht fest, dass wir das Bewusstsein dem Gehirn verdanken. Deswegen hoffen Wissenschaftler, der Lösung des Rätsels näherzukommen, indem sie das Hirn besser verstehen. Allerdings stehen sie vor der Schwierigkeit, zwischen dem physikalischen Zustand des Gehirns und der inneren Erfahrung eine Brücke zu schlagen. Nirgends in der aus drei Pfund Wasser, Fett und Eiweiß bestehenden Masse Ihres Gehirns befindet sich etwas, das auch nur annähernd der Farbe Azurblau ähnelt; trotzdem befähigt dieses Organ Sie, einen strahlenden Himmel mit Schäfchenwolken zu bewundern.

Zweifellos hängt es vom Zustand des materiellen Gebildes

Gehirn ab, welche geistige Erfahrung sich einstellt – und ob sich überhaupt eine regt. In jahrelanger Suche fanden Hirnforscher tatsächlich Hinweise darauf, welche Vorgänge im Kopf für das bewusste Erleben verantwortlich sein könnten. Als Merkmale des Bewusstseins gelten die Aktivität bestimmter Neuronen sowie ganzer Hirnregionen, auch Hirnströme mit einer Frequenz von 40 Impulsen pro Sekunde. Allerdings untersuchten die Wissenschaftler bislang praktisch nur wache Menschen und Tiere, mit denen es sich nun einmal leichter experimentiert. Meist stillschweigend gingen sie zudem davon aus, dass Wachsein ohnehin die Voraussetzung für bewusstes Erleben sei. »Wenn die Wachheit verschwindet ..., verschwindet das Bewusstsein«, schrieb selbst Antonio Damasio, der das Phänomen Bewusstsein an vorderster Front erforscht hat. Als einzige Ausnahme ließ er den Traumschlaf gelten, dem er jedoch keine weitere Aufmerksamkeit schenkte. Aus seiner Sicht erscheint das Ignorieren des Traums nur konsequent: Laut Damasio dient das Bewusstsein dazu, unsere Handlungen optimal zu steuern, indem es Informationen über unseren inneren Zustand mit Sinneseindrücken von außen verbindet. Wer bewusst handele, sei deshalb im Vorteil, und folglich habe sich diese Fähigkeit in der Evolution durchgesetzt. Im Schlaf hingegen, wenn wir weder etwas tun noch wahrnehmen, ist sie überflüssig.

Heute aber wissen wir, dass wir in allen Schlafphasen träumen. Menschen machen also auch dann Erfahrungen und sind bewusst, wenn sich ihr Gehirn in ganz anderen Zuständen als im Wachzustand befindet. Und wie spätere Kapitel zeigen werden, haben diese Vorgänge während der Nacht durchaus Einfluss auf unser Handeln: Sie verändern unsere Erinnerungen, unsere Fähigkeiten, mitunter sogar unseren Charakter. Deshalb ist es grundsätzlich falsch, Bewusstsein nur als Funktion des Wachseins zu betrachten. Wir werden das Rätsel erst dann lösen, wenn wir begreifen, was im Schlaf vor sich geht.

*

Bewusstsein ist keine Frage von Alles oder Nichts. Niemand ist zu allen Zeiten des Tages gleichermaßen präsent. Zwischen dem wohligen Dahindämmern vor dem Fernseher und der äußersten Gegenwärtigkeit eines Kletterers in der Felswand, für den ein falscher Griff den Absturz bedeuten kann, durchlaufen wir im Wachzustand alle Grade der geistigen Anwesenheit.

Im Schlaf verhält es sich genauso. Den einen Pol bilden die bis aufs äußerste reduzierten Erlebnisse des Tiefschlafs. Ohne »Ich«-Erleben, ohne Erinnerung oder Willen sind wir auf kleinster Flamme bewusst. Das andere Extrem markieren die bildmächtigen Träume der Morgenstunden – die langen, verworrenen Geschichten, durch die wir uns als handelndes, leidendes oder triumphierendes »Ich« bewegen. Manchmal ahnen oder spüren wir in diesen Momenten sogar, dass wir träumen.

Bis vor kurzem gingen die Wissenschaftler einhellig davon aus, dass die Schlafphase den Charakter der Träume bestimmt. Verwickelte Szenen und starke Gefühle prägten demnach den REM-Schlaf, Gedankenfetzen seien typisch für den Spindelschlaf und wenige bis gar keine Erlebnisse für den Tiefschlaf. Inzwischen zeichnet sich jedoch eine viel einfachere Antwort auf die Frage ab, warum Träume so unterschiedlich ausfallen: Entscheidend ist schlicht, wie lange man schon geschlafen hat.

Je später die Nacht, umso mehr ähneln die Träume im Spindelschlaf und selbst in den kurzen Zwischenspielen des Tiefschlafs den aufregenden REM-Fantasien. Kurz vor dem Erwachen lassen sie sich kaum noch unterscheiden. Unabhängig von der Schlafphase träumen wir am Morgen lebhaft und gefühlvoll. Dann nämlich habe sich das Gehirn regeneriert und lasse mehr bewusstes Erleben zu, argumentiert der Neurowissenschaftler Giulio Tononi.

Dieses Heraufdämmern des Bewusstseins im Laufe der Nacht lässt sich an den Hirnwellen ablesen. Von Tiefschlafphase zu Tiefschlafphase werden die Wellenberge höher und breiter, die Täler dagegen ebnen sich ein. Da die Neuronen auf dem Gipfel annähernd im Vollbetrieb sind, nähert sich der Schlafende zunehmend dem Wachzustand an – er wird bewusster.

Und nach einiger Zeit erreichen die langsamen Wellen gar nicht mehr das ganze Gehirn. Einzelne Regionen wachen gewissermaßen schon auf, andere schlafen noch. Wie beim Einschlafen herrschen im Kopf Tag und Nacht zugleich – als würde die Morgensonne die Berggipfel schon in helles Licht tauchen, während es in den Tälern noch dämmert.

*

Bewusstsein wird nicht ein- und ausgeschaltet wie eine Lampe, es zieht allmählich herauf. Träume führen uns eindrucksvoll vor Augen, in welch feinen Abstufungen wir geistig anwesend sein können. Vor allem lassen sie erkennen, wovon der Grad unserer Gegenwärtigkeit abhängt, welchen Einflüssen wir letztlich unser Bewusstsein verdanken. Tononi nennt den Schlaf deshalb »ein Testbett für das Bewusstsein«.

Entscheidend ist offenbar, in welchem Maß unsere grauen Zellen Informationen verarbeiten. Man kann sich Bewusstseinsinhalte – die Gefühle, Bilder und Gedanken, die uns beschäftigen – als Muster von Neuronenaktivitäten vorstellen, die sich im Gehirn aufbauen. Muster können sehr einfach sein, dann enthalten sie wenig Information. Ein Zebrastreifen wird dem Betrachter schnell langweilig. Komplizierte Muster, zum

Beispiel das Foto einer Menschenmenge, bergen hingegen eine Fülle von Informationen.

Während der ersten Tiefschlafphasen sind wir wenig bewusst, weil sich nur simple Muster im Gehirn aufbauen können. Verantwortlich sind die langen und mächtigen Wellen der Neuronenaktivität, die beinahe die ganze Großhirnrinde erfassen. Wenn in jedem Wellental alle grauen Zellen auf einmal verstummen, vergessen wir alle darin gespeicherte Information. Das Muster wird zerstört, ausgelöscht wie ein Schriftzug im Sand, den das Meer überspült. Eine inhaltsreichere Konstellation kann so nicht entstehen.

Später in der Nacht, wenn die langen Wellen abebben, können sich hingegen kompliziertere Muster aufbauen. Da zudem manche Areale im Großhirn aktiver werden, steht jetzt immer mehr Kapazität bereit, Informationen zu verknüpfen. Entsprechend reich und vielschichtig werden die Bewusstseinsinhalte. Wir sehen Bilder, Szenen, erkennen im Traum schließlich uns selbst.

Tononi hat sogar eine mathematische Formel für das Heraufdämmern des Bewusstseins entwickelt. Aus dem Maß an Information, die das Gehirn in einer bestimmten Phase verarbeiten kann, lässt sich anhand dieser Formel berechnen, wie erlebnisfähig ein Mensch ist. Sollte sich diese Mathematik der inneren Erfahrung bewähren, könnte man Bewusstsein messen. Tononis Versuchsaufbau erinnert an den Tricorder, mit dem die Mannschaft des Raumschiffs »Enterprise« in der gleichnamigen Science-Fiction-Serie den inneren Zustand fremder Geschöpfe scannt: Das Gehirn der Versuchsperson wird in verschiedenen Schlafphasen durch magnetische Impulse angeregt. Wie ein Gong durch einen Schlag in Schwingung gerät, breiten sich im Kopf dann elektrische Hirnwellen aus. Sie verraten, wie bewusst der Schläfer in diesem Augenblick ist – und erlauben die Vorhersage, wie reichhaltig sein Traumbericht ausfallen wird, wenn man ihn weckt. Die ersten Experimente verliefen erfolgreich.

Bewusstsein bedarf keiner Sinneswahrnehmung; es benötigt keinen ständigen Input von außen. Es kann sich allein durch die Verarbeitung gespeicherter Information einstellen. Im Lauf einer Nacht hangeln wir uns von rudimentären zu immer umfassenderen Formen von Bewusstsein. Je mehr Schlaf wir hinter uns haben, desto komplexer wird die Informationsverarbeitung im Gehirn. So gesehen, nehmen wir in einer einzigen Nacht den Weg, den die Evolution in mindestens 350 Millionen Jahren durchlief. Als auf dem Weg der Entwicklung der Reptilien, Vögel und Säugetiere die Gehirne immer komplexer wurden, dämmerte in der Natur das Bewusstsein herauf. Ähnelt das innere Erleben der Echsen oder Vögel unseren Traumfetzen der frühen Nacht?

9. Ein Mord in Toronto

Was das Unbewusste wirklich ist

> Verehrter Nagasena, wenn ein
> Mann einen Traum träumt, wacht
> er dann oder schläft er?
>
> Weder noch, mein König. Aber
> wenn sein Schlaf leicht geworden
> und er noch nicht ganz bewusst ist,
> dann ist die Zeit, in der Träume
> geträumt werden. Wenn ein Mann
> im Tiefschlaf ist, mein König, dann
> ist sein Geist heimgekehrt. Ein so
> geschlossener Geist kennt weder Gut
> noch Böse.
>
> *Aus dem Milindapanha* (4. Jh. v. Chr.)

Von Freitag auf Samstag, den 23. Mai des Jahres 1987, verbringt Kenneth Parks wieder einmal eine aufgewühlte Nacht. Seine fünf Monate alte Tochter kommt nicht zur Ruhe. Und Parks hat Sorgen. Später, beim Polizeiverhör, wird er sagen, dass ihm in dieser Nacht keine einzige Minute Schlaf vergönnt war.

Seine Gedanken kreisen um Geld, wie schon oft. Parks' Leben ist aus dem Gleichgewicht, seit er begonnen hat, auf der Pferderennbahn zu wetten. Anfangs setzt er nur ein paar Dollar, dann aber, um die Verluste auszugleichen, immer größere

Summen. Schnell sind die Ersparnisse aufgebraucht, und er unterschlägt Geld der Firma, bei der er als Händler für Elektronikbauteile arbeitet. Er wird gefeuert. Jetzt steht das Haus der jungen Familie in Toronto zum Verkauf, um die Schulden zu decken. Mit seinen 23 Jahren scheint Parks in eine Sackgasse geraten.

Wer kann ihm jetzt noch helfen? Mit seiner Frau, deren Konto er geplündert hat, streitet er fast täglich. Freunde und Kollegen scheinen ihn nicht mehr zu kennen. Seine Eltern und die beiden Brüder hält er schon lange auf Distanz. Nur ein Anker ist ihm geblieben – die Schwiegereltern. Zu ihnen hat er von Beginn an ein inniges Verhältnis. »Mein sanfter Riese« nennt seine Schwiegermutter Barbara den stämmigen Parks zärtlich. Am Sonntag, so hat er sich vorgenommen, wird er zu ihnen fahren und ihnen die Lage erklären.

Den Samstagabend verbringt er vor dem Fernseher. Die Show »Saturday Night Live«, ungewohnt blutig an diesem Abend, zeigt Einspieler aus dem Film »Easy Rider«: Aus dem Fenster eines Lastwagens werden Motorradfahrer erschossen, die führerlosen Maschinen rasen in ein Feld und gehen in Flammen auf. Erst gegen halb zwei, als die Show ihrem Ende zugeht, fallen dem übermüdeten Parks auf dem Sofa die Augen zu.

Später wird er angeben, er sei im Haus der Schwiegereltern erwacht. Es ist immer noch Nacht. Er blickt in das Gesicht seiner Schwiegermutter, sie starrt mit offenem Mund und angstvoll aufgerissenen Augen zurück. Aus dem oberen Stockwerk hört er die aufgeregten Stimmen seiner Neffen und Nichten. Er läuft hinauf, beruhigt die Kinder, rennt wieder hinunter und setzt sich in sein Auto. Als er zum Schaltknüppel greifen will, erkennt Parks ein Messer in seiner Hand. Er fährt zum nächsten Polizeirevier und stammelt: »Ich glaube, ich habe ein paar Menschen ermordet … meine Hände.« Erst in diesem Moment spürt er einen Schmerz in seiner Hand. Mehrere Sehnen sind durchtrennt. Es ist 4 Uhr 15.

Was ist geschehen? Die Beamten befragen Parks immer wieder, aber mehr als diese Sätze kann er nicht sagen. Sie bringen ihn ins Krankenhaus. Der diensthabende Arzt erinnert sich an einen »traurigen, reuigen und verwirrten Mann« von über 110 Kilo Gewicht mit einer schweren Handverletzung. Auch er bekommt von dem Patienten keine andere Auskunft: Parks behauptet, er habe tief geschlafen. Wie aber konnte er dann vom Sofa zu Hause aufstehen, sich anziehen, ins Auto steigen, 23 Kilometer durch die Vorstädte Torontos fahren und obendrein vorschriftsmäßig an drei Ampeln anhalten? Log er, oder hatte er vergessen, dass er ins Haus seiner Schwiegereltern eingebrochen war? Polizisten, die den Tatort in Augenschein nehmen, stoßen auf Spuren eines grauenhaften Kampfes. Sie finden den Schwiegervater bewusstlos, doch lebend, mit Würgemalen vor. Die Schwiegermutter ist tot. In ihrer Brust klaffen fünf Stichwunden, die Schädeldecke wurde mit einem Reifenheber zerschmettert.

*

Niemand sieht ein Motiv, aus dem heraus Parks seine geliebten Schwiegereltern umgebracht haben könnte. Die Psychiater im Untersuchungsgefängnis diagnostizieren zunächst eine Psychose mit Gedächtnisverlust. Sie können allerdings nicht erklären, weshalb Parks erst auf dem Polizeirevier den Schmerz seiner zerschnittenen Hand spürte. Zwei Zellengenossen allerdings fällt auf, wie merkwürdig sich Parks nachts im Gefängnis benimmt. Unvermittelt fährt er aus dem Schlaf hoch, setzt sich mit offenen Augen auf die Pritsche und murmelt Unverständliches. Er beantwortet keine Fragen, reagiert auf keine Reize – offenbar schläft er.

Erklärten diese Beobachtungen das Verbrechen? Offenbar war Parks in solchen Momenten aktiv und geistesabwesend zugleich. Sollte er den Mord im Schlaf begangen haben? Träumer können durchaus gewalttätig werden, wie im vierten Kapitel beschrieben. Aber meistens schlagen Menschen, deren natürliche Schlaflähmung ausfällt, nur unkoordiniert um sich. Was Kenneth Parks in dieser Sonntagnacht getan hatte, war hingegen mehr als rohe Gewalt: Er steuerte ein Auto, fand seinen Weg durch die nächtliche Stadt, stellte sich schließlich sogar auf der Polizeistation. Sein Verstand erfüllte komplexe Aufgaben, wozu er im Schlaf eigentlich nicht hätte fähig sein dürfen.

Allerdings beschreiben alte Chroniken und sogar Gesetzestexte immer wieder solche Fälle. Im Jahr 1312 befasste sich sogar Papst Clemens V. mit Morden, die im Schlaf verübt wurden. Der von ihm herausgegebene kirchenrechtliche Passus »Si furiosus« schreibt vor, einen Schlafenden wie einen Verrückten oder ein Kind zu beurteilen. Verletzt oder tötet er einen Menschen, soll er freikommen. Adrian Beier, ein bedeutender deutscher Jurist seiner Zeit, brachte im Jahr 1672 sogar ein Traktat »Vom Recht der Schlafenden« heraus. Darin warnt er Schlafwandler ausdrücklich davor, mit Waffen ins Bett zu gehen. Wer nämlich um seine Störung wisse, aber keine Vorkehrungen treffe, könne nicht mit Milde rechnen, wenn er sich »mit gewalttätigen Leidenschaften und aufgeführten Vorstellungen im Geist« erhebe und jemanden töte. Dagegen wurde der Londoner Oberst Cheyney Culpepper, der 1686 im Schlaf einen Wachoffizier und dessen Pferd erschoss, vom englischen König begnadigt. Der Monarch hielt seinem Untertanen zugute, dass er erwiesenermaßen ein notorischer Schlafwandler und daher nicht schuldfähig sei.

Ließ sich Kenneth Parks auf ähnliche Weise entlasten? Die Psychiater erkundeten sein Vorleben. Ken sei seit jeher ein

Schlafwandler gewesen, bestätigten die Angehörigen. Ein Bruder konnte ihn einmal gerade noch am Bein festhalten, als er nachts aus dem Fenster zu springen versuchte. Offenbar lag die Veranlagung in der Familie. Nicht weniger als zehn enge Verwandte des Angeklagten litten ebenfalls darunter, dass sie gelegentlich voller Angst und Verwirrung aus dem Tiefschlaf hochfuhren. Von einem Großvater hieß es sogar, er habe im Schlaf Spiegeleier gebraten und das Gericht dann auf der eingeschalteten Herdplatte vergessen.

Kenneth Parks verbrachte seine Nächte nun im Labor. Man zeichnete die Hirnströme des Schlafenden auf; ein Hilfswissenschaftler beobachtete ihn während der ganzen Zeit aus dem Nebenraum. Tatsächlich erwies sich sein Schlafverhalten als äußerst ungewöhnlich: Parks schlief tief und instabil zugleich. Einerseits war es kaum möglich, ihn zu wecken; andererseits schreckte er immer wieder von selbst aus dem Tiefschlaf auf. Als bereite sich sein Organismus auf das Erwachen vor, gingen dann auch einige seiner Hirnfunktionen in den Tagesbetrieb über. Doch davon schien Parks nichts zu bemerken. Meistens dauerte der Spuk nur eine Minute, dann fiel er wieder in den Tiefschlaf zurück, und am nächsten Morgen fehlte ihm jede Erinnerung – genauso, wie es seine Mithäftlinge beschrieben hatten.

So kamen die Psychiater zu dem Schluss, dass Parks die Nacht der Bluttat schlafend verbracht hatte. Er sei zwar wiederholt kurz zu sich gekommen, als er in das Gesicht der toten Schwiegermutter blickte und das Messer in seiner Hand sah, dann aber in den Tiefschlaf zurückgeglitten. Erst auf dem Polizeirevier habe er das volle Bewusstsein erlangt. Nach Meinung der Gutachter konnte es zu der Gewalttat kommen, weil sich der Verstand des Angeklagten im Schlaf aufgespalten hatte. Nachts trennen sich Funktionen des Gehirns voneinander, die im Wachzustand zusammengehören; wie in den vorigen Kapiteln erklärt, erleben wir in unseren Träumen regelmäßig solche Dissoziationen.

Bei Parks traten diese Abspaltungen offenbar in extremer Form auf. Als er auf der Polizeistation erschien, waren die Sehnen seiner Hand von dem Kampf zerschnitten, doch spürte er zunächst keine Schmerzen. Er muss mit offenen Augen Auto gefahren und in das Haus seiner Schwiegereltern eingedrungen sein, doch nahm er das Gesehene vermutlich nicht bewusst wahr. Die Gutachter vermochten nicht zu sagen, ob der Schlafwandler geträumt habe. Jedenfalls habe er keinen Moment lang erfasst, was er tat, als er sich auf den Weg machte, mit seinen Schwiegereltern kämpfte und die Mutter seiner Frau niedermetzelte. Ein halbes Dutzend weiterer Experten gelangte zu demselben Ergebnis: nicht schuldig.

Wenn aber Parks seine Bluttat wirklich unbewusst beging, hat das Geschehen jener Nacht des 23. Mai 1987 eine verstörende Konsequenz: Offenbar können Menschen auch komplizierte Handlungen ohne Bewusstsein ausführen. Warum haben wir dann überhaupt ein Bewusstsein? Würden wir Menschen als geistlose Roboter genauso gut funktionieren?

Oft bemerken wir im Alltag, dass wir innerlich abwesend sind und doch funktionieren. Wir telefonieren und kritzeln dabei Figuren; ohne auf das Gesagte zu achten, geben wir passende Antworten. Wir kochen, und plötzlich setzen sich die Beine wie von selbst in Bewegung, um Zwiebeln aus dem Küchenschrank zu holen. Wir legen mit dem Auto eine wohlbekannte, längere Strecke zurück und sind dabei so sehr in ein Gespräch oder auch unsere Gedanken vertieft, dass wir uns am Ziel nicht an die Fahrt erinnern können. Jede dieser Handlungen setzt sich aus ungezählten kleinen Schritten zusammen, aber wir haben uns nie gefragt, ob wir diese Schritte tun wollen. Sie geschehen einfach, ohne Beteiligung des Ichs. Und solche Abläufe füllen den größten Teil unserer Tage.

Wer oder was steht dahinter? Francis Crick, der die Erbsubstanz DNS mitentdeckte und sich später den Rätseln des Bewusstseins und der Träume zuwandte, hat für die automatischen Vorgänge einen provokativen Ausdruck geprägt: Er sprach von Zombies im Gehirn. Denn wie die seelenlosen Geschöpfe, die Horrorfilme wie »Die Nacht der lebenden Toten« bevölkern, sind viele Schaltungen in unserem Kopf fähig, ohne unser bewusstes Zutun komplizierte Dinge zu bewerkstelligen. Nach Cricks Vorstellung haust ein Heer solcher Zombies in unserem Verstand, und jeder einzelne erledigt eine bestimmte Aufgabe: Manche Zombies können Farben erkennen, andere unterscheiden Gerüche oder sorgen dafür, dass Sie beim Gehen die Beinmuskulatur in der richtigen Reihenfolge bewegen und dabei das Gleichgewicht halten.

Beim Autofahren lassen unbewusste Prozesse Sie lenken, bremsen, kuppeln, schalten und auf die Straße achten. Besonders eindrucksvoll arbeiten die Zombies beim Sport. Ein Rennruderer etwa trainiert jahrelang, bis er seinen Einer beherrscht. Um das Boot, das gerade eine gute Handspanne breit ist, aufrecht zu halten und vorwärts zu bewegen, muss ein Anfänger Dutzende Bewegungen bewusst koordinieren. Doch irgendwann braucht er das richtige Schwingen des Oberkörpers, das Stoßen der Beine, das Ausbalancieren der Skulls mit den Händen nicht mehr zu beachten. Seine Muskeln bewegen sich nun wie von selbst. Durch das Training sind Zombies entstanden, die nun das Kommando führen. Später werden wir sehen, dass solche unbewussten Routinen angelegt und verstärkt werden, während wir träumen. Im Schlaf erwachen die Zombies zum Leben.

Und sie bestimmen beileibe nicht nur, wie wir wahrnehmen

und uns bewegen. Über den einfachen Zombies, die unsere Muskeln dirigieren, thront eine ganze Hierarchie von Managerzombies. Wie in einem straff organisierten Betrieb befehligt jeder Boss eine Schar von Untergebenen, die entweder direkt oder wiederum über Handlanger dafür sorgen, dass ein Auftrag ausgeführt wird. So können selbst hochkomplexe Vorgänge automatisch ablaufen; etwa findet ein Autofahrer unbewusst den Weg zu einem vertrauten Ziel.

Verfügten wir nicht über solch automatische Routinen, wären wir mit den meisten Alltagsproblemen überfordert. Es ginge uns wie dem Fahrschüler, der so sehr mit Kuppeln und Schalten beschäftigt ist, dass er ohne Fahrlehrer an der Seite gegen den nächsten Laternenmast setzen würde. Die Zombies entlasten das Bewusstsein aber nicht nur, sie arbeiten auch schneller und genauer als der oft träge Verstand. Ein Autofahrer, dem ein Kind vor die Motorhaube rennt, steht schon auf der Bremse, während er noch realisiert, was geschehen ist; ein Ruderer, der sein Rennboot bewusst auszubalancieren versucht, liegt bald im Wasser.

Erst recht würde das menschliche Zusammenleben nicht ohne unbewusste Programme funktionieren. Sie sorgen dafür, dass wir ein Lächeln umgehend erwidern, die Gefühle eines Gegenübers sofort an der Tonlage seiner Stimme erfassen. Zombies können sogar eine gepflegte Konversation bestreiten. Meine Großmutter war zeitlebens eine Meisterin der leichten Unterhaltung, litt während ihrer letzten Jahre jedoch unter Demenz. Ihre Plauderkunst beeinträchtigte das nicht. Wer sie in ihrem Pflegeheim besuchte, den empfing sie herzlich und mit einfühlsamen, aber nie indiskreten Fragen nach Neuigkeiten und Befinden. Sie schien ganz die alte Frau Schwabe zu sein, die einst auf Empfängen alle mit ihrem Charme bezaubert hatte. Nur sehr aufmerksame Gäste bemerkten nach einer

Weile, dass meine Großmutter gar nicht wusste, mit wem sie eigentlich sprach, noch begriff, wovon sie redete.

*

Das Unbewusste ist unauflöslich mit einem Namen verbunden: Sigmund Freud. Dabei hat Freud weder diesen Begriff geprägt, noch sah er als erster, dass der Mensch ein Spielball unerkannter Regungen ist. Wie der Medizinhistoriker Mark Altschule von der Harvard Universität angemerkt hat, »findet man kaum einen Psychologen oder Psychiater des 19. Jahrhunderts, der nicht erkannte, dass unbewusste Vorgänge im Gehirn real und von höchster Wichtigkeit waren.«

Wohl aber wusste Freud so eloquent wie kein anderer über das Unbewusste zu schreiben. Im Jahr 1917 schockierte er seine Zeitgenossen mit der zugespitzten Behauptung, dass »das Ich nicht Herr sei in seinem eigenen Haus«, weil »ein Teil des eigenen Seelenlebens sich der Kenntnis und der Herrschaft des Willens entzieht.«

Freud hatte seine Karriere als ein Pionier der damals entstehenden Neurowissenschaften begonnen. Zehn Jahre lang, von 1876 bis 1886, forschte er erst über die Evolution des Nervensystems, dann im Wiener Laboratorium für Gehirnanatomie. Doch als er 1886 heiratete und mehr Geld brauchte, als die Grundlagenforschung ihm bot, eröffnete Freud eine eigene Nervenarztpraxis. Er spezialisierte sich auf die Hysterie. Diese rätselhafte Krankheit mutmaßlich seelischen Ursprungs bot seinem Forschergeist Stoff, versprach aber auch Einkommen, weil die Ärzte des späten 19. Jahrhunderts vor allem bei Frauen immer öfter eine Hysterie diagnostizierten.

So begann Freud, Theorien über das Unbewusste zu entwickeln und in ihm den Ursprung aller seelischen Leiden zu sehen. Als überzeugter Darwinist ging er von der Einsicht aus, dass die grundlegenden Antriebe des Menschen biologisch begründet sein müssen. Das Gehirn gleiche einer Maschine; die Evolution habe es so eingerichtet, dass der Organismus sich möglichst erfolgreich durchsetzen und fortpflanzen kann. Daher seien uns Aggression und Sexualität als Triebe einprogrammiert. Wie Hunger und Durst wirkten sie ohne Zutun des Bewusstseins – ein Großteil des menschlichen Seelenlebens funktioniere automatisch.

Ein Mensch kann seinen Trieben nur dann etwas entgegensetzen, wenn ihm bewusst wird, dass sie im Widerspruch zu anderen Zielen stehen. So ist es nicht unbedingt ratsam, die Frau seines Chefs zu begehren. Doch Freud zufolge verschwinden solche unerfüllten Regungen nicht, sondern ziehen sich als verdrängter Wunsch ins Unbewusste zurück und kommen bei nächster Gelegenheit wieder zum Vorschein. Seine eigene Nikotinsucht zum Beispiel, die ihn auf zahlreichen Fotos mit Zigarre erscheinen ließ, erklärte er als Folge der ins Unbewusste abgeschobenen »Ursucht« zu masturbieren. Auch im Traum zeigten sich verdrängte Wünsche in verschlüsselter Form.

In seiner Einsicht, dass Gehirn, Seelenleben und Verhalten untrennbar zusammenhängen, war Freud seiner Zeit um viele Jahrzehnte voraus. Auch seine Diagnose, dass unter der Oberfläche des Bewusstseins automatische Routinen ablaufen, trifft aus heutiger Sicht zu. Und ebenfalls richtig erkannte er, dass die »kompliziertesten Denkleistungen ohne Mittun des Bewusstseins möglich sind«, wie er in seiner Traumdeutung schreibt. Allerdings fehlte Freud noch jede Möglichkeit, ins Innere der Hirnmaschine zu blicken. Seine Vorstellung vom Unbewussten musste er sich allein aus den Erzählungen und dem Verhalten seiner Patienten erschließen. Es erstaunt daher nicht, dass er sich in manchen Punkten täuschte.

Vor allem die These, das Unbewusste bestehe im Wesentlichen aus verdrängten Wünschen, lässt sich heute nicht mehr aufrechterhalten. Nach Freuds Theorie könnte man Parks' Tat als Ausbruch unterdrückter Aggressionen deuten; entweder müsste eine enorme Wut auf seine Opfer den Mann umgetrieben haben, oder aber er agierte an seinen Schwiegereltern stellvertretend seinen Zorn auf eine andere Person aus.

Allerdings fehlt jedes Indiz für einen solchen Hass; schließlich konnten die Psychologen in Parks' Vorgeschichte keine Erklärung für die Tat finden. In der liebevollen Beziehung zwischen Schwiegersohn und Schwiegereltern gab es niemals Anzeichen eines Konflikts, war auch kein Grund für Spannungen zu erkennen. Ebenso deutete nichts darauf hin, dass Parks unterschwellig Aggressionen gegen seine Opfer oder andere Menschen hegte. Es fällt schwer, seine Tat als Ausgeburt unterdrückter Triebe zu erklären. (Noch abenteuerlicher klingt allerdings die Begründung des Schlafwandelns, die Freud im Jahr 1907 selbst gab: Das Phänomen erkläre sich aus einem tiefen Wunsch nach Geborgenheit. Der Schlafwandler mache sich nämlich auf den Weg, um das Bett wiederzufinden, in dem er sich als Kind wohlgefühlt habe.)

Heute haben wir ein umfassenderes Verständnis des Unbewussten als Freud. Die verborgenen Anteile der Persönlichkeit sind keine bloße Halde uneingestandener Sehnsüchte, aus denen sich im Verborgenen Sprengstoff zusammenbraut. Unsere unbewussten Antriebe sind in erster Linie automatische Handlungsroutinen und nicht verdrängte Gefühle. Diese Programme laufen unbewusst ab, weil sie so schneller und besser funktionieren – und nicht etwa, weil es weh täte, sich ihrer Existenz zu stellen. Vor allem aber geben diese Routinen nicht die Ziele unseres Handelns vor.

Vielmehr sind die Zombies die Arbeitsameisen in unserem Geist. Zumeist handelt es sich um vormals bewusste Prozesse, die sich verselbständigt haben, weil sie keine Aufmerksamkeit mehr benötigen. Andere Handlungsmuster sind uns von Geburt an einprogrammiert, wie der Instinkt eines Tiers. Parks' Familie wurde offenbar der Impuls zum Verhängnis, sich gegen einen Angreifer zu wehren. Vermutlich von verdächtigen Geräuschen aufgeschreckt, traten die Schwiegereltern dem Eindringling entgegen; als sich der schlafende Kenneth Parks so von ihnen bedroht sah, schlug er ungehemmt zu, ohne zu wissen, wen er vor sich hatte. Nach diesem Muster spielen sich so gut wie alle dokumentierten Gewalttaten von Schlafwandlern ab: Der umnachtete Täter fürchtet einen Angriff, entweder weil er davon geträumt hat oder weil ihm zufällig jemand in die Quere kommt, und verteidigt sich automatisch. In den wenigsten Fällen erkennt er sein Opfer.

Zombies arbeiten lediglich Programme ab, sie handeln aus dem Moment heraus, sind blind für Konsequenzen. Unsere langfristigen Ziele hingegen bestimmt das bewusste Denken – so, wie der Vorstand eines Konzerns strategische Entscheidungen trifft, die seine Untergebenen dann umsetzen. Während die Arbeitsameisen in unserem Hirn stur nach Programm vorgehen, macht bewusstes Denken uns flexibel in unserem Handeln. Wir prüfen die möglichen Folgen unseres Tuns, das Für und Wider der verschiedenen Möglichkeiten. Bewusstes Abwägen dauert zwar länger als das automatische Anspringen der Zombies, kann uns jedoch vor schrecklichen Kurzschlussreaktionen bewahren.

Schlafwandler leiden darunter, dass ihre Zombies unkontrolliert erwachen. Das bestätigen die Ergebnisse von Claudio Bassetti und Michele Terzaghi, Neurologen in Mailand und Bern, denen das Kunststück gelang, mit Menschen in diesem Zustand zu experimentieren. Die Forscher schafften es, Schlafwandler, die gerade umnachtet herumgeisterten, in die Röhre eines Tomographen sowie zum Eeg-Messgerät zu lotsen. Die Forscher dokumentierten einen Fall von Dissoziation, jenem Phänomen der Ungleichzeitigkeit, dem man bei der Erforschung des Traums immer wieder begegnet. Bei den Schlafwandlern waren die Hirnareale für bewusstes Denken, Planung und Assoziationen zwar heruntergefahren, wie es im Tiefschlaf normal ist. Bestimmte Schaltungen für Körperbewegungen und automatische Gefühlsreaktionen regten sich jedoch aktiver als im Wachzustand.

Normalerweise zeigen sich die Dämonen, die diesen Hirnzentren entspringen, nur uns selbst. Wir erleben sie in der sicheren, weil virtuellen Welt unserer Träume. Doch wenn die Steuerung wie bei Schlafwandlern versagt, können sie entweichen. Kenneth Parks musste töten, weil seine Zombies sich selbst überlassen waren. Am 25. Mai 1988 sprach das Gericht ihn frei.

10. Die Unterströmungen der Seele

Wie Gefühle die Bedeutung unserer Träume offenbaren

Gäbe es eine Hitliste der am häufigsten berichteten Träume, so lägen weltweit vier Themen vorn: Verfolgungsjagden, Sex, das Fallen sowie die Erfahrung, etwas immer wieder vergeblich zu versuchen. Auffallenderweise sind sie allesamt mit starken Gefühlen unterlegt: Angst, Lust, Scham oder Ärger. Ob in Deutschland, Amerika oder Japan – jeweils 80 Prozent der Erwachsenen erinnern sich an diese Motive. Nur die wenigsten von ihnen dürften je in der Realität um ihr Leben gerannt oder in die Tiefe gestürzt sein. Hingegen träumen wir so gut wie nie davon, dass wir vor dem Computer sitzen oder lesen. Obwohl ich als Autor seit Jahren einen großen Teil meiner Tage schreibend verbringe, kann ich mich an keinen einzigen Traum erinnern, in dem diese Tätigkeit eine Rolle spielte.

Vertraut ist mir hingegen – wie 70 Prozent der Deutschen – die Peinlichkeit, im Traum ein Treffen oder ein Verkehrsmittel zu versäumen. Vor allem gehöre ich zu den Millionen Menschen, die schon dutzendmal ihr Abitur abgelegt haben. Bis heute sehe ich mich immer wieder kurz vor dem Prüfungstermin stehen, ohne die mindeste Ahnung zu haben, was die Lehrer abfragen könnten, weil ich den Unterricht so oft geschwänzt habe. Nun ist Reue zu spät, Erwachen die einzige Rettung.

Wie lässt sich dieser Traum erklären? In einem Detail entspricht er immerhin der Realität: In der Oberstufe habe ich wirklich alles daran gesetzt, so wenig Zeit in der Schule zu verbringen wie möglich. Aber fast ebenso häufig dräut im Traum statt des Abiturs die Diplomprüfung oder die Verteidigung meiner Doktorarbeit, obwohl ich die Universität gern besucht habe. Ohnehin kann ich mich nicht an ernsthafte Prüfungsangst erinnern. In Klausuren und mündliche Examen ging ich in der Regel voller Zuversicht, und fast immer waren Lehrer und Professoren bemüht, die Angelegenheit für beide Seiten würdevoll hinter sich zu bringen. Durchgefallen bin ich nur einmal, als ein sichtlich gelangweilter Fahrlehrer mein Geschick im Einparken sehen wollte.

Meine Biographie kann also kaum begründen, warum mich nachts die Angst vor Examen derart verfolgt; warum ich heute noch von Prüfungen träume, die ich vor Jahrzehnten hinter mich gebracht habe. So gesehen ergibt der Traum keinen Sinn. Man könnte also vermuten, dass die Prüfung nur ein Symbol ist und die Szene in Wirklichkeit für etwas anderes steht. Diesen Weg schlagen die meisten Verfahren der Traumdeutung ein.

Auch die berühmte »Traumdeutung« Freuds beruht auf der Annahme, dass hinter jedem Traum ein unterdrückter Wunsch stehe. Dieser zeige sich allerdings nicht offen, sondern chiffriert, da ansonsten übermäßige Erregung den Schlaf stören würde. Am Rätsel des Prüfungstraums hatte Freud ein persönliches Interesse, denn obwohl er als Schüler und Student geglänzt hatte, träumte auch er hartnäckig von der Wiederholung seiner Examen. Diese Träume offenbaren den Wunsch, eine schwierige Situation zu bestehen, erklärte er, hätten aber zudem eine tiefere Bedeutung: Die Prüfungssituation stehe für eine Peinlichkeit, die wir nicht wahrhaben wollten. Es gehe um

»unauslöschliche Erinnerungen an die Strafen, die wir in der Kindheit für (…) beanständete sexuelle Akte bezogen.« Dass Freud selbst in eher unwahrscheinlichen Fällen verdeckte sexuelle Motive vermutete, mag man ihm kaum vorwerfen. Schließlich war seine Epoche, das ausgehende 19. Jahrhundert, ungeheuer prüde. Schwerer wiegt ein anderer Einwand: Wie alle Traumdeuter vor ihm, so bleibt auch Freud den Beweis dafür schuldig, dass die nächtlichen Szenen etwas anderes bedeuten als das, was sie zeigen. Dass Träume voller Symbolik stecken, bleibt somit eine Spekulation, auf die ich noch genauer eingehen werde.

Könnte es nicht im Gegenteil sein, dass die Bilder gar nicht so viel zum Verständnis des Traums beitragen? Freud selbst hatte erkannt, wie sehr Emotionen das menschliche Erleben und Handeln bestimmen; die moderne Neurowissenschaft schreibt den Gefühlen sogar eine noch wichtigere Rolle zu: Sie sind die Grundlage allen bewussten Erlebens. Wer Sie sind, wissen Sie nicht, weil Sie darüber nachgedacht haben – Sie spüren es vielmehr, weil Sie Freude und Schmerz, Angst und Trauer empfinden, wie im siebten Kapitel beschrieben. Emotionen gehören zu den elementarsten Regungen des Gehirns. Ihnen verdanken wir es, dass sich im Laufe der Evolution überhaupt so etwas wie ein Ich-Bewusstsein herausbilden konnte.

Wir sind uns der Bedeutung der eigenen Gefühle allerdings nur selten bewusst. Gewöhnlich gestehen wir ihnen eher eine Nebenrolle in unserem Erleben zu: Wir versuchen ständig, Gefühle durch Ereignisse zu erklären, indem wir sie als eine Reaktion auf das begreifen, was uns zustößt. Wenn wir uns ärgern, suchen wir den Grund darin, dass uns jemand schlecht behandelt hat. Und wer guter Stimmung ist, sieht die Ursache in einem Erfolgserlebnis, einer netten Begegnung – oder in der

Sonne, die plötzlich durch den deutschen Novemberhimmel bricht.

Genauso gehen wir mit der Erinnerung an unsere Träume um: Wir halten den übellaunigen Prüfer oder die Phantome, die uns jagten, für die Auslöser unserer Angst. Erwachen wir hingegen euphorisch, so führen wir die gute Stimmung vielleicht auf die berauschende Empfindung des Fliegens oder ein erotisches Traumerlebnis zurück.

In Wirklichkeit bleibt uns oft schon tagsüber die wahre Herkunft unserer Gefühle verborgen. Jeder kennt den Krach in der Partnerschaft, der ausbricht, wenn einer gereizt von der Arbeit kommt und den Grund für die eigene schlechte Laune beim anderen sucht. Und dass uns eine herbstliche Lichtstimmung so erfreut, liegt mit einiger Wahrscheinlichkeit daran, dass wir ohnehin heiter gestimmt sind und deshalb empfänglich für die Schönheit der Natur. Wie zuvor bereits gezeigt, ist das, was wir für die Wahrnehmung der Außenwelt halten, zum größten Teil in unseren Köpfen entstanden. Mit Gefühlen verhält es sich genauso. Wir konstruieren uns eine emotionale Realität – und machen dann die Umwelt für unsere Empfindungen verantwortlich.

Wie schnell wir uns mit der erstbesten, wenn auch falschen Erklärung für eine Emotion zufriedengeben, zeigt ein klassisches Experiment, bei dem Forscher Versuchspersonen ohne deren Wissen eine Adrenalinlösung spritzten. Das Hormon ließ naturgemäß Blutdruck und Puls der Probanden in die Höhe schnellen. Diese körperliche Erregung führten die Teilnehmer umgehend darauf zurück, dass sie sich über den Versuchsleiter aufregen mussten.

Nachts ist die Lage noch unübersichtlicher. Im Wachzustand können äußere Ereignisse ja tatsächlich Gefühle auslösen, und die Frage ist nur, ob wir Ursache und Wirkung richtig erkennen. Im Traum aber entsteht alles im Kopf – sowohl die Handlung als auch das Gefühl. Warum also sollten die Emotionen dann eine Antwort auf das sein, was wir erleben? Ebenso gut könnte es sich umgekehrt verhalten: Erst geraten wir aus irgendwelchen Gründen in einen freudigen oder ängstlichen Zustand, als Reaktion bringt unser Gehirn die passenden Bilder zum Vorschein. In diesem Fall würde im Traum die Logik der Gefühle regieren, nicht die Logik der Ereignisse. Was wir erleben, wäre nur ein Ausdruck unserer Stimmung: Wir schweben durch zauberhafte Landschaften, *weil* wir Freude empfinden; sind wir dagegen niedergeschlagen, erscheint uns die Traumwelt düster.

Vielleicht ist der Schlüssel zum Rätsel meiner Prüfungsträume also gar nicht die Prüfung, sondern die Angst. Woher aber kommt diese Angst?

*

Gefühle können uns wie aus dem Nichts überfallen. Wie eine heftige Emotion in einen Moment des Alltags einbricht, hat wohl kaum jemand so genau und so eindringlich beschrieben wie Marcel Proust in einer berühmten Szene seines Romans »Auf der Suche nach der verlorenen Zeit«. Unzählige Veröffentlichungen haben in zwei oder drei Sätzen nacherzählt, wie der Genuss einer Madeleine in Prousts Held Erinnerungen aufsteigen lässt. Es lohnt sich allerdings, die Einzelheiten zu betrachten: Der Erzähler ist an einem kalten Tag durchfroren nach Hause gekommen; um ihn aufzuwärmen, serviert ihm seine Mutter eine Tasse Tee und dazu eine Madeleine, einen kleinen Sandkuchen. Als er einen Löffel Tee, in dem er einen Brocken des Gebäcks aufgeweicht hat, an die Lippen führt, verändert sich plötzlich sein innerer Zustand:

»In der Sekunde nun, als dieser mit dem Kuchengeschmack gemischte Schluck Tee meinen Gaumen berührte, zuckte ich zusammen und war wie gebannt durch etwas Ungewöhnliches, das sich in mir vollzog. Ein unerhörtes Glücksgefühl, das ganz für sich allein bestand und dessen Grund mir unbekannt blieb, hatte mich durchströmt. Mit einem Schlag waren mir die Wechselfälle des Lebens gleichgültig, seine Katastrophen zu bloßen Missgeschicken (...) geworden; es vollzog sich an mir, was sonst die Liebe vermag ... Woher strömte diese mächtige Freude mir zu?«

Der Erzähler kostet einen weiteren Schluck und noch einen, um dies herauszufinden, aber die Emotion wird nicht stärker. Offenbar verdankt er die »köstliche Essenz« seines Glücks nicht dem Tee. Sie muss in ihm selbst liegen. Doch Prousts Alter Ego widersteht der Versuchung, sich vorschnell einen Reim auf seine Empfindungen zu machen. Als wisse er, wie leicht wir uns über die Herkunft unserer Gefühle täuschen, will er sein Glück nicht erklären, sondern seine Quelle erspüren.

Schließlich unternimmt er einen letzten Anlauf, um das Rätsel zu lösen. Er versucht, sich ganz auf den Moment zu konzentrieren, in dem er den Tee zum ersten Mal roch, das Gebäck zum ersten Mal schmeckte. Er stopft sich sogar die Ohren zu, damit ihn keine Geräusche aus dem Nebenraum ablenken können.

»Und dann war mit einem Male die Erinnerung da. Der Geschmack war der jener Madeleine, die mir am Sonntagmorgen in Combray (...) meine Tante Léonie anbot, nachdem sie sie in ihren schwarzen oder Lindenblütentee getaucht hatte. Der Anblick jener Madeleine hatte mir nichts gesagt, bevor ich davon gekostet hatte; vielleicht kam es daher, dass ich dieses Gebäck, ohne davon zu essen, oft auf den Tischen der Bäcker gesehen hatte und dass dadurch sein Bild sich von jenen Tagen in Combray losgelöst hatte und mit anderen, späteren verbunden hatte.«

Proust, ein überragender Beobachter des menschlichen Innenlebens, hatte erkannt, dass sich die Gefühlserinnerung nicht nur von der Erinnerung an Ereignisse, sondern auch vom Denken in Sprache und Bildern fast vollständig abkoppeln kann. Starke Emotionen scheinen ein Eigenleben zu führen. Deshalb können sie uns so unvermittelt überfallen, wie es die Madeleine-Szene beschreibt. Tagsüber registrieren wir solche Empfindungen eher selten (selbst auf den mehr als 4000 Seiten der »Suche nach der verlorenen Zeit« findet sich nur noch eine einzige derartige Erfahrung), denn wir sind zu stark mit Gedanken und äußeren Eindrücken beschäftigt. Aus gutem Grund verschließt sich Prousts Erzähler die Ohren. Da nachts jedoch sowohl die Systeme im Hirn, die nach logischen Zusammenhängen suchen, als auch die Sinnesorgane weitgehend außer Betrieb sind, können uns im Traum Gefühle wie aus dem Nichts überkommen.

Die neurobiologische Grundlage dieses Phänomens haben wir bereits im Kapitel sechs über die Traumerinnerung kennengelernt: Das Gehirn legt die zu einem Ereignis gehörenden Informationen nicht zusammen an einem Ort ab, sondern speichert vielmehr Gefühle, Bilder und Fakten in unterschiedlichen Regionen. Anders als in einem Computer, der sämtliche Daten im zentralen Speicherchip und auf der Festplatte aufbewahrt, herrscht im Kopf strenge Arbeitsteilung. Jeder Sinneseindruck, jede Emotion, jeder Gedanke prägt sich dort ein, wo er entstanden ist. Die Sehrinde speichert die Einzelheiten der Bilder, der auditorische Cortex die Informationen über Geräusche, und die mit Emotionen befassten Hirnzentren bewahren die Erinnerung an Gefühle.

Dabei trennt sich das Gefühl von den übrigen Elementen der Erinnerung. Denn während Sinneswahrnehmungen und Gedanken vor allem in der Großhirnrinde verarbeitet werden, entstehen Emotionen an anderen Stellen des Gehirns. Zuständig sind jene evolutionär uralten Strukturen, die sich wie ein Saum (lateinisch »limbus«) an der Unterseite des Großhirns entlangziehen und es an die tiefer gelegenen Zentren des Zwischenhirns koppeln: das limbische System.

Im REM-Schlaf mit seinen besonders intensiven Träumen ist das limbische System aktiv wie zu kaum einer anderen Stunde des Tages, wie zuvor schon beschrieben. Der belgische Neurowissenschaftler Pierre Maquet ist sogar der Ansicht, dass in dieser Schlafphase der Mandelkern, eine Art Schaltstelle innerhalb des limbischen Systems, die gesamte »Hirnaktivität orchestriert«. Demnach wären Emotionen tatsächlich die Triebkräfte des Traums: Sie bestimmten, wovon wir träumen, und wie wir es tun. Das hatte der englische Dichter Samuel Coleridge bereits zur Zeit der Romantik vermutet: »Wir empfinden kein Grauen, weil eine Sphinx uns bedrückt. Sondern wir träumen eine Sphinx, um das Grauen zu erklären, das wir empfinden.«

Liegen Coleridge und Maquet richtig, sind die Gefühle das eigentliche Thema des Traums. Die Bilder, so originell, eindringlich oder rätselhaft sie auch anmuten, haben keine ihnen innewohnende Bedeutung, sondern sind eher Illustration. Vielleicht ist es also müßig, sich allzu viele Gedanken darüber zu machen, wer die rätselhafte Figur war, die uns durch dunkle Straßen verfolgte, oder, um in Coleridges Bild zu bleiben, für welche Bedrohung die Sphinx steht: Die unheimlichen Gestalten sind nichts als ein Ausdruck unserer Angst.

Einen eindrucksvollen Beleg dafür fanden Forscher in einer Untersuchung kurz nach dem 11. September 2001. Wohl jeden

Amerikaner, der diese Zeit erlebt hat, versetzten die Fernsehbilder der zusammenstürzenden Twin Towers in emotionalen Aufruhr, und niemand wird je das Entsetzen und die Trauer von damals vergessen. Diese Gefühle hinterließen auch ihre Spuren in Träumen, wie eine groß angelegte Studie bewies. Alle Teilnehmer hatten schon früher gewohnheitsmäßig ihre Träume notiert und gaben insgesamt 880 Aufzeichnungen aus den Wochen vor und nach dem 11. September 2001 ab. Die Probanden kamen aus allen Teilen der Vereinigten Staaten, keiner jedoch lebte in Manhattan oder hatte durch die Anschläge Familienmitglieder oder Freunde verloren; niemand war also direkt von den Anschlägen betroffen. Und doch veränderte der Terror die Träume: Die Berichte aus der Zeit nach den Anschlägen enthielten deutlich mehr verstörende Bilder. Doch die Träume zeigten keineswegs das, was jeder mit dem 11. September verbindet und damals als Endlosschleife über die Bildschirme lief: Flugzeuge, Wolkenkratzer oder zerstörte Innenstadtviertel tauchten nach den Attentaten in den Träumen genauso selten auf wie vorher. Der innere Aufruhr drückte sich vielmehr in anderen beunruhigenden Szenen aus: Raubtiere etwa, ein Gemetzel auf dem Schlachtfeld oder auch seltsame Gegenstände wie ein meterlanger Schraubenschlüssel ängstigten die Schläfer. Aber diese Bilder waren keine Symbole für gekidnappte Düsenjets, fanatische Islamisten oder Osama bin Laden, sondern ganz unmittelbar ein Ausdruck von Beklemmung und Angst.

*

Gefühle halten den Traum zusammen. Personen mögen auftauchen und verschwinden, unmögliche Dinge geschehen, die Kulissen wechseln wie in einem schlampig gedrehten Film. Die Stimmung des Träumers aber bleibt stabil und tritt offen zutage. Und so wirr die Bilder auch sein mögen, entsprechen sie doch immer der jeweiligen Emotion, wie auch ausführliche Analysen von Traumtagebüchern bestätigen. Das schlafende Gehirn ähnelt einem gewieften Erzähler, der zu jedem Gefühlsthema auf Zuruf eine fantastische Geschichte hervorbringen kann.

Ein Mythos ist übrigens, dass uns nachts vor allem negative Gefühle verfolgen. Vielmehr erwachen wir aus Träumen voller Angst und Aggressivität einfach häufiger und erinnern uns deshalb an mehr solcher Episoden. Werden aber Versuchspersonen im Schlaflabor zu beliebigen Zeiten geweckt, so berichten sie sogar ein wenig häufiger von Freude, sexueller Lust und allgemein gehobener Stimmung als von düsteren Regungen. In ziemlich genau einem Drittel aller Träume überwiegen die positiven, in weniger als einem Drittel die negativen Gefühle. Etwas mehr als ein Drittel ihrer Träume empfinden Menschen als ausgeglichen oder wenig emotional.

Die Stimmung unserer Träume begleitet uns in den Tag. Mehrere Untersuchungen konnten die Redewendung, dass man mit dem falschen oder auch dem richtigen Fuß aufstehen kann, auf unsere nächtlichen Erlebnisse zurückführen. So lassen uns angenehme Träume die Welt am Morgen freundlich sehen, deutlicher noch gehen finstere Träume mit einer gedrückten Stimmung einher. So, wie Kopfschmerzen manchen Menschen einen bevorstehenden Wechsel der Großwetterlage signalisieren, verraten mir Träume oft schon ein paar Tage im Voraus, dass sich meine grundlegende Stimmung verändert. Eindrücklich führt mir das vor Augen, wie sich meine emotionale Verfassung großenteils in mir selbst zusammenbraut.

Dass wir umgekehrt auch die Gefühle des Tages mit in den Traum hinübernehmen, vermutete schon Sigmund Freud. Der angstvolle Prüfungstraum etwa trete besonders dann auf, wenn man »eine verantwortliche Leistung oder die Möglichkeit einer Blamage erwartet.« Freuds Annahme hat neben Ernest Hartmann, der die Träume nach dem 11. September 2001 auswertete, auch Joseph De Koninck bestätigt, ein kanadischer Psychologe an der Universität Ottawa. Eine nette Gutenachtgeschichte, bewies der Forscher, reicht bereits aus, um im Schlaf angenehmere Gefühle zu erleben.

De Konincks Versuche zeigen, wie indirekt und subtil die Emotionen im Traum wirken. Er arbeitete mit Frauen, die unter einer milden Schlangenphobie litten und auch sonst eher ängstlich waren. Ihnen spielte er vor dem Einschlafen Tonaufnahmen von Waldspaziergängen vor, bei denen die Erzähler wahlweise einem Eichhörnchen oder einer Schlange begegneten. Unabhängig vom Tierleben schilderten manche Aufnahmen Ausflüge bei schönem Wetter und guter Laune; in anderen Versionen der Geschichte zog ein Unwetter herauf und ängstigte den Spaziergänger. Dieser Grundtenor der Geschichte beeinflusste tatsächlich die Träume der Probandinnen – nicht aber die Details der Erzählung. Ob die Frauen von einer Schlange oder einem niedlichen Eichhörnchen hörten, spielte keine Rolle, während eine misslungene Landpartie im Hagelsturm ihre Träume deutlich eintrübte. Keine der Teilnehmerinnen berichtete, von einem der Tiere geträumt zu haben. Offensichtlich prägen also weniger konkrete Erlebnisse vor dem Einschlafen unsere Träume, sondern eher unsere generelle Gefühlslage.

Vermutlich bestimmt diese oft unterschwellige Stimmung, welche Erinnerungen wir im Schlaf wieder aufleben lassen. Der entsprechende Effekt im Wachzustand ist als »stimmungskongruenter Gedächtnisabruf« bekannt. Er beschert uns die sprichwörtliche rosarote Brille, durch die wir an heiteren Tagen die Welt sehen. Schon ein paar Takte einer fröhlichen Melodie bringen Menschen im Experiment dazu, sich spontan die Sonnenseiten des Lebens ins Gedächtnis zu rufen. In Phasen der Niedergeschlagenheit hingegen bricht die gesamte Tristesse unseres Daseins über uns herein – all die Erinnerungen an unsere Niederlagen, an Handlungen, für die wir uns schämen, an Menschen, die uns ausgenutzt haben.

*

Lässt uns also ein latentes Unbehagen, das uns tagsüber vielleicht gar nicht bewusst ist, nachts noch einmal die Qualen der Schule durchleiden? Ich selbst träume auffallend häufig von Prüfungen, wenn die Veröffentlichung eines Buches oder eines wichtigen Aufsatzes naht. Die Sorge, ich könnte mich mit meinen Ideen allzu sehr exponieren, wirkt ähnlich wie der Geschmack der mit Tee getränkten Madeleine bei Proust: beide Empfindungen rufen jahrzehntealte Erinnerungen wach: bei Proust an die Kindheitstage in Combray, bei mir an die Prüfungssituation in der Schule oder an der Universität. In beiden Fällen bilden Gefühle eine Brücke in die Vergangenheit.

Warum jedoch führt uns diese Zeitreise so oft in unsere Kindheit oder Jugend? In dieser Zeit machen Menschen unablässig neue Erfahrungen und meistern unbekannte Herausforderungen. Die Welt erscheint fremd, rätselhaft und aufregend. Deshalb stammt der größte Teil unserer Erinnerungen aus der Phase des Erwachsenwerdens. Gedächtnisforscher sprechen vom »Erinnerungshügel«, der sich über dem Lebensalter zwischen zehn und dreißig Jahren erhebt. Liebe und Freundschaft, Erfolge und Enttäuschungen begegneten uns in dieser Phase zum ersten Mal und prägten sich uns, weil sie neu waren, in allen Details ein. Damals entstand das emotionale Koordinatensystem, innerhalb dessen wir bis heute in unseren Träumen navigieren. Unablässig gleichen wir aktuelle Eindrücke mit den gespeicherten Erfahrungen in unserem Gedächtnis ab. Und sehr häufig führt uns diese Recherche eben in die Jahre der späten Kindheit und Jugend, weil sie die meisten und intensivsten Erinnerungen hinterließen.

Weil Gefühle Brücken in die Vergangenheit schlagen, eröffnen uns Träume mit ihren starken Emotionen Räume der Erinnerung, zu denen wir sonst kaum Zugang haben. Solche Entdeckungsfahrten können uns bereichern wie eine Reise in ein exotisches Land. Aber die Vergangenheit liefert nur das Material: Der Traum erklärt sich aus der Gegenwart. Darum ist es sinnlos, nach einer symbolischen Bedeutung der nächtlichen Bilder zu suchen. Hinter meinem Prüfungstraum steht kein verdrängtes Kindheitstrauma; der Professor hat nichts mit unbewältigten Vater-Sohn-Konflikten zu tun. Vielmehr hat sich eine gegenwärtige Angst – etwa die Nervosität angesichts einer bevorstehenden Veröffentlichung – passende Erinnerungsbilder gesucht.

Träume erschließen sich also unmittelbar und unverschlüsselt über Gefühle. Die Psyche hat mächtige Unterströmungen, die uns tagsüber entgehen, weil wir zu sehr mit äußeren Eindrücken beschäftigt sind. Im Traum aber erleben wir, was uns wirklich bewegt.

11. Von Spritzen und Bratpfannen

Gibt es Traumsymbole?

> Was mir unverständlich
> bleibt: dass man gleichzeitig
> alle Elemente der Über-
> raschung mitbringen und
> doch derjenige sein kann, der
> überrascht wird.
>
> *André Gide*

Kann man Träume deuten? Eine alte persische Geschichte bringt das Problem auf den Punkt: Eines Tages bekommt der bedeutende Dichter Dschami Besuch von einem minderen Schriftsteller. »Also, ich habe geträumt, der Prophet hat mir in den Mund gespuckt und mich zu einem großen Dichter gemacht«, erzählt der Gast stolz. Dschami allerdings ist wenig beeindruckt, kennt er doch die eher mäßigen Verse seines Besuchers: »Nun ja, der Prophet wollte dir in den Bart spucken, aber weil du zufällig den Mund offen hattest, hat er dorthin getroffen.« In einem Traum kann eben jeder sehen, was er will.

William Domhoff hatte einen höheren Anspruch. Der Professor für Soziologie und Psychologie an der kalifornischen Universität Santa Cruz wollte aus Träumen genaue Vorhersagen ableiten – und sie dann an der Messlatte der Wirklichkeit prüfen. Um dieses ehrgeizige Vorhaben anzugehen, stand Domhoff ein Schatz zur Verfügung: Eine Frau mit dem Decknamen Barb Sanders, eine Amerikanerin mittleren Alters, hatte ihm nicht weniger als 3082 eigene Traumberichte aus den Jahren zwischen 1976 und 1997 überlassen. Domhoff kannte Sanders nicht und dachte auch nicht daran, sie zu treffen; er wollte überhaupt nichts über sie erfahren. Allein aus Sanders' Aufzeichnungen hoffte er, sich ihre Persönlichkeit und Lebensgeschichte zu erschließen. Sollte es ihm gelingen, wäre bewiesen, dass seine Träume den Charakter eines Menschen verraten, vielleicht sogar die Leitmotive seines Lebens.

Nie wurde ein Nachtleben gründlicher durchleuchtet. Domhoff und seine Assistenten verbrachten mehr als ein Jahr damit, die Traumberichte der Barb Sanders zu codieren, in eine Datenbank zu übertragen und die Handlungsmuster zu analysieren. Die Forscher erstellten mittels Computerauswertungen einen Katalog aller auftretenden Personen und erfassten statistisch sich wiederholende Traumszenen.

Obwohl ein großer Teil der Träume wirr und sinnlos erschien, fügten sich die Erlebnisse aus mehr als 3000 Nächten doch allmählich zu einem Bild von Barb Sanders und ihrem Leben zusammen. So traten in ihren Traumberichten mehr Menschen in Erscheinung als sonst bei Frauen üblich; daraus schloss Domhoff, dass Sanders tagsüber mit vielen Leuten umging. Sie schien aber eine unangenehme Zeitgenossin zu sein, jedenfalls handeln bemerkenswert viele Träume davon, wie sie sich über ihre Mitmenschen ärgert oder sie zurückweist. Besonders schwer fällt Sanders offenbar der Umgang mit ihrer Mutter, die in nahezu jedem zehnten Traum auftaucht. Fast immer entwickelt sich dann Streit. Ähnlich häufig und noch emotionaler träumt Sanders von ihrer mittleren Tochter. Hegte sie einen heftigen Groll gegen die junge Frau?

Ihren anderen beiden Töchtern ist Sanders im Traum meist

gewogen, und einer Freundin, Lucy, versucht sie auffallend oft behilflich zu sein. Und schließlich handeln die nächtlichen Episoden immer wieder vom Theater. Sanders tritt als Schauspielerin auf, sie führt Regie, hat selbst Stücke geschrieben. So sehr giert sie nach Applaus, dass Domhoff bei ihr brennenden Ehrgeiz vermutete.

Als die Forscher ihre Hypothesen formuliert hatten, baten sie Sanders und ihre vier besten Freundinnen zum Gespräch. In tagelangen Einzelinterviews befragten sie die Frauen nach dem Leben der Träumerin und ihrem Charakter – und fanden viele ihrer Vermutungen bestätigt. Sanders spielt in ihrer Freizeit wirklich Theater. Lucy, die mit ihr auftritt, beschrieb ihre Freundin als »unglaublich erfolgsversessen«. Sanders selbst stimmte Domhoffs Einschätzungen durchweg zu. Als Therapeutin pflege sie viel und ungewöhnlich intensiven Umgang mit Menschen; die Beziehung zur Mutter sei tatsächlich die schwierigste in ihrem Leben: »Meine Mutter war scharf, übermäßig kritisch und körperlich distanziert.« Die mittlere Tochter, auf die Sanders in ihren Träumen so ärgerlich reagierte, hatte ihr viel Kummer bereitet: Das Mädchen war manisch-depressiv, rannte als Folge ihrer Erkrankung immer wieder von Zuhause weg und brachte mit 17 Jahren selbst ein Kind auf die Welt, das Sanders großziehen musste. Und schließlich schilderten Lucy und Barb ihre Freundschaft so, wie es sich in den Träumen spiegelte: Die beiden Frauen lernten sich kennen, als Lucy bei Sanders eine Therapie begann. Später entwickelte sich aus den Sitzungen eine Freundschaft, doch Sanders behielt die Rolle der Helferin bei.

*

Domhoff wiederholte seinen Versuch mit Traumtagebüchern anderer Menschen und kam wiederum zu treffenden Voraussagen. Seine Ergebnisse mochten zunächst nicht einmal sonderlich überraschend klingen, doch den herkömmlichen Traumtheorien widersprachen sie diametral. In den neurobiologischen Labors herrschte schließlich die Meinung, dass die Bilder im Schlaf zufällig entstehen und deshalb kaum etwas über einen Menschen aussagen können. Ebenso wenig konnten die verschiedenen Schulen der Traumdeutung Domhoffs Treffsicherheit erklären. Schließlich hatte der kalifornische Psychologe die untersuchten Träume gar nicht gedeutet. Er entnahm den Berichten einfach nur das, was sie unmittelbar aussagten. Dann leitete er aus den Informationen Persönlichkeitsprofile ab, als hätten Barb Sanders und die anderen Versuchspersonen nicht aus ihren Träumen, sondern aus ihrem Alltag erzählt.

Wie es das Wort bereits nahelegt, geht jede Methode der Traumdeutung davon aus, dass Träume verschlüsselt sind und erst übersetzt werden müssen. Schon antike Autoren hatten zu diesem Zweck Wörterbücher der Traumsymbole erstellt. Bis heute sind solche Werke in Gebrauch, die jedem Motiv von Aal bis Zähne eine Bedeutung zuordnen. Der Urtyp all dieser Werke ist die »Traumkunst« des Artemidoros, der im zweiten Jahrhundert nach Christus im kleinasiatischen Daldis als Arzt praktizierte. Was man auch immer im Schlaf sehen mag – die »Traumkunst« bietet eine Erklärung: Wachteln kündigen schreckliche Nachrichten aus Übersee an; von geflügelten Ameisen zu träumen bringt aber auch kein Glück, denn sie sind ein Vorzeichen gefährlicher Reisen. Eine Bratpfanne stehe für eine Geldstrafe, obendrein für eine lüsterne Frau.

Obwohl er die »Traumkunst« wie ein Lexikon anlegte, warnte Artemidoros davor, sich die Sache allzu einfach zu machen: Vielmehr müsse man auch die persönlichen Lebensumstände des Träumers beachten. So warnt er ausdrücklich vor voreiligen Schlüssen aus Träumen, in denen ein Mann mit seiner Mutter Geschlechtsverkehr hat:

»Die Tatsache der Liebesvereinigung für sich allein reicht noch nicht aus, um die Sinndeutung aufzuzeigen …«

Wer aber hofft, jetzt etwas über die Grenzen der symbolischen Traumdeutung zu erfahren, hat sich getäuscht. Gleich im Nachsatz erklärt uns Artemidoros, worauf zu achten sei:

»… vielmehr sind es die verschiedenen Arten der Vereinigung und Körperstellungen, die verschiedene Ausgänge bewirken.«

Und nun erläutert Artemidoros die Feinheiten: Wer seine lebende Mutter beispielsweise »Körper an Körper«, also in der Missionarsstellung, beschlafe, werde sich mit seinem Vater verfeinden, falls dieser gesund sei. Sonst bedeute der Traum den baldigen Tod des Vaters. Ein Handwerker allerdings könne sich von diesem Traum gute Einnahmen erhoffen. Einem Politiker verspreche er sogar eine große Karriere. Vorausgesetzt, dass sich die Beischläferin ihm im Traum gerne hingebe, werde der Mann alle Macht im Staate erlangen.

*

Sigmund Freud bemerkte über Artemidoros streng, für die »wissenschaftliche Behandlung des Themas« könne die Unbrauchbarkeit des Deutungsverfahrens »keinen Moment lang zweifelhaft sein«. Recht hat er: Dass die Deutungen der »Traumkunst« zutreffen, lässt sich unmöglich beweisen; Artemidoros liefert nicht einmal den Hauch einer Begründung, warum sie zutreffen sollten. So kann sein Buch den Leser allenfalls anregen, sich von seinen Träumen auf neue Gedanken bringen zu lassen.

Erst er selbst, betonte Freud mehrfach, habe eine wissenschaftlich begründete Methode der Traumdeutung gefunden. Die Theorie kam bereits in den vorigen beiden Kapiteln zur Sprache: Träume bringen die Erfüllung verdrängter Wünsche zum Ausdruck; um nicht zu viel Erregung zu entfachen, offenbaren sie sich uns aber in chiffrierter Form. Hinter jedem manifesten Traum, an den wir uns erinnern, steht laut Freud ein latenter, also verborgener Traum, der die wahre Botschaft enthält. Um sie zum Vorschein zu bringen, gelte es zunächst möglichst viele Assoziationen zu den Traumbildern zu sammeln – und diese Einfälle dann zu analysieren.

Zum ersten Mal habe er dieses Verfahren auf einen eigenen Traum erfolgreich angewendet, und zwar, als er den Sommer 1895 in der Villa Bellevue in der Wiener Himmelstraße verbrachte. Freud war sehr stolz auf diese Leistung; am Ort der inzwischen abgerissenen Villa steht heute eine Gedenkstele, auf der ein paar Zeilen aus einem Brief an seinen Freund Wilhelm Fließ eingraviert sind: »Glaubst Du eigentlich, dass an dem Hause dereinst auf einer Marmortafel zu lesen sein wird: ›Hier enthüllte sich am 24. Juli 1895 dem Dr. Sigm. Freud das Geheimnis des Traumes‹?«

Freud sieht an diesem Morgen im Traum eine Irma genannte Patientin, die er zu dieser Zeit psychoanalytisch behandelte. Er wirft ihr vor, dass sie seine »Lösung« nicht akzeptiere. Sie erbleicht und beschwert sich über unstillbare Schmerzen. Er erschrickt, ob er nicht doch eine »organische Affektion« übersehen habe. Er schaut ihr in den Hals; im Mund sieht er einen gelben Fleck, und »weißgraue Schorfe« überziehen die Nasenmuscheln. Andere Ärzte kommen dazu. Einer von ihnen sagt: »Kein Zweifel, es ist eine Infektion ... Wir wissen auch, woher die Infektion rührt.« Ein mit Freud befreundeter Kollege hat nämlich Irma unlängst leichtfertig eine Injektion gesetzt: »Wahrscheinlich war auch die Spritze nicht rein.«

Freud schildert nun auf zehn Druckseiten seine Einfälle zu diesem Traum: Den Vorwurf habe er möglicherweise tatsächlich einmal gemacht. Einen Kunstfehler zu begehen, sei seine »nie erlöschende Angst«. Die verschmutzte Spritze lässt ihn daran denken, wie sauber seine eigenen Instrumente seien. Dann präsentiert Freud die abschließende, erstaunlich schlichte Deutung: Der Traum von Irmas Injektion handle von seinem, Freuds, Wunsch, an Irmas Leiden unschuldig zu sein. Als Fazit stellt er befriedigt fest, dass der Traum wirklich einen Sinn habe – so verschlüsselt er sich auch zeige.

Diese Abhandlung steht am Anfang der 1899 erschienenen »Traumdeutung«; auf ihr beruht die Argumentation des ganzen Buches. Ein Satz darin macht allerdings stutzig: »Ich selbst kenne die Stellen, von denen aus weitere Gedankenzusammenhänge zu verfolgen sind.« Was also verschweigt Freud? Heute gilt es in der Freud-Forschung als gesichert, dass Irma der Frauenrechtlerin Emma Eckstein ähnelt. Sie war eine Freundin der Familie Freud und hatte wegen mysteriöser Gehbeschwerden und einer leichten, vom Monatszyklus abhängigen Depression eine Psychoanalyse begonnen. Freuds Korrespondenz berichtet vom katastrophalen Verlauf dieser Behandlung: Freud stellte Emma seinem schon erwähnten Freund Wilhelm Fließ vor, der Hals-, Nasen- und Ohrenarzt war. Dieser glaubte an die Existenz einer »Nasenreflexneurose« und operierte Emmas Nase, um so ihre Depressionen und Menstruationsbeschwerden zu lindern. In der Folge litt Emma an Infektionen, heftigem Nasenbluten und Schmerzen. Anfangs hielt Freud Emma für hysterisch. Erst als ihre Klagen nicht nachließen, zog er mehrere Chirurgen zurate. Einer von ihnen untersuchte Emmas Nase in Freuds Beisein am 8. März 1895. Sehr schnell hatte er, wie Freud entsetzt schrieb, »ein gut ½ Meter langes Stück Gaze aus der Höhle herausbefördert.« Sein Freund Fließ hatte das Verbandsmaterial bei der Operation vergessen. »Im nächsten Augenblick folgte ein Blutstrom, und die Kranke wurde weiß.« Zerknirscht schrieb Freud an Fließ: »Wir hatten ihr also unrecht getan; sie war gar nicht abnorm gewesen.«

Wer diese Geschichte kennt, kann schwer einsehen, was eigentlich an Freuds Traum verschlüsselt gewesen sein soll: Irma alias Emma weigerte sich völlig zu Recht, Freuds Diagnose zu akzeptieren, der die Infektion als organische Ursache ihrer Leiden übersah. Die Symptome gingen von der Nasenhöhle aus, die der Traum voll weißem Schorf zeigte; Freud hatte mehrere Ärzte hinzugezogen; die Patientin war in der Praxis des Chirurgen wirklich erbleicht. Sein Freund Fließ hatte tatsächlich einen kapitalen Kunstfehler begangen. So durchlebt Freud in den Szenen, die er als »Irmas Injektion« schildert, nochmals ganz unverstellt seine bedrückende Erinnerung: Der wohl berühmteste Traum der psychoanalytischen Literatur bedarf keiner Analyse.

*

Freud war überzeugt, dass unter Einsatz seiner Deutungsmethode »jeder Traum sich als ein sinnvolles psychisches Gebilde herausstellt«. Da sich aber nicht alle Träume so leicht erklären lassen wie »Irmas Injektion«, bemühte auch er gerne Symbole. Anders als einst Artemidoros versuchte er, seine Zuordnungen immerhin zu begründen, das schuldete er seinem wissenschaftlichen Anspruch. Einmal erzählte ihm ein junger Mann, er habe geträumt, wie er sich selbst zwei Zähne zog. Freud konstruierte daraufhin eine aus heutiger Sicht abenteuerliche

Deutung: Der Traum beweise, dass der Patient Jugenderinnerungen an Masturbation verdrängt habe. Zur Begründung jonglierte Freud mit sexuellen Symbolen: Nase, Wangen und Lippen stünden ohne Zweifel für menschliche Geschlechtsteile, schließlich erinnere jede Form des Gesichts an ein bestimmtes Sexualorgan. »Nur ein Gebilde steht außer jeder Möglichkeit von Vergleichung, die Zähne«, erklärt Freud weiter. Doch genau deswegen bedeuteten sie ebenfalls Sex: »Gerade dies Zusammentreffen von Übereinstimmung und Abweichung macht die Zähne für die Zwecke der Darstellung unter der Sexualverdrängung geeignet.«

Freud ahnte, dass nicht jeder dieser kühnen Logik zu folgen vermag: »Ich will nicht behaupten, dass nun die Deutung des Zahnreiztraumes als Onanietraum, an deren Berechtigung ich nicht zweifeln kann, voll durchsichtig geworden ist.« Schließlich hatte er selbst erst in seinen reiferen Jahren die symbolische Deutung für sich entdeckt; in den Anfangsjahren der Psychoanalyse warnte er ausdrücklich vor ihrem Gebrauch

Damals verließ er sich lieber auf die von ihm entwickelte Methode der freien Assoziation. So will er in einer typischen Deutung Klarheit über den folgenden »harmlosen Traum« einer Patientin erlangt haben:

Ihr Mann fragt: Soll man das Klavier nicht stimmen lassen? Sie: Es lohnt nicht, es muss ohnedies neu beledert werden.

Aus diesem Fragment ist schwer etwas zu machen, doch glücklicherweise fiel der Träumerin allerhand ein. Sie erinnerte sich, dass sie am Vortag tatsächlich einen solchen Wortwechsel hatte. Im Übrigen sei das Klavier ein »ekelhafter Kasten« (so nennt man in Österreich einen Schrank), den der Mann in die Ehe mitgebracht habe. »Es lohnt sich nicht«, habe sie am Vortag einer Freundin geantwortet, die sie bat, bei einem kurzen Besuch doch die Jacke abzulegen. Dazu wiederum fiel dem Therapeuten Freud ein, »dass sie gestern während der Analysenarbeit plötzlich an ihre Jacke griff, an der sich ein Knopf geöffnet hatte«. Es sei also, als hätte sie sagen wollen: »Bitte, sehen Sie nicht hin, es lohnt sich nicht.« Und schon entpuppt sich das Gespräch über ein Klavier als schmerzhafte Botschaft aus der Pubertät: »So ergänzt sich der Kasten zum Brustkasten, und die Deutung des Traumes führt direkt in die Zeit ihrer körperlichen Entwicklung, da sie anfing, mit ihren Körperformen unzufrieden zu sein.« Freuds Interpretationen lassen sich selbstverständlich nicht widerlegen – beweisen allerdings auch nicht. Das verbindet sie mit den Deutungen Artemidoros'.

*

Artemidoros und Freud scheiterten an einer grundsätzlichen Schwierigkeit. Wer den Traum wie ein Bilderrätsel aufzulösen versucht, geht davon aus, dass sich die Wahrheit im Wachzustand erschließt: Vom übergeordneten Standpunkt der Vernunft blickt man auf die Bilder der Nacht herunter und sucht mit der Logik der Sprache nach ihrer Bedeutung.

Was aber, wenn die Tageslogik das Erleben in einem anderen Bewusstseinszustand gar nicht vollständig zu erfassen vermag? Wie ich in den vorigen Kapiteln zeigte, können wir inzwischen gut nachvollziehen, wie Träume entstehen, wie sie der Wirklichkeitserfahrung im Wachzustand ähneln und worin sie sich von ihr unterscheiden. Auch lassen sich viele Tageserinnerungen und vor allem Gefühle im Traum wiedererkennen. Dennoch spricht nichts dafür, dass wir wach fähig sind, jede Wendung eines Traums nachzuvollziehen. Das schlafende Gehirn geht andere Wege, unterliegt anderen Gesetzen als am Tage.

William Domhoff versuchte deshalb gar nicht erst, die Aufzeichnungen der Barb Sanders von einer höheren Warte aus zu untersuchen. Er suchte nicht nach versteckten Botschaften, sondern analysierte nur den Inhalt, wie er offen zutage trat. Dabei nahm er in Kauf, dass er nicht jede bizarre Szene deuten konnte.

Mitunter wirken Traumbilder so willkürlich zusammengestellt, als hätte eine Glücksfee sie aus einer Lostrommel gezogen. Etwas als Zufall zu akzeptieren, fällt vielen jedoch schwer. Deshalb geht die traditionelle Traumdeutung so vor wie ein Fernsehzuschauer, der sich anstrengt, in den Gewinnzahlen der aktuellen Wochenziehung von »6 aus 49« ein Muster zu erkennen. Die sechs Richtigen der Ziehung am 14. Mai 2014 (2 7 22 30 32 39) lassen beispielsweise eine auffällige Häufung der Ziffern 2 und 3 erkennen. Nur, was hat das zu bedeuten? Die nächste Ziehung wird ganz anders ausfallen. Erst wenn man die Trommel viele Male in Gang setzt, erkennt man eine Gesetzmäßigkeit: Offensichtlich sind 49 Zahlen im Spiel. Und sie alle erscheinen annähernd gleich häufig. Solch eine Dauerbeobachtung erklärt natürlich nicht die Gewinnzahlen vom 14. Mai 2014 – wohl aber, wie die Lotterie funktioniert. Und damit erfahren wir alles, was man überhaupt über das Gewinnspiel herausfinden kann.

Domhoff untersuchte Sanders' Träume wie ein Beobachter, der sich den Ergebnissen einer Lotterie geduldig und ohne Vorurteil nähert. Wenn die Glücksfee die Lostrommel immer wieder dreht, werden die Regeln des Spiels allmählich klar. Genauso kann die Wiederholung von Trauminhalten bestimmte Leitmotive eines ganzen Lebens offenbaren. Die Aussagekraft eines einzelnen Traums ist hingegen gering. Was wir nachts erleben, hat also durchaus seinen Sinn; er erschließt sich nur nicht auf die Schnelle.

Und doch meinte Domhoff seinen Augen nicht zu trauen, als er Barb Sanders zum ersten Mal traf. Die Frau, deren Persönlichkeit und deren Beziehungen er so treffend vorausgesehen hatte, kam ihm im Rollstuhl entgegen. Keiner ihrer mehr als 3000 Träume ließ vermuten, dass sie von der Hüfte abwärts gelähmt ist. Wie Helen Keller vom Hören und Sehen träumte, so sah sich Barb Sanders im Schlaf als Gehende. Träume verraten nicht nur viel, sie verschweigen auch einiges.

*

Wie viel Neues kann ein Mensch aus seinen Träumen über sich lernen? Barb Sanders musste kein Traumtagebuch führen, um von den Schwierigkeiten mit ihrer Mutter, der Enttäuschung über ihre Tochter und dem Lampenfieber vor ihren Auftritten zu wissen. In einem Punkt allerdings, erklärten ihre Freundinnen, sei Barb ahnungslos wie ein Teenager, was ihre eigenen Gefühle und Antriebe betreffe: Männer.

In 47 ihrer Träume erscheint ein »Derek«. Im Interview beschrieb Barb ihn als attraktiven Mittdreißiger, den sie, damals 50, auf einer Party kennengelernt hatte. Derek ging auf ihre Zuneigungsbekundungen ein, schenkte ihr Blumen, führte lange Telefonate mit ihr. Ihre Freundinnen erlebten sie als glücklich verliebt, und ihre Träume handelten unverstellt von ihrem Wunsch nach sexuellen Höhenflügen mit ihm. Doch einige verraten auch ihre Angst, dass sie für Derek nicht zählt:

»Er küsst mich. Ich bin enttäuscht, weil sein Mund weit aufgesperrt ist. (…) Jetzt werde ich von ihm und anderen verfolgt. Ich renne um mein Leben.«

Tatsächlich offenbarte dieser Traum, was Barb Sanders sich zu diesem Zeitpunkt nicht eingestehen wollte: Derek war nicht an ihr als Frau interessiert, sondern suchte jemanden, der ihm zuhörte. Ein paar Monate später sah sie ihn mit einer anderen. Noch ein halbes Jahr lang träumte sie regelmäßig von Derek, dann verschwand er aus ihren Nächten.

Wie langsam sich unsere Träume an Veränderungen im Leben anpassen, zeigt eine weitere Männergestalt in Sanders' Träumen. »Howard« ist ihr früherer Ehemann; das Paar war bereits geschieden, als sie mit ihren Aufzeichnungen anfing. Über Jahrzehnte hinweg folgen die Träume von Howard einem wiederkehrenden Muster: Voll Angst oder Ärger bemerkt Sanders, dass er wieder bei ihr eingezogen ist, dass er sie bedrängt und verführen will. Selbst als Howard im April 1997 an einem Herzinfarkt stirbt, schwindet die Angst, ihr Exmann könnte zurückkehren, nicht aus ihrem Schlaf. Erst nach Jahren beginnt sie innerlich zu begreifen, was geschehen ist:

>Ich liege im Bett, versuche zu schlafen. Howard sitzt neben mir. Wir sprechen. Ich ›erwache‹ im Traum und begreife, dass Howard tot ist. Er kann nicht in meinem Bett liegen. Ich sehe nach. Er ist nicht da. Dann spricht er mit mir. Jetzt frage ich mich, ob ich wirklich nachgesehen oder das nur geträumt habe. Ich bin verwirrt.«

Wohl jeder begegnet im Schlaf manchmal weit zurückliegenden Konflikten, die er für längst überwunden hielt. Oft sind wir selbst von der Rückkehr solcher Untoten befremdet. Träume offenbaren, wie lange die Psyche braucht, um sich von den Gespenstern der Vergangenheit zu lösen. In unserem Innersten sind die Ängste, die Scham und der Zorn längst verstrichener Jahre noch immer präsent; nur deswegen kann das

Gehirn im Schlaf die alten Bilder hervorzuzaubern und, wie im letzten Kapitel beschrieben, mit aktuellen Gefühlen und Stimmungen verknüpfen.

In diesem Sinne lag Freud richtig: Unter der Oberfläche des Alltagserlebens wirken alte Erfahrungen fort, und allzu leicht unterschätzen wir deren Macht. Aber es bedarf keiner komplizierten Deutung, um diese Geister zu erkennen: Im Traum zeigen sie sich oft in geradezu schmerzhafter Klarheit – so wie Barb Sanders' Ängste vor der Rückkehr des penetranten Exmannes.

Wer mit Hilfe seiner Träume mehr über sich selbst erfahren will, darf sich jedoch nicht von einzelnen Episoden irreführen lassen. Ein einmaliger Auftritt Howards in Barbs Aufzeichnungen wäre wahrscheinlich Zufall; erst eine Vielzahl nächtlicher Erlebnisse hat Aussagekraft. Dies ist denn auch die Erkenntnis, die Barb Sanders aus ihrer jahrelangen Traumerkundung gewann:

> »Jahre, Jahre und Jahre, Ärger, Ärger und Ärger. Aber in dieser Zeit habe ich mehr darüber gelernt, wie ich selbst funktioniere. Und die Träume haben es mir ermöglicht, eine Menge Ärger loszulassen und mehr die Trauer zu spüren.«

Träume haben eine Bedeutung. Aber wir erkennen sie nur in ihrer Gesamtschau – und mit Geduld.

III. WIE TRÄUME UNSER LEBEN VERÄNDERN

12. Lernen im Schlaf

Träume rüsten uns für die Zukunft

In einer Zeit, als meine Frau und ich Schwierigkeiten mit unserer ältesten Tochter hatten, notierte ich eines Morgens den folgenden Traum:

> Im Streit mit meiner Mutter flüchte ich mich in das große Kinderzimmer meines Elternhauses. Sie kommt herein und tritt drohend auf mich zu. In ihrer Hand ist ein Ziegelstein. Wird sie mich erschlagen? Dann aber fangen wir an miteinander zu sprechen, es fällt das Wort »Espresso«. Ich erwache, äußerst erregt und zugleich erleichtert.

Die Szene erinnerte mich an einen uralten Konflikt. Denn tatsächlich pflegte ich als Jugendlicher meine Mutter in Rage zu versetzen, indem ich mich standhaft weigerte, die Spritzer wegzuwischen, die mein Espresso-Kännchen auf dem Küchenherd hinterließ. (Geschlagen hat sie mich allerdings nie.)

Es liegt nahe, in den aktuellen Reibereien mit unserer Tochter den Auslöser des Traums zu vermuten. Tatsächlich dachte ich in diesen Tagen wiederholt an meine Mutter, empfand ich doch einen ähnlichen Ärger über ein starrsinniges Kind und dieselbe Ratlosigkeit, die auch sie gespürt haben muss.

Allerdings hatte ich im Traum die Perspektive gewechselt. Plötzlich sah ich mich wieder in der Lage des Kindes, das sich von seiner Mutter bedroht fühlt. Ich erlebte seine Angst, die Verzweiflung, und den hinter Bockigkeit verborgenen Wunsch zur Versöhnung.

Der Traum zeigte mir die andere Seite des Konflikts; er stellte das, was mich in diesen Tagen beschäftigte, in einen größeren Zusammenhang. Bis dahin hatte mich die neuartige Heftigkeit der Auseinandersetzungen mit unserem Kind irritiert. Nun begriff ich, dass mir das Geschehen durchaus vertraut war. Ich hatte den Familienkrieg um Kleinigkeiten schon zur Genüge geführt, nur eben in einer anderen Rolle. Das widerborstige Kind, das war einmal ich selbst. Der Traum half mir, meine Tochter zu verstehen.

War das ein Zufall? Oder könnten Träume generell dazu dienen, uns klüger zu machen? Vielleicht erscheint Ihnen diese Vorstellung fantastisch. Schließlich erinnert sie an die uralte Idee, dass wir manchen Träumen Erkenntnis verdanken, weil sie göttliche Botschaften sind. Heute sind wir dagegen vom Denken des 20. Jahrhunderts geprägt, in dem eine Fraktion von Hirnforschern und Philosophen Träume gleich ganz für sinnlos hielt, während Anhänger der Psychoanalyse sie als Ausdruck verdrängter Wünsche erklärten. Weder mit der einen noch der anderen Auffassung lässt sich der Gedanke vereinen, dass Träume auch ein Training für die Zukunft sein könnten. Doch genau darauf deuten immer mehr Forschungsergebnisse hin: Wir lernen, während wir träumen. Dabei erweitern sich nicht nur unsere Fähigkeiten, sondern verändert sich auch der Charakter. Erleben wir also im Schlaf, wie wir uns weiterentwickeln?

*

Träume stecken voller Bilder, Ereignisse und Gedanken des vorigen Tages. Es sind Hinterlassenschaften, die wir häufig als lästig empfinden. Warum müssen wir uns nach dem Ärger am Tage auch noch im Schlaf mit Sorgen um den Job, aufsässigen Kindern oder unangenehmen Kollegen herumschlagen? Manch einer müht sich nachts sogar mit den Tücken einer wackeligen Leiter ab. Eine solche Mühe machte der Dichter Robert Frost zum Thema eines seiner Werke. Zu Beginn des 20. Jahrhunderts versuchte er, der heute als einer der bedeutendsten amerikanischen Lyriker gilt, seine Familie als Farmer in Neuengland durchzubringen. Statt zu studieren und seine Tage mit Schreiben zu verbringen, plagte er sich dort mit der Obsternte – die ihn bis in den Traum verfolgte:

»Ich war gut unterwegs in den Schlaf …
Und wusste genau,
Was mir im Traum erscheinen würde.
Vergrößerte Äpfel leuchten auf und verschwinden,
Stiel und Kelch,
Braunrot gesprenkelt, überklar.
Am Fuß erträgt der Innenrist den Schmerz
Und den Druck der Leiter.
Die Zweige biegen sich, die Leiter schwankt …«

Für einen solchen Widerhall des kürzlich Erlebten im Traum prägte Sigmund Freud das schöne Wort »Tagesreste«. Warum aber schwappen die Tagesreste in die Nacht hinein? Ist das Gehirn einfach so träge, dass manche Eindrücke Nachbilder hinterlassen, die erst allmählich verblassen? Frosts Verse deuten in eine andere Richtung. Denn der Poet ist darin nicht nur ein passiver Beobachter, vor dessen Augen »zehn Tausend Tausend Früchte« vorüberziehen, wie es etwas später in seinem

Gedicht heißt. Frost ist vielmehr aktiv: Er bemüht sich weiter darum, die wackelige Leiter unter seine Kontrolle zu bringen – als würde sein Gehirn im Traum noch eine Trainingsrunde einlegen, damit Frost bei nächster Gelegenheit sicheren Halt findet. Wie ein angehender Pilot in einem Flugsimulator einen Airbus steuern lernt, so scheint der Dichter in der virtuellen Realität seines Traums die Obsternte zu üben.

Robert Stickgold, ein gelernter Biochemiker, der heute an der Harvard Universität über Traum und Gedächtnis forscht, fühlte sich durch Frosts Verse an eigene Erfahrungen erinnert. Nach einer längeren Bergtour lag Stickgold im Bett, doch hatte er immer noch das Gefühl, nach Felsen zu greifen und sich daran hochzuziehen: »Ich konnte den Fels in meiner Hand buchstäblich fühlen. Aber mir kam es nicht so vor, als riefe ich diese Eindrücke hervor. Etwas in meinem Gehirn schien sie von selbst zu erzeugen.«

Was spielte sich in seinem Kopf ab? Und würde er den Effekt im Labor nachvollziehen können? Stickgold kam auf den Gedanken, Versuchspersonen ein paar Stunden am Tag Tetris spielen zu lassen. Vielleicht würde das klassische Computerspiel Spuren in den Träumen der Versuchspersonen hinterlassen. Und tatsächlich sahen die Probanden am übernächsten Abend fallende Steine – allerdings nicht alle. Bezeichnend ist, wer diese Erlebnisse hatte: Stickgold ließ erfahrene Tetris-Spieler und Neulinge antreten, und je weniger erfahren die Teilnehmer waren, umso mehr fühlten sie sich beim Einschlafen von rotierenden Blöcken verfolgt, die einfach nicht in einer ordentlichen Reihe auftreffen wollten. Wie dem Dichter Frost auf seiner Obstleiter, so kam es auch Stickgolds Probanden vor, als mühten sie sich abends im Bett halb bewusst noch immer mit ihrer Aufgabe ab – oder schon wieder.

Kein einziger Versuchsteilnehmer aber sah das Labor, in

dem er so viele Stunden verbracht hatte, oder den Computer, auf dem Tetris lief. Keiner hörte das russische Lied Korobeiniki, jenen Ohrwurm, der das Spiel in einer immer schneller werdenden Endlosschleife begleitet. Die Bilder beim Wegdämmern handelten nur von dem, worauf es den Versuchspersonen offenbar ankam: Tetris zu lernen.

Nicht das gesamte Erleben, sondern nur die Aufgabe, die zu bewältigen war, bemächtigte sich ihrer Träume. Und dass diese Träume keine Nachbilder sein konnten, bewies Stickgold, indem er Menschen mit Gedächtnisverlust in sein Labor bat. Wie die anderen Teilnehmer spielten auch die Amnesie-Patienten Tetris mit der Zeit immer geschickter; nur behaupteten sie vor jeder neuen Runde, sie hätten noch nie ein Spiel mit fallenden Steinen gesehen. Denn ihre Hirnschädigung erlaubte ihnen zwar, bestimmte Fähigkeiten neu zu erlernen, doch konnten sie keine bewussten Erinnerungen mehr anlegen. So reagierten manche Probanden denn auch ungehalten, wenn der Versuchsleiter kurz den Raum verließ und zurückkam: »Wer sind Sie? Was wollen Sie hier?« Doch als man sie eine Stunde nach dem Einschlafen weckte und fragte, was sie gesehen hatten, antworteten auch die Menschen ohne Gedächtnis: fallende Steine.

*

Ist der Schlaf ein Trainingsfeld für die Zombies? Wir haben diese automatischen Routinen in Kapitel 9 kennengelernt; sie waren verantwortlich dafür, dass Kenneth Parks im Schlaf zu seinen Schwiegereltern fahren und einen Mord begehen konnte. Zombies helfen uns im Alltag bei sämtlichen sich wiederholenden Tätigkeiten – auch beim Apfelpflücken oder beim Spielen am Computer. Stickgolds Tetris-Experimente weisen folglich ebenso wie die Erfahrungen des Dichters Frost darauf hin, dass das Gehirn nachts seine automatischen Routinen durchspielt, um sie zu verbessern. Im Schlaf üben wir unsere Fähigkeiten – vor allem während der REM-Phase mit ihren intensiven, oft sehr dynamischen Träumen.

Stickgold weckte seine Tetris-Spieler zwar noch während des Einschlafens. Andere Versuche jedoch lassen vermuten, dass wir erst recht in den späteren Schlafphasen lernen. Pianisten wissen seit jeher, wie wichtig die Nachtruhe ist, wenn sie ein neues Stück einstudieren. (Vladimir Horowitz bekannte einmal, dass er den Fingersatz für seine virtuosen Interpretationen nicht nur am Klavier, sondern auch im Traum ausprobiere.) Im Jahr 2005 entdeckte der amerikanische Hirnforscher Matthew Walker dann die Mechanismen, durch die der Schlaf zu einer Schule der Geläufigkeit wird: In der Nacht oder auch nur während einer Siesta nach dem Üben verstärken sich nämlich Verbindungen zwischen Hirnzellen in Zentren, die Bewegungen und damit auch das Spiel der Finger steuern. Dabei scheint das Training im Traum erstaunlich gezielt zu wirken: Am stärksten verbesserten sich diejenigen Sequenzen, in denen Walkers Versuchspersonen zuvor viele Fehler unterlaufen waren.

Und nicht nur Pianisten lernen im Schlaf. Nach einer Nacht erinnern Versuchspersonen komplizierte Bewegungen leichter, erkennen Muster schneller, spulen am Vorabend gelernte Vokabeln flüssiger ab. Auch diese Fortschritte, für die wir uns scheinbar nicht weiter anstrengen müssen, verdanken wir vermutlich den nächtlichen Wiederholungen im Gehirn.

*

Robert Stickgold sieht das Hirntraining im Bett sogar als Grundlage jeder geistigen Leistung. Seiner Ansicht nach sollten wir Intelligenz und Fleiß nicht überschätzen: Ein guter Student sei zunächst einer, der gut schläft. Zu Recht rät demnach der Volksmund, vor einer schwierigen Entscheidung über die Angelegenheit zu schlafen.

Über den Zusammenhang von Lernen und Schlaf wunderte sich übrigens schon Quintilian, einer der einflussreichsten Rhetoriklehrer im alten Rom: »Sonderbarerweise kann eine einzige Nacht das Gedächtnis verbessern … Aus welchen Gründen auch immer fallen uns Dinge, die wir auf Anhieb nicht erinnern, mühelos am folgenden Tag ein. Die Zeit selbst, die wir gewöhnlich als Ursache des Vergessens ansehen, scheint tatsächlich das Gedächtnis zu stärken.«

Und wer hat noch nie erschrocken festgestellt, dass die Erinnerungen an Tage, an denen Schlaf knapp war, wie ausgelöscht scheinen? Solche Eindrücke kommen auch nicht wieder, wenn der fehlende Schlaf aufgeholt ist. Sie sind einfach verschwunden. Experimente zeigen denn auch, dass Schlafentzug aus einem gesunden Menschen vorübergehend einen Amnesiker machen kann.

Trotz all dieser Befunde ist unter Fachleuten umstritten, wie viele unserer geistigen Fähigkeiten wir dem Schlaf verdanken. Skeptische Hirnforscher erinnern etwa an die schon im achten Kapitel genannten Antidepressiva, die während der 1960er und 1970er Jahre massenhaft verschrieben wurden: Die sogenannten MAO-Hemmer unterdrückten als Nebenwirkung den REM-Schlaf vollständig. Millionen Menschen, die diese Mittel einnahmen, verpassten also jene Schlafphase, in der wir am heftigsten träumen und wahrscheinlich unsere Zombies trainieren. Aber nie wurden Klagen laut, jemand hätte durch die Pillen seine Erinnerung oder das Lernvermögen verloren.

Diese Beobachtung widerspricht jedoch nur vordergründig der These, dass wir im Traum lernen. Denn zum einen spielt sich das nächtliche Training vermutlich auch in den anderen

Schlafphasen ab. Und zum anderen wissen wir nicht, wie sich MAO-Hemmer auf gesunde Menschen auswirken. Nur Patienten mit schweren Depressionen schluckten diese Tabletten, und diese Krankheit schränkt ihrerseits die geistige Beweglichkeit stark ein. So lernten die Patienten wohl trotz der Nebenwirkung des Antidepressivums besser als ohne das Mittel.

*

Auch manche Psychologen bezweifeln, dass man während des Traums klüger werden kann. Sie berufen sich auf Sigmund Freud, der einwendete, der Traum könne nicht der Erinnerung dienen, weil er die Tageserfahrung entstelle. Die Bilder der Nacht würden schließlich das Erlebte nicht wiederholen. Sie zeigten nur, wie Freud es treffend ausdrückte, »Bruchstücke von Reproduktionen«.

Aber prägen wir uns nur das ein, was unser Gehirn originalgetreu wieder abspielt? Oder festigt sich die Erinnerung im Gegenteil gerade dadurch, dass sie sich verwandelt, während wir träumen?

Als erster hatte der exzentrische Baron d'Hervey versucht, solche Fragen zu erforschen. Er führte dazu seine bereits beschriebenen Experimente mit Düften durch. Im Jahr 2006 starteten Björn Rasch und Jan Born im Schlaflabor der Universität Lübeck eine spektakuläre Neuauflage seiner Versuche. Die beiden Wissenschaftler zeigten, dass man besser lernt, wenn man die Hirntätigkeit und damit die Erinnerung im Schlaf mit einem Geruch manipuliert.

Die beiden Wissenschaftler ließen Rosenduft verströmen, während ihre Versuchspersonen Memory spielten, sich also die Lage von verdeckten Spielkartenpaaren einzuprägen versuchten. Danach gingen die Probanden zu Bett und atmeten in den ersten Stunden ihres Schlafes erneut Rosenduft ein, was sie aber nicht wussten. Am nächsten Tag erinnerten sie sich auffallend gut daran, wo welche Karte lag.

Der Duft der Rose wirkte wie einst d'Herveys Parfüms: Er weckte die Erinnerung. Doch die Lübecker Wissenschaftler waren noch einen Schritt weiter gegangen. Ihnen war es nicht nur wie d'Hervey gelungen, eine alte Gedächtnisspur gezielt im Schlaf wieder aufleben zu lassen. Sie wiesen überdies nach, dass sich die Erinnerung durch das nächtliche Abrufen festigt. Wie sich beim Lernen einer Fremdsprache Vokabeln umso besser einprägen, je öfter wir sie aussprechen, so festigt auch Wiederholung im Schlaf das Gedächtnis.

Rasch und Born fanden sogar heraus, wann sich das Ortsgedächtnis, das beim Memory-Spiel gefordert ist, beeinflussen lässt. Anders als die Zombies für Bewegungen, die vor allem im REM-Schlaf trainiert werden, prägt sich die Ortsinformation im Tiefschlaf ein. Nur wenn die Versuchspersonen in dieser Phase den Rosenduft einatmeten, glänzten sie am nächsten Morgen beim Memory. Wurde der Geruch hingegen tagsüber verbreitet, störte er das Spiel sogar. Vermutlich vermischte sich dann die auflebende Erinnerung mit den gegenwärtigen Eindrücken und sorgte so für Verwirrung. Das Gehirn braucht also den Rückzug von der Welt, um lernen zu können.

Haben die Teilnehmer von Memory-Karten geträumt, während sie im Tiefschlaf Rosenaroma schnupperten? Wir wissen es nicht, denn Rasch und Born weckten die Schlafenden nicht. Wohl aber maßen sie deren Hirnaktivität: Sobald der Rosenduft in der Luft lag, sprang ein besonderes Hirnzentrum an, das unter anderem die Erinnerung an Orte verwaltet. Diese Schaltstelle ist der Hippocampus, den wir im sechsten Kapitel in einer etwas anderen Funktion kennengelernt hatten: Hier sitzen auch die erstaunlichen Neuronen, die uns alle vertrauten Menschen und Dinge codieren – sogar das Gesicht eines Hollywood-Stars.

*

Dass der Hippocampus räumliche Erinnerungen im Schlaf wieder abspielen kann, hatte der amerikanische Neurowissenschaftler Matthew Wilson bereits 1994 gezeigt. In einem aufsehenerregenden Experiment setzte Wilson Ratten Elektroden ein, die er mit den für Ortsinformationen zuständigen Zellen im Hippocampus verband. So konnte er die Aktivität der Zellen erfassen, während die Tiere in einem Labyrinth nach Speck suchten. Wilson musste den Irrgarten gar nicht ansehen, um zu wissen, wo sich seine Ratten gerade befanden – so genau gaben die elektrischen Signale aus der Tiefe des Hirns die Position der Nager wieder. Der Forscher zeichnete die Zellaktivität auch auf, als die Tiere im Tiefschlaf lagen – und erhielt dieselben Signalmuster wie zuvor, als sie durch das Labyrinth gelaufen waren. Die Ratten prägten sich offenbar den Weg zum Speck ein, indem sie ihn im Schlaf wiederholten. Das Training spielte sich allerdings im Zeitraffertempo ab: Manchmal kamen die elektrischen Impulse so schnell, als würden die Tiere mit zehnfacher Geschwindigkeit durch ihr Labyrinth rasen.

Sahen die Tiere im Traum, wie sie durch den Irrgarten rannten? Offenbar erinnerten sie sich tatsächlich an Bilder, denn Wilson maß auch Aktivitäten in der Sehrinde. Und diese Signale schwangen im Gleichtakt mit den Impulsen aus dem Hippocampus, dessen Impulse die Koordinaten im Labyrinth wiedergaben. Die Befunde legen nahe, dass die Ratten das Labyrinth im Traum nochmals durchliefen und dabei die Erinnerung an ihre Route festigten.

So erstaunlich diese Schlussfolgerung klingen mag, passt

sie doch zu dem, was wir über das Entstehen von Erinnerungen wissen: Der Hippocampus verankert Eindrücke aus dem Kurzzeitgedächtnis dauerhaft im Großhirn. Er sorgt dafür, dass ein Bild als Gedächtnisspur in die Sehrinde, ein Ton ins Hörzentrum, ein Geruch ins Riechhirn eingebrannt wird. (Weil der Hippocampus bei Amnesikern nicht funktioniert, entfällt ihnen alles binnen Minuten.) Damit sich allerdings eine Erinnerung verfestigt, müssen den entsprechenden Regionen des Großhirns die Informationen immer wieder vorgespielt werden. Wie eine Fernsehwerbung so oft über den Sender geht, bis sich ihre Botschaft auch dem letzten Zuschauer unauslöschlich eingeprägt hat, so wiederholt der Hippocampus seine Signale. Eben diesen Vorgang schien Wilson bei seinen schlafenden Ratten beobachtet zu haben: Der Hippocampus sandte dem Großhirn wieder und wieder die Beschreibung des Wegs durch das Labyrinth. Und die Sehrinde, die diese Informationen empfing, antwortete. Hat der Forscher Wilson damit das Rätsel gelöst, warum wir träumen? Er selbst drückte sich vorsichtig aus: »Das Wiederaufleben der Gedächtnisspuren im sensorischen Cortex mag direkt mit den Wahrnehmungsbildern zusammenhängen, die im Zustand des Schlafens und Träumens erlebt werden.«

Was Ratten erleben, kann man sie nicht fragen – menschliche Träumer aber sehr wohl. Deshalb wiederholte Robert Stickgold den Labyrinth-Versuch mit menschlichen Probanden. Wie schon bei seinem Tetris-Experiment nutzte der Forscher auch diesmal ein Computerspiel, bei dem die Teilnehmer ihren Weg durch das Straßengewirr einer virtuellen Stadt finden sollten. Die Probanden lernten am Bildschirm, durch den Irrgarten zu navigieren, und durften dann Mittagsschlaf halten. Auch bei ihnen feuerte der Hippocampus während der Tiefschlafphase der Siesta, und über die Hälfte der Versuchspersonen berichtete anschließend, sie hätten von Labyrinthen oder ähnlichen Situationen geträumt. Oft hatten sich die virtuellen Räume des Spiels in typische Traumbilder verwandelt. Ein Teilnehmer erzählt:

> »Mir kam das Labyrinth in den Sinn und ich fragte mich, ob ich Menschen als eine Art Kontrollpunkte aufstellen könnte. Dann fiel mir eine Reise vor ein paar Jahren ein, auf der wir Fledermaushöhlen besichtigt hatten. Die sehen auch so aus wie ein Labyrinth.«

Beeindruckend war aber vor allem, was die Übungseinheit im Schlaf bewirkte: Die betreffenden Teilnehmer kamen beim erneuten Test zehnmal schneller ans Ziel als andere, die sich nicht an Träume von Irrgärten erinnerten oder gar nicht erst eingeschlafen waren.

Im Traum haben wir ein Janusgesicht. Wie der römische Gott mit den zwei Gesichtern blicken wir schlafend zugleich zurück und nach vorne: In den Kulissen, die aus Bildern der Erinnerung bestehen, üben wir, die Aufgaben der Zukunft zu meistern.

*

Dabei gerät jede Nacht zu einer Reise durch die Zeit. Die ersten Träume zeigen fast immer noch Bilder des vergangenen Tages, doch je länger wir schlafen, umso fernere Erinnerungen leben auf.

Das hat eine originelle Studie gezeigt, bei der Versuchspersonen fünf Tage lang mit rot gefärbten Brillengläsern durch die Welt laufen mussten. Dann wurden die Brillen wieder eingesammelt, und die Teilnehmer übernachteten eine Woche lang im Schlaflabor, wo Wissenschaftler sie zu verschiedenen

Nachtstunden weckten. Wie erwartet, erzählten die Probanden von Träumen in Rot, interessant aber war, wann sie die farbigen Szenen erlebten: In der ersten Nacht, nachdem sie die Brillen abgesetzt hatten, bald nach dem Einschlafen; in der Nacht darauf schon zu einer späteren Stunde. Je länger die Brillen-Episode zurücklag, desto weiter wandern die roten Träume in die Morgenstunden – als ob das Gehirn erst die neuesten Erlebnisse verarbeiten muss, bevor es sich älteren Erinnerungen zuwenden kann.

Offenbar sind wir nach dem Einschlafen noch damit beschäftigt, Ordnung in den Eindrücken des vergangenen Tages zu schaffen. Das Gehirn trennt wichtige Informationen von Belanglosem und löscht Letzteres, damit es am nächsten Tag wieder Neues aufnehmen kann. Nach einer Theorie Giulio Tononis geschieht das, indem sich überflüssige Verbindungen zwischen grauen Zellen zurückbilden. Im Gegenzug gelangen bedeutsame Neuigkeiten ins Langzeitgedächtnis. Wie beschrieben, prägen sie sich allmählich ein, indem sie wiederholt aufgerufen werden. Diesem Vorgang entsprechen die ersten Träume der Nacht: Die Gedanken des Tages sind noch präsent, die Szenen knapp und durchaus realistisch. Gefühle regen sich kaum, denn zunächst muss das Gehirn die reine Information verarbeiten.

Aber ein Gedächtnis, das Erfahrungen und Kenntnisse nur aufbewahrt, wäre so nutzlos wie ein Dachboden, auf dem Bücher ungeordnet verstauben. Vielmehr gilt es, die Fakten zu bewerten und miteinander zu verknüpfen. Das spielt sich anscheinend in den späteren Phasen der Nacht ab.

Um die Erfahrungen des Lebens zu bewerten, hat die Natur Emotionen erfunden. Gefühle entstanden in der Evolution, um das Überleben und die Fortpflanzung zu sichern. Freude macht auf Situationen aufmerksam, die uns nützen, Angst und

Ekel warnen vor einer Gefahr. Wut kommt auf, wenn ein Konkurrent uns Vorteile abjagen will, und bringt uns dazu, uns zu wehren. Erinnerungen helfen deshalb bei Entscheidungen nur dann richtig weiter, wenn das Gedächtnis sie mit Gefühlen verbunden hat. So prägen wir uns zum Beispiel ein, wer uns wohlgesonnen ist und vor wem wir uns besser in Acht nehmen sollten. Im Schlaf ruft das Gehirn solche Gefühlserinnerungen ab, aber es verändert sie auch. Das erleben wir während der emotionalen Träume in den frühen Morgenstunden.

Das Gehirn verknüpft überdies neue Erinnerungen mit den alten. Ein Geflecht von Assoziationen entsteht. Dies mag erklären, warum die meisten Träume, die im Gedächtnis bleiben, bizarr sind. Fast alle Szenen, die uns am Morgen noch präsent sind, stammen aus den letzten Stunden der Nacht. Anklänge an den vergangenen Tag erscheinen darin gewöhnlich stark verfremdet. Weil nämlich frische Erfahrungen in das Mosaik des Gedächtnisses eingefügt werden, sehen wir in diesen Träumen nicht mehr das aktuelle Geschehen, sondern Erinnerungen, mit denen die neue Information verknüpft wird. Eine solche Einordnung mag sich vollzogen haben, als ich in meinem eingangs geschilderten Traum mit meiner Tochter die Rollen tauschte.

In den REM-Phasen, die in den Morgenstunden länger und häufiger werden, verknüpfen sich Gedächtnisinhalte besonders gut. Dann stellt sich im Gehirn ein chemisches Milieu ein, das Gedankensprünge und freies Assoziieren erlaubt. Weckt man Menschen aus einer REM-Phase, fällt es ihnen deshalb, schlaftrunken wie sie sind, erstaunlicherweise leicht, aus scheinbar willkürlich zusammengewürfelten Buchstaben sinnvolle Worte zu bilden und sogar bestimmte logische Schlüsse zu ziehen. Und während Tiefschlafträume offenbar nur von Ereignissen handeln, die sich in unserem Leben abgespielt haben, fügen die ausschweifenden REM-Träume echte Erlebnisse mit all unserem sonstigen Wissen zusammen.

Diese Eigenschaften könnten die Dramaturgie unserer Nächte erklären: Wenn bewusste Erinnerungen sich zunächst im Tiefschlaf einprägen, um dann in REM-Phasen weiterverarbeitet zu werden, leuchtet es ein, dass wir die ersten Stunden der Nacht überwiegend im Tiefschlaf verbringen, während später der REM-Schlaf vorherrscht. Versuche haben denn auch gezeigt, dass sich bei gesunden Menschen Erinnerungen nur dann verfestigen, wenn die Probanden beide Phasen in der richtigen Abfolge durchlaufen. Ohne Tiefschlaf würden wir zu wenige Informationen behalten, ohne REM-Schlaf hingegen blieben sie beziehungslos neben anderen Erfahrungen stehen und wären damit wertlos.

Ein Traum über den Konflikt mit unserer Tochter zu Beginn der Nacht wäre weitaus realistischer gewesen. Er hätte die Probleme aber nur aus meiner Perspektive gezeigt und mir weitergehende Einsichten vorenthalten. In den oft so verwirrenden REM-Träumen hingegen stellen sich unerwartete und gerade darum nützliche Querverbindungen ein.

*

Der Schlaf ist also weit mehr als nur eine Erholungsphase, in der sich das Gehirn regeneriert. Während der Körper ruht, erweitern sich Fähigkeiten, festigt sich die Erinnerung, verändert sich die Persönlichkeit. Weshalb aber wiederholen sich Träume dann so oft? Wer seine Traumerinnerungen eingehender verfolgt, bemerkt, dass Szenen aus verschiedenen Nächten sich häufig ähneln, aber nicht exakt gleichen. Es gibt fast immer kleinere oder größere Abweichungen, die vermutlich die Verarbeitungsprozesse im Gehirn widerspiegeln. (Die Ausnahme sind Albträume, von denen im nächsten Kapitel die Rede sein wird.)

Was sich allerdings wiederholt, sind bestimmte Motive aus Zeiten, die wir längst hinter uns glaubten. Immer wieder sehen wir uns im Elternhaus, vor der Abiturprüfung, mit dem Exfreund oder der Exfrau. Die Bilder aus der Vergangenheit halten sich so hartnäckig und haben so wenig mit unserem Alltag zu tun, dass sie uns mitunter wie eine zweite Wirklichkeit vorkommen. Obwohl ich seit fast nunmehr zwei Jahrzehnten in der norddeutschen Tiefebene lebe, erklettere ich mindestens einmal pro Woche nachts die Berge, zwischen denen ich aufwuchs. Mary Arnold-Forster sprach von einem »Traumland, das so vertraut wird wie jedes Land, in dem man Tag für Tag lebt«.

Und doch ist es keine andere Welt, die uns in den Wiederholungsträumen begegnet. In einem gewissen Sinn zeigen diese Träume uns sogar die Gegenwart: Wir durchstreifen in ihnen den Hintergrund, vor dem wir all das wahrnehmen und bewerten, was uns aktuell beschäftigt. Wiederholungsträume offenbaren, wie neue Erlebnisse in das Geflecht unserer Erfahrungen eingewebt werden. Anders als ein Foto entsteht eine Erinnerung nicht augenblicklich, sondern wir eignen sie uns allmählich an. Aus Traumtagebüchern wissen wir, dass dies in mehreren Schritten geschieht. In der ersten oder zweiten Nacht nach einer Begebenheit träumen wir erstmals davon. Dann verschwindet die Geschichte vorübergehend aus unseren Träumen, bis sie nach einer knappen Woche – bereits leicht verfremdet – erneut auftaucht. Das Gedächtnis ist ein Wiederkäuer.

Einschneidende Erlebnisse prägen unsere Träume auf Jahre. Barb Sanders, die Chronistin der Nacht, träumte jahrelang von ihrem geschiedenen Mann. Mir selbst begegnet nachts regelmäßig der beste Freund meiner Kindheit und Jugend, der vor mehr als zwanzig Jahren gestorben ist. Und selbst bei weniger traumatischen Erfahrungen kann es Monate dauern, bis sie sich reibungslos in das geistige Koordinatensystem unserer Träume einfügen. Der britische Psychiater Alasdair MacDonald, der ausführlich Träume nach Unglücksfällen erforschte, berichtet von einer außerordentlichen Gedächtnisträgheit, die er an sich selbst beobachtete: Als er sich einmal einen Bart wachsen ließ, vergingen 18 Monate, bis er sich endlich auch im Traum als bärtig erlebte!

So führen uns Träume vor Augen, wie langsam sich unsere Vorstellung von uns selbst und der Welt ändert. Das zu erleben mag uns erschrecken, halten wir uns doch für dynamische, flexible Persönlichkeiten. Doch letztlich verdanken wir es dieser Trägheit, dass uns die Welt nicht als Chaos erscheint. Nur weil wir allmählich lernen, können wir wichtig von unwichtig unterscheiden und finden uns in unseren Erinnerungen zurecht. Ein Gebäude, das man zu hastig umbaut, ist nicht mehr stabil und stürzt ein.

Manche Wiederholungsträume beglücken uns mit einem Gefühl der Vertrautheit, das wir tagsüber nur selten erleben. Zu ihnen gehört der virtuelle Alpinismus, den ich nachts betreibe. Meine Bergerlebnisse sind unterschiedlicher Art: Einmal versuche ich mit einem Freund, der sich in Wirklichkeit nie für das Bergsteigen interessierte, eine Felswand zu erklettern, ein anderes Mal muss ich meine Mutter aus einer Gletscherspalte retten. Aber darauf, ob ich einen Absturz befürchte oder den Rundblick von einem mühsam erstiegenen Gipfel genieße, kommt es letztlich nicht an. Denn die Alpenträume sind von einem Gefühl tiefen Friedens durchdrungen: Die Berge zu sehen versichert mir, dass ich kein Fremder bin in dieser Welt. Der Schauspieler John Malkovich hat solche Träume einmal den »Heimathafen« unseres Lebens genannt.

13. Dämon auf der Brust

Wie man sich von Albträumen befreit

Der Alb sei ein feindlicher Nachtgeist, erfahren wir aus dem deutschen Wörterbuch der Brüder Grimm. Er erscheint nachts in den Wohnungen der Menschen und reitet auf der Brust der Schlafenden; sein Druck raubt ihnen den Atem. Allerdings gab es eine Zeit, in der Alben auch wohlgesonnene Lichtgeister waren, denn irgendwann im späten Mittelalter entwickelte sich daraus das Wort Elfen.

Um sich zu schützen, nütze es nichts, die Fenster und Türen zu schließen, warnt die ebenfalls von Wilhelm und Jacob Grimm herausgegebene Sammlung der deutschen Sagen: Der böse Dämon dringe selbst durch Schlüssellöcher ins Haus. Einmal habe sich ein Schläfer eine Hechel, einen Flachskamm, auf den Bauch gelegt, um den Unhold abzuhalten, »aber der Alb drehte die Hechel gleich um und drückte ihm die Spitzen in den Leib.«

Aus allen Teilen Deutschlands sind Rezepte überliefert, um den Alb zu vertreiben, und ein jedes zeugt davon, wie sehr unsere Vorfahren unter ihren schweren Träumen litten und wie machtlos sie sich fühlten. Helfen soll es etwa, sich mit dem Rücken voraus ins Bett fallen zu lassen, die Schuhe vor dem Bett so umzukehren, dass die Hacken zum Leintuch zeigen – oder, noch wirkungsvoller, Pferdeköpfe aufzustellen. In Mecklenburg wurde empfohlen, in besonders hartnäckigen Fällen, eine Flasche mit eigenem Urin erst drei Tage lang in die Sonne zu stellen und dann in einen Fluss zu werfen. Nur die Zwickauer hatten es anscheinend mit nonchalanten Alben zu tun: In der sächsischen Stadt hieß es, man müsse den Dämon nur auf einen Kaffee am nächsten Morgen einladen, dann verschwinde er.

Dass furchterregende Träume uns aus dem Schlaf reißen, nehmen die meisten Menschen heute als mehr oder weniger regelmäßige Störung ihrer Nachtruhe hin. Die Betroffenen mag es trösten, dass Albträume am häufigsten und intensivsten in der Kindheit auftreten und dann im Lauf der Jahre immer seltener werden.

Aber so bedrückend sie sein können, sollte man die Schreckensträume nicht als bloße Ärgernisse abtun. Wir erleben in ihnen ein ganzes Spektrum von Gefühlstönen – vom Hellgrau einer unterschwelligen Bedrohung, die sich noch im Schlaf auflöst, bis zum tiefsten Schwarz eines Entsetzens, das uns mit Herzrasen und Atembeschwerden auffahren lässt und uns wochenlang nachhängt. Und gerade diese Erfahrungen geben wichtige Hinweise darauf, wie der Schlaf die Persönlichkeit verändert. Albträume bringen uns der Lösung des Rätsels näher, weshalb wir überhaupt träumen – als läge eine tiefe Weisheit im Sprachgebrauch des Mittelhochdeutschen, der unter Alben auch lichtvolle Elfen verstand.

*

In Albträumen sind negative Emotionen so stark, dass sie den Schlaf unterbrechen. Fünf Prozent aller Menschen, mehr als doppelt so viele Frauen wie Männer, erleben dies wöchentlich oder noch öfter, und die meisten von ihnen empfinden dieses

Phänomen als belastend. Mitunter herrscht in Albträumen ein solch machtvoller Terror, dass sie sich für den Rest des Lebens ins Gedächtnis einbrennen. Hinzu kommen ungezählte Angstträume, aus denen der Schlafende nicht aufschreckt und die er deshalb zumeist nicht erinnert, die sich aber dennoch auf sein Gefühlsleben auswirken.

Eine der intensivsten Angsterfahrungen, die Menschen überhaupt machen können, beginnt damit, gelähmt zu erwachen. Fast jeder zweite Erwachsene hat das schon einmal erlebt. Die Ursache ist fast immer eine Störung in der Steuerung der Schlafphasen, wie sie in ähnlicher Form auch während des Einschlafens auftreten kann. Der REM-Schlaf wird unterbrochen, aber die für diesen Zustand charakteristische Stilllegung der Muskulatur nicht aufgehoben. Wenn es nach ein paar Sekunden oder Minuten des Schreckens wieder gelingt, die Glieder zu regen, ist der Spuk normalerweise beendet.

Manchmal allerdings bleibt nicht nur die Lähmung des REM-Schlafs, sondern der gesamte Geisteszustand dieser Phase nach dem Aufwachen bestehen. Was ihnen dann widerfährt, behalten die meisten Betroffenen lieber für sich. Ihre Angst, man könnte sie für nicht ganz zurechnungsfähig halten, ist verständlich, obwohl mehrere anonym durchgeführte Studien des kanadischen Schlafforschers Allan Cheyne zeigen, dass gar nicht so wenige Menschen derartige Erfahrungen kennen.

Stephan Matthiesen, ein deutscher Klimatologe an der Universität Edinburgh, gehört zu ihnen. In seinem Buch »Von Sinnen« berichtet er von Szenen, die aus einem schlechten Horrorfilm stammen könnten, für ihn aber Wirklichkeit waren. Alles begann, als er während des Einschlafens aufschreckte, weil er ein schlürfendes Geräusch gehört zu haben glaubte. Er öffnete die Augen. Das Schlafzimmer sah aus wie immer – bis ihm auffiel, dass eine Pflanze im Blumentopf so heftig gewachsen sein musste, dass ihre Ranken den Fußboden überquert hatten und sich nun am Bettpfosten hinaufwanden. Die Spitzen erreichten bereits seinen Körper.

»Jede Bewegung war unmöglich, und jeder Schrei wurde von der Pflanzenmasse um Mund und Kehle erstickt. Die Gedanken rasten: Ein Traum war dies nicht, viel zu deutlich war die Realität des Zimmers, viel zu klar waren Wahrnehmung und Denken. War dies die Rache der Pflanzenwelt an der Menschheit, oder hatten Außerirdische den Planeten erobert?«

Matthiesen irrte: Er durchlitt sehr wohl einen Traum. Nur spielte dieser nicht mehr allein in seinem Kopf. Während des Einschlafens war er vermutlich vorschnell in eine REM-Phase geraten und unvollständig aus ihr erwacht. Diese Störung in der Schlafregelung ist vor allem bei Narkoleptikern verbreitet, Menschen, die tagsüber unter Schlafattacken leiden. Sie kann aber auch bei Gesunden wie Matthiesen auftreten: Man sieht dann den Traum vor dem Hintergrund der Außenwelt. So war das Schlafzimmer zur Bühne eines schrecklichen Geschehens geworden. In der Rankpflanze drückte sich das Gefühl einer extremen Bedrohung aus. Angst mag schon zuvor Matthiesens Traum erfüllt haben; nach dem Aufwachen aber steigerten die Lähmung und die Wiederkehr der unheimlichen Bilder die Furcht zum Terror.

Andere Betroffene schildern, in ähnlicher Lage einem menschenähnlichen Wesen begegnet zu sein. Dessen Gegenwart sei so überdeutlich zu spüren gewesen, dass sich jeder Zweifel an seiner Existenz verbot. Meist ging die Panik mit Atemnot und einer Beklemmung im Brustkorb einher, wie der Schlafforscher Cheyne ebenfalls herausfand. Zwangsläufig mussten unsere

Vorfahren also an Dämonen glauben, die sich nachts in ihre Zimmer schlichen und die Schläfer bedrückten. Geisterwesen wie den germanischen Alb gibt es denn auch in allen Kulturen; aus dem alten Mesopotamien etwa stammt der Mythos der Dämonin Lilith, die nachts schlafende Männer verführt und Kinder in ihrem Bettchen tötet.

*

Kriegsveteranen erleben Albträume als qualvoll realistischen Film, der sie oft noch nach Jahrzehnten wieder und wieder auf das Schlachtfeld zurückversetzt. Dann hören sie das Hämmern der Maschinengewehre, das Krachen der Bomben. Sie sehen verblutende Körper, und die Todesangst lebt erneut auf.

Noch erschütternder klingen die Träume von Überlebenden des Holocaust, die der israelische Schlafforscher Perez Lavie dokumentierte. Ein aus Holland stammender Patient, den seine Eltern als Kind einer christlichen Pflegefamilie in einem weit entfernten Dorf anvertrauten, um seine wahre Herkunft zu verbergen, träumte vierzig Jahre lang Nacht für Nacht von dem Moment, in dem er seine Enttarnung befürchtete: Auf der Dorfstraße kam ihm ein ehemaliger Nachbar der Eltern entgegen, ihre Blicke kreuzten sich. Panisch rannte der Junge in den Wald und versteckte sich mehrere Tage lang. Die Begegnung hatte tatsächlich stattgefunden, doch der Wiederholungstraum spann die Geschichte weiter. Stets endete er damit, dass der Nachbar den Jungen fasst und der Gestapo übergibt.

Ein anderer Überlebender gab nach einer Weckung in Lavies Schlaflabor zu Protokoll:

»Ich stand auf der Rampe des Bahnhofs Auschwitz, als plötzlich Dr. Mengele auftauchte und begann, die Leute nach links, zu den Leichenverbrennungsöfen, oder nach rechts, in das Zwangsarbeitslager, zu schicken. Ich wusste nicht, welchen Weg ich nehmen sollte, und rannte zwischen den zwei Gruppen hin und her. Einer der Hunde der Gestapo-Wachen wollte mich beißen. In diesem Augenblick weckten sie mich.«

Auch dieser Traum gibt unverstellt wieder, was der Schläfer viele Jahre früher bei seiner Ankunft in Auschwitz erlebte. Derart wirklichkeitsnahe Träume, die wieder und wieder auftreten, sind ein Kennzeichen der posttraumatischen Belastungsstörung. Diese hartnäckige psychische Krankheit kann sich bei Menschen einstellen, die eine schreckliche Gefahr durchlebt haben oder eine Katastrophe mitansehen mussten. Wer an ihr leidet, starrt oft teilnahmslos ins Leere, fühlt sich von Zwangsgedanken und Angstvorstellungen geplagt. Vielleicht sind die realistischen Albträume nicht nur eine Begleiterscheinung, sondern Mitverursacher dieser Qualen: Indem sie die Schrecken der Vergangenheit immer wieder neu aufleben lassen, verhindern sie, dass sich die seelischen Wunden schließen.

*

Tausende solcher Träume hat der österreichisch-amerikanische Psychiater Ernest Hartmann gesammelt. Der im Jahr 2013 verstorbene Forscher blickte selbst auf eine Flucht vor den Nazis zurück: 1938, als er vier Jahre alt war, entkam er mit seinen Eltern aus dem besetzten Wien über die Schweiz und Paris nach New York, wo er in die Fußstapfen seines Vaters, eines bekannten Psychoanalytikers und Freud-Schülers, trat. Später behandelte er schwer traumatisierte Menschen, die Feuersbrünste, Bombenanschläge oder Vergewaltigung erlebt hatten. In seinem zum Klassiker gewordenen Buch über den Albtraum beschrieb Hartmann, wie sich die Träume verändern, wenn die Patienten allmählich ihre schreckliche Erfahrung bewältigen. Immer wieder beobachtete er dieselben drei Schritte: Anfangs erlebten die Opfer die furchtbaren Szenen im Schlaf wirklichkeitsnah, wie in einem Film, der sie nicht losließ. Nach einiger Zeit wurden die Bilder zunehmend fantastisch, waren aber weiterhin von quälenden Gefühlen der Panik, des Entsetzens oder der Scham begleitet. Dann erst ließen auch diese Emotionen nach, und die Träume wurden alltäglich: Die Schrecken waren Vergangenheit.

Ein 33-jähriger Bürger von Oklahoma City etwa musste nicht nur mitansehen, wie das verheerende Bombenattentat im Jahr 1995 ein achtstöckiges Gebäude zerstörte und 168 Menschen tötete, sondern verlor auch einen engen Freund durch den Terroranschlag. In den ersten Nächten nach der Gewalttat fand er kaum Schlaf, dann erschien ihm der Ort des Anschlags in gespenstischen Szenen. Immer wieder sah er sich allein im Auto dorthin fahren, aber die Straßen um das Murrah Federal Building waren leer, er selbst weit und breit das einzige Lebewesen. Einmal begegnete ihm der ermordete Freund, öffnete die Tür seines Wagens, aber nichts weiter geschah. In einer späteren Nacht meinte er in einem Stadion zu stehen, über dem ein Polizeihubschrauber kreiste. Plötzlich warf der Helikopter einen Mann ab. Es war der kurz nach der Detonation gefasste Attentäter Timothy McVeigh. Da quollen von den Stadiontribünen Zehntausende Menschen herab, jagten McVeigh und töteten ihn.

Nach ein paar Wochen kamen in seinen Träumen keine direkten Hinweise auf den Anschlag mehr vor, sondern nur unbestimmte Szenen von Angst und Gewalt. Der Schläfer sah sich von Verbrechern gejagt; Wirbelstürme und Lastautos rasten auf ihn zu. Mehrmals erlebte er, wie man ihn in einem großen Hörsaal vor feindlich gesinntem Publikum verhörte. Im Lauf eines halben Jahres aber beruhigten sich die Träume. Am Ende handelten sie wieder von seiner Partnerin, von Freunden, Querelen im Beruf und anderen alltäglichen Dingen – wie vor dem Anschlag.

Hartmann vermutet, dass wir belastende Erfahrungen verarbeiten, indem wir sie gleichsam in ein Netz anderer Erinnerungen einweben. Dies würde die allmähliche Verwandlung der Träume erklären: Anfangs dominiert das traumatische Erlebnis alle Empfindungen. Es ist so überwältigend, dass es selbst in die Bilder, Gefühle und Gedanken im Schlaf vordringt. Deswegen erscheinen die Szenen, die den Schrecken ausgelöst haben, immer wieder und so realistisch. Doch mit der Zeit relativiert sich dieses Erlebnis. So außergewöhnlich es auch war, erinnert es in einigen Punkten doch an andere Erfahrungen, die der Betroffene entweder selbst gemacht haben mag oder von denen er gehört hat. Auch wenn ihn die Trauer, der Schrecken oder auch die Wut weiterhin quälen, geht ihm auf, dass er erstens nicht als Einziger einen Angriff oder eine Katastrophe ertragen musste und dass er zweitens schon früher schwierige Situationen bewältigt hat. Dies ist laut Hartmann die Phase, in der die düsteren Träume einen allgemeineren Charakter annehmen. Die heftigen, nach wie vor brodelnden Emotionen rufen andere Erinnerungen wach; die gefühlsbeladenen Szenen spiegeln jetzt nicht mehr reale Erfahrungen, sondern sind aus verschiedenen Quellen in den Archiven des Gedächtnisses montiert. Sie erscheinen unverständlich und wirr. In dem Maße aber, in dem das Gehirn das traumatische Geschehen mit anderen Erinnerungen verknüpft, verliert es seine Einmaligkeit, sein Übermaß an Schrecken, bis mit der Erregung zu guter Letzt auch die düsteren Träume nachlassen.

Erstaunlich oft gelingt dieser Prozess. Mehr als die Hälfte aller Erwachsenen hat nach Erhebungen amerikanischer Sozialmediziner irgendwann einen körperlichen Angriff, eine Vergewaltigung, Vernachlässigung, Misshandlung oder einen Missbrauch während der Kindheit erlitten; doch mehr als drei Viertel dieser Menschen kam ohne bleibende Schäden über die traumatische Erfahrung hinweg. Bei zwei Dritteln der amerikanischen Soldaten, die nach Vietnam ziehen mussten, hinterließ der Dschungelkrieg keine dauerhaften Traumata.

Keiner, der Gewalt aushalten musste, wird seine Erfahrungen jemals vergessen. Doch die emotionale Erinnerung kann ihre Schärfe verlieren. Genau das unterscheidet die Menschen, die mit dem Schrecken zu leben lernen, von denen, die daran verzweifeln. In den Köpfen der einen sind zwar noch die Szenen präsent, die qualvollen Gefühle aber abgeklungen. Das Gedächtnis der dauerhaft Traumatisierten dagegen erscheint wie eingefroren. Die düsteren Träume bleiben in ihrer ersten, realistischen Phase stecken, das Opfer erlebt die Heimsuchung Nacht für Nacht von neuem. Die Symptome der posttraumatischen Belastungsstörung stellen sich ein.

Bizarre Träume sind demnach notwendig, um über ein belastendes Erlebnis hinwegzukommen. Sigmund Freud glaubte noch, hinter den surrealen Szenen verberge sich eine seelische Krankheit. Doch wie wir heute wissen, trifft gerade bei Albträumen das Gegenteil zu: Je realistischer sie wirken, umso wahrscheinlicher sind seelische Verletzungen unbewältigt; dauert dieser Zustand längere Zeit an, bedarf er der Behandlung. Schwer verständliche Träume voll starker Gefühle lassen hingegen hoffen: Sie zeigen, dass die Seele gesundet.

Neuropsychologen sprechen vom Lernen und Entlernen eines Gefühls. Erfahrungen können einerseits Emotionen verstärken. Ein gebranntes Kind scheut das Feuer, weil ihm nach dem Unglück schon der Anblick der Flamme Angst macht. Wiederholt sich das unangenehme Erlebnis, steigert sich diese Angst. Andererseits sind wir keine Sklaven vergangener Schrecken. Gefühlsreaktionen können wieder gelöscht werden, wenn sie sich dauerhaft als nicht mehr angemessen erweisen. Angst vergeht, wenn eine Bedrohung wiederholt ausbleibt. Bei diesem Löschvorgang trennt sich die Erinnerung an das Ereignis von dem Gefühl, das zuvor mit ihr verbunden war. So vergessen wir etwa nie, wie uns als Kind heißer Tee aus einem umgekippten Glas über die Hand lief; dennoch löst ein Teeglas keine Panik mehr aus. Irgendwann begegnen wir solchen Erinnerungen wie einer verflossenen Liebe, die uns mit der Zeit gleichgültig wurde: Ihr Gesicht, jede Körperbewegung, die feinsten Tonlagen der Stimme sind uns noch immer vertraut, aber was uns früher in seinen Bann zog, berührt uns nun nicht mehr.

Diese Entkoppelung ist nur möglich, weil das Gehirn im Schlaf Gefühle und die Erinnerung an Szenen unterschiedlich verarbeitet. Während wir träumen, kann die mit bestimmten Vorkommnissen verbundene Wut, Angst oder Trauer sogar ausgelöscht werden, wie der kalifornische Psychologe Matthew Walker nachwies. Walker zeigte seinen Versuchspersonen abends beängstigende, ärgerliche oder neutrale Bilder und fragte sie nach ihren Gefühlen. Nach einer Nacht im Schlaflabor der Universität Berkeley wiederholte er den Test. Nun, am Morgen, reagierten die Probanden weniger emotional, und diese abgeklärtere Reaktion ließ sich weder durch die Tageszeit noch durch Abstumpfung erklären. Als die Teilnehmer nämlich ähnliche, aber unbekannte Bilder zu sehen bekamen, stellten sich wieder Gefühle von der ursprünglichen Intensität ein. Eine Kontrollgruppe jedoch, die den ersten Test morgens, den zweiten abends absolvierte und dazwischen nicht schlief, reagierte beim zweiten Mal sogar heftiger auf die bereits bekannten Bilder. Entscheidend war also der Schlaf zwischen den beiden Testphasen.

Walker verließ sich nicht auf die Aussagen seiner Probanden allein, er maß auch deren Hirnreaktion. Ein Kernspintomograph untersuchte die Aktivität der Amygdala beim Betrachten der Bilder; dieses wie zwei Mandelkerne geformte Hirnzentrum, das zum limbischen System gehört, reagiert besonders stark auf unangenehme Erfahrungen und löst Emotionen wie Furcht oder Wut aus. Tatsächlich bestätigten die Bilder des Tomographen die Gefühlsreaktionen, von denen die Versuchspersonen berichtet hatten. Schlaf hilft uns demnach, Erfahrungen aus einem nüchterneren Blickwinkel zu sehen.

Walker führt den Verarbeitungsprozess auf die REM-Phase zurück, in der wir besonders intensiv träumen. Er will die Klärung der Gefühle sogar an den elektrischen Hirnströmen seiner Versuchspersonen ablesen können: Je schwächer ein bestimmter Frequenzbereich, die sogenannten Gamma-Wellen, im EEG während des REM-Schlafs vertreten war, umso gedämpfter fielen am nächsten Morgen die negativen Emotionen aus. Dafür gibt es eine gute Erklärung: Die Gamma-Wellen gelten als ein Maß dafür, welche Mengen Adrenalin und des verwandten Stresshormons Noradrenalin im Gehirn zirkulieren. Im REM-Zustand ist die Konzentration beider Botenstoffe generell niedriger als während des Wachens.

Träume könnten also wie Therapiesitzungen wirken, argumentiert Walker: Wir arbeiten eine belastende Erinnerung durch, ohne dabei in allzu große Erregung zu geraten. In der klassischen Verhaltenstherapie legt ein Patient beispielsweise seine Angst vor Spinnen ab, indem der Therapeut ihn behutsam zunächst mit Bildern, dann mit Plastikspinnen und schließlich echten Tieren konfrontiert. Im stressarmen neurochemischen Milieu des REM-Zustands wagt man sich ganz ähnlich an die Auslöser seiner Schrecken heran, betrachtet sie in der virtuellen Welt des Traumes, dreht und wendet sie so lange, bis sich die Gefühle verflüchtigen.

Aus einem Albtraum zu erwachen wäre so gesehen eine Panne im heiklen Prozess des emotionalen Entlernens: Die Reize waren stärker als erträglich, und die Konzentration von Stresshormonen wie Adrenalin zu hoch. Wiederholt sich eine solche Überforderung zu oft, wird die negative Emotion nicht vergessen, sondern verstärkt – als würde ein Therapeut seinen Patienten noch tiefer in seine Phobie stürzen, indem er ihm gleich zu Beginn eine Vogelspinne auf die Hand setzt. Schlimmstenfalls stellt sich dann der Teufelskreis der posttraumatischen Belastungsstörung ein, in dem ein wiederkehrender Traum die Wunden der Erinnerung ständig aufreißt und verschlimmert. Oft hilft dann ein Medikament namens Prazosin, das den Blutdruck senkt. Abends geschluckt, blockiert das Mittel die Stresshormone Adrenalin und Noradrenalin und erzeugt so ein normales chemisches Milieu im träumenden Gehirn. Tauchen nun die quälenden Szenen auf, hält sich die Angst in Grenzen und wird allmählich von der Erinnerung abgetrennt: Der Traumschlaf leistet wieder das, was er soll.

*

So schlüssig Matthew Walkers Erklärung klingt, fehlt ihr bislang doch der letzte Beweis. Dass Träume seelische Verletzungen heilen könnten, haben mehrere Experimente bestätigt; andere Befunde passen jedoch nicht ganz zu dieser Theorie. Der Tübinger Schlafforscher Jan Born etwa kam zu dem Schluss, dass sich im REM-Schlaf Erinnerungsbilder zwar stärker einprägen als Emotionen. Er konnte aber nicht feststellen, dass sich die Gefühle abschwächen. Vielleicht lässt sich sein Ergebnis dadurch erklären, dass der deutsche Wissenschaftler schon nach vier Stunden Schlaf einen Effekt suchte, während andere Forscher ihren Versuchspersonen eine ganze Nacht Ruhe zubilligten.

Dabei hängt nicht nur die Menge des Schlafs, sondern auch dessen Rhythmus eng mit der Stimmung zusammen. Fernsehzuschauer manipulieren diese subtile Architektur unwissentlich Abend für Abend: Schon eine einzige bedrückende Filmszene, die man zu später Stunde sieht, verschiebt die Abfolge der Schlafphasen. Versuchspersonen, die im Schlaflabor der Universität Amsterdam die Geißelungsszene aus Mel Gibsons Film »Die Passion Christi« ansahen, bevor sie zu Bett gingen, hatten in der ersten Hälfte der Nacht mehr und in der zweiten Hälfte weniger REM-Schlaf als andere Probanden, die einen Tierfilm mit Pinguinen sahen. Offenbar reagiert das Gehirn im Schlaf auf die emotionalen Reize, die es verarbeiten muss.

Bei fast allen krankhaften Störungen des Gefühlslebens gerät denn auch die Abfolge der Schlafphasen durcheinander. Wenn etwa depressive Menschen nach langem Grübeln endlich einschlafen, beginnt der erste REM-Schlaf früher und dauert länger an als bei Gesunden. Schon nach 45 Minuten fangen ihre Augen an zu wandern, häufig sogar zu rasen. Die Bewegungen unter den Lidern können so hektisch werden, dass Schlafmediziner einen Fachbegriff dafür kennen: Augensturm. Weckt man jedoch die sichtlich erregten Schläfer, so erinnern sie sich an nichts. Und die Patienten wollen nicht etwa unangenehme Bilder beiseite schieben – sie sehen wirklich keine. Messungen ihrer Hirnaktivität lassen auf Träume ohne Bilder schließen, in denen sich die negativen Gefühle und mit ihnen der Stress immer weiter aufschaukeln, als hätte die Träumenden ein unsichtbares, namenloses Grauen überfallen. Je schwerer die Depression ist, umso länger zieht sich dieser Zustand in die Morgenstunden hinein.

Dagegen kann helfen, eine Nacht zu durchwachen. Selbst schwer Depressive sind danach meist besserer Stimmung. Leider handelt es sich nur um ein Zwischenhoch: Sobald sich die Kranken nach ein paar schlaflosen Tagen und Nächten wieder hinlegen dürfen, fallen sie erneut in den Trübsinn zurück, sofern sie keine Medikamente nehmen. Sanfter und auf Dauer auch wirksamer ist es, die Niedergeschlagenen lediglich aus ihren gestörten REM-Phasen zu wecken und so ihre eskalierenden Träume zu stoppen. Diese aufwendige Behandlung steigert die Stimmung zwar erst nach einigen Wochen, dafür aber anhaltend. Die Mittel, die Ärzte gegen Depressionen verschreiben, wirken übrigens ähnlich: So gut wie alle gängigen Antidepressiva vermindern den REM-Schlaf oder unterdrücken ihn ganz.

Wohlgemerkt bedeuten diese Beobachtungen nicht unbedingt, dass ein gestörter REM-Schlaf die Ursache einer Depression ist. Vielmehr kann es sich um eine Begleiterscheinung handeln, die ihrerseits die Krankheit verstärkt. Folglich fördert es die Heilung, den Teufelskreis zu durchbrechen.

Auch bei gesunden Menschen verraten Schreckensträume viel über die seelische Verfassung. Interessant ist es etwa, zu welcher Zeit sie sich einstellen. Suchen sie den Schläfer in der ersten Nachthälfte heim, besteht wenig Grund zur Sorge. Düstere Erlebnisse in den Morgenstunden kündigen dagegen oft Niedergeschlagenheit am folgenden Tag an; sie lassen auch generell auf einen Hang zu Depressionen schließen. Die Psychologin Rosalind Cartwright von der Rush University in Chicago verbrachte drei Jahrzehnte mit dem Erforschen dieser Zusammenhänge. In einer Studie gelang es ihr sogar, auf Basis der Träume ihrer Versuchspersonen deren Gefühlszustand ein Jahr später vorauszusagen – mit einer Treffsicherheit von 70 Prozent.

Cartwrights Versuchspersonen hatten vor kurzem eine Scheidung durchlebt und litten darunter. Die Trennung hatte bei gut der Hälfte dieser Frauen und Männer eine leichte bis mittelschwere Depression ausgelöst; dies ließ sich an den Gefühlen und Augenbewegungen während der jeweils ersten Rem-Phase der Nacht gut erkennen. Die Träume am Morgen zeigten nun, wer gute Aussichten hatte, in einem Jahr sein Gleichgewicht zurückzugewinnen: Schläfern, deren Stimmung sich im Lauf der Nacht aufhellte, gelang es offenbar, ihre Erfahrungen zu bewältigen. Düstere Träume bis in die Morgenstunden hinein zeigten hingegen an, dass der Stress nicht nachließ. Eine chronische Stressbelastung aber nährt bekanntermaßen die Depression.

Auch der Inhalt der Träume lieferte Hinweise auf die seelische Widerstandsfähigkeit. Wer kurz nach der Trennung ausführliche und verwickelte Szenen schilderte, befand sich meist nach einem Jahr wieder in ausgeglichener Stimmung. Die Probanden dagegen, die in ihrem Schmerz verharrten, blieben eher in stereotypen Träumen gefangen. So träumte eine Frau lediglich, wie ihr Exmann die gemeinsame Wohnung mit seiner neuen Freundin verließ; eine andere Probandin traf im Schlaf ihren Ehemaligen, doch dieser stierte nur auf ein Paar Schuhe. Derart realistische Szenen bewirken auf Dauer laut Cartwright das Gegenteil dessen, was der Traum eigentlich in Gang setzen soll: Statt sich zu lösen, fressen sich die negativen Emotionen nur noch tiefer in die Erinnerung ein.

*

Was unsere Vorfahren jahrhundertelang mit allerlei Hokuspokus versuchten, lässt sich heute auf wissenschaftlicher Grundlage tatsächlich erreichen: Man kann den tückischen Alb verjagen, wiederkehrende Schreckensträume zähmen und sogar ganz überwinden. Eine erstaunlich einfache Methode hat sich seit gut einem Jahrzehnt bewährt: Zunächst müssen die Betroffenen sich ihren Schreckensbildern stellen, indem sie aufschreiben oder zeichnen, was sie im Schlaf erlebten. Das Ziel ist aber nicht, den Albtraum zu deuten, sondern ihn durch erträgliche Bilder zu ersetzen. Der Patient soll seinem persönlichen Horrorfilm eine neue, positive Wendung geben. Statt vor Angst zu erstarren, könnte sein Traum-Ich etwa Hilfe herbeiholen, statt panisch davonzulaufen, mag es sich umdrehen und den Verfolger zur Rede stellen. Diese Szenen stellt der Patient sich dann tagsüber immer wieder vor, weshalb das Verfahren »Imagery Rehearsal Therapy« heißt (Bildprobetherapie). Um zu verhindern, dass die Erinnerung an den Albtraum sofort wieder Angst auslöst, hat der Patient zuvor Entspannungstechniken trainiert. Binnen einiger Wochen gewöhnt man sich so sehr an die neuen Bilder, dass sie sich schließlich automatisch im Traum einstellen, sobald die alte Schreckensvision einsetzt. Heute gilt das Einüben neuer Traumbilder als Therapie erster Wahl für alle, die unter wiederkehrenden Albträumen leiden, sei es als Opfer von Gewalt, Katastrophen oder aus anderen Gründen.

Die Amerikanerin Roberta Baker gehörte zu den Teilnehmerinnen der ersten kontrollierten Studie, die im Jahr 2001 die Wirksamkeit dieser Therapie nachweisen sollte. Wie die anderen Probandinnen litt sie nach einem Sexualverbrechen unter einer posttraumatischen Belastungsstörung: Baker war in Japan, wo sie Englisch unterrichtete, entführt und von ihren Kidnappern vergewaltigt worden. Mehrmals pro Woche fuhr sie seither aus Albträumen hoch, in denen sie ihren Peinigern wieder und wieder ausgeliefert war. Kein Medikament half; bis zur völligen Erschöpfung übermüdet, war die Frau dem Selbstmord nah. Als die Ärzte ihr erklärten, man könne Albträume ablegen wie eine schlechte Gewohnheit, und sie aufforderten, sich einfach eine neue Version zurechtzulegen, erwiderte sie ungläubig: »Das ist zu einfach. Das kann nicht funktionieren.«

Doch nach ein paar Wochen ließen ihre Albträume nach. Und wie bei zwei Dritteln der Studienteilnehmerinnen besserte sich ihre gesamte seelische Verfassung. Viele Frauen traten in ihren neuen Träumen dem Angreifer mit Baseballschlägern und ähnlichen Waffen entgegen. Baker jedoch wählte ein anderes Mittel, um die Szenen der Gewalt zu tilgen – die Poesie. Wann immer ihre Entführer im Traum auftauchten, verdrängte sie die Männer durch andere, durch zauberhafte Bilder:

»Ich habe immer Vögel geliebt und gefüttert. Graue und weiße Tauben, Häher und Stare. Die Bilder von ihnen sind stark, ich sehe sie fliegen, höre sie singen. Heute erwache ich nicht mehr schreiend, sondern ich weiß: Ich habe von Vögeln geträumt.«

14. Die Kunst des Klartraums

Wie wir Träume lenken können

> Ich, Zhuangzi, war ein
> Schmetterling. Ich flatterte
> hin und her und war glück-
> lich. Von Zhuangzi wusste
> ich nichts. Plötzlich erwachte
> ich, und da lag ich: Zhuangzi.
> Jetzt weiß ich nicht: War
> Zhuangzi im Traum ein
> Schmetterling? Oder hat ein
> Schmetterling geträumt, er
> sei Zhuangzi?
>
> *Zhuangzi*

Als Richard Feynman, der spätere Physiknobelpreisträger, ein kleiner Junge war, gab ihm sein Vater ein Rätsel auf: »Stell dir vor, Marsmenschen kommen uns besuchen. Sie schlafen nie und wollen wissen, wie es sich anfühlt zu schlafen. Wie erklärst du es ihnen?«

Der kleine Richard wusste es natürlich nicht zu sagen. Die Frage wurde auch nicht dadurch beantwortet, dass sein Vater behauptete, im Schlaf käme alle Verstandestätigkeit zum Erliegen; so dachte man in den 1930er Jahren. Aber Feynman war schon in jungen Jahren ein ungewöhnlich kritischer Geist, und wenn er ein Problem lösen wollte, dann ließ es ihm keine Ruhe. Über ein Jahrzehnt später kam er dem Geheimnis in einem langweiligen Universitätsseminar unverhofft näher. Der Vortrag des Professors hatte sich in ein monotones Murmeln verwandelt. Feynman war eingedöst und konnte doch beobachten, was in ihm vorging.

In den nächsten vier Wochen machte er es sich zur Gewohnheit, sich nachmittags hinzulegen und den Übergang in den Schlaf aufmerksam zu verfolgen. Und mit einem Mal bemerkte er in einem Traum, dass er träumte. Er sah sich auf dem Dach eines Eisenbahnwagens, der auf einen Tunnel zufuhr. Er spürte seine Angst, aber er wusste auch, dass er sich nur ducken musste. Er erlebte das Schwanken des Wagens. Und voller Überraschung stellte er fest, dass er Farben wahrnahm – hatte er als Kind des 20. Jahrhunderts doch geglaubt, in seinen Träumen Schwarz-Weiß-Bilder zu sehen.

Nun befand er sich in dem Waggon. Durch eine große Glasscheibe erblickte er drei attraktive Mädchen im Badeanzug. Er ging an ihnen vorbei in den nächsten Waggon. Aber warum eigentlich sollte er sich den reizvollen Anblick entgehen lassen? »Da entdeckte ich, dass ich umdrehen konnte. Ich konnte meinen Traum lenken!« Er kehrte in den Wagen mit dem aussichtsreichen Fenster zurück. »Ich war erregt, sagte mir Sätze wie: ›Wow, es funktioniert!‹, und erwachte.«

Der Physiker Feynman wusste weder, dass tibetische Mönche spätestens seit dem achten Jahrhundert nach Christus Techniken praktizierten, um das volle Wachbewusstsein im Schlaf aufrechtzuerhalten, noch kannte er das Buch »Die Kunst, sich durch Träume glücklich zu machen«. Der anonyme Autor dieses 1746 auf Französisch erschienenen Bandes berief sich auf Weisheiten, die ihm ein indianischer Medizinmann verraten habe. Er versprach seinen Lesern Rezepte, um sich die

»Träume zu verschaffen, die man sich wünscht«. So könne man sich den Genuss verschaffen,

> »… dass man an großartigen Spektakeln teilnimmt, geistreich und prächtig gekleidet ist, in einem Palast wohnt. Dass einem eine Dame auf einer Blumenwiese, in einem Wäldchen oder einer Fontäne die äußersten Gefallen erweist. Dass man mit den schönsten Menschen der Welt in einem Bad ist.«

»Träume und wie man sie lenkt« hieß schließlich das Buch des schon erwähnten Pariser Barons d'Hervey. Darin beschrieb er die Möglichkeiten, die Feynman später für sich entdeckte, als erster ausführlich und prägte einen Namen für das Phänomen. »Luzide« nannte d'Hervey im Jahr 1867 jene Träume, die ein Schläfer als solche erkennt und willentlich beeinflussen kann. Im Deutschen hat sich der Begriff Klartraum eingebürgert.

Richard Feynman dürfte allerdings lange Zeit der einzige Wissenschaftler von Weltrang gewesen sein, der an die Existenz von Klarträumen glaubte. Für andere Gelehrte waren Erfahrungen, wie d'Hervey sie beschrieb, nichts als Fantasterei. Dass es möglich sein sollte, im Traum bei vollem Bewusstsein zu sein und ihn zu lenken, dass man auf diese Weise angeblich sogar Albträume beherrschen und sie in angenehme Erfahrungen umwandeln kann, widersprach allem, was man über den Schlaf zu wissen glaubte. Wie, fragten die Skeptiker, sollte man jemals feststellen können, ob Klarträume mehr als nur Schwindel oder Einbildung sind?

Im Jahr 1975 kamen zwei Psychologen an der englischen Universität Hull, Keith Hearne und Alan Worsley, auf den Gedanken, dass ein luzider Träumer in der Lage sein müsste, aus dem Schlaf eine Botschaft zu schicken. Zwar wäre er im REM-

Schlaf gelähmt, doch könnte er sich durch Augenbewegungen mitteilen. Das war eine kühne Idee, denn der Schläfer müsste nicht nur vorsätzlich seine Muskeln bewegen, sondern sich auch noch im Schlaf an die Abmachung erinnern.

Worsley selbst meinte, gelegentlich luzide Träume zu haben, und bot sich daher als Versuchsperson an. Die beiden Forscher vereinbarten, dass Worsley hinter den geschlossenen Lidern achtmal nach links, achtmal nach rechts schauen sollte, sobald er sich eines Traums bewusst würde. Ein Messgerät zeichnete die Muskelbewegungen auf. Am Morgen des 12. April berichtete der verkabelte Worsley von einem Klartraum. Hearne sah in den Aufzeichnungen des Messgeräts nach: Eindeutig hatte Worsley zum fraglichen Zeitpunkt seine Augen achtmal in beide Richtungen bewegt! Zum ersten Mal hatte damit ein Mensch aus dem Schlaf heraus kommuniziert. In späteren Versuchen stellte sich heraus, dass luzide Träumer sogar die Luft anhalten können, um ihren Zustand zu signalisieren.

Auch Handlungen, die sich ein luzider Träumer nur vorstellt, können Forscher heute messen. Wissenschaftler am Münchner Max-Planck-Institut für Psychiatrie baten Probanden mit Klartraum-Erfahrung, einen Tennisball zu erträumen, diesen in die Hand zu nehmen und zusammenzudrücken. Ein Kernspintomograph nahm währenddessen die Hirntätigkeit auf. Und obwohl die ganze Szene nur in der Traumwirklichkeit spielte, obwohl die Hände der Schläfer sich nicht regten, zeigte sich in ihren Köpfen ein Muster an Aktivität, als ob die Versuchspersonen tatsächlich ihre Muskeln anspannen und kräftig mit den Fingern zudrücken würden.

Die Erlebnisse im Klartraum sind so intensiv, als ob sie Wirklichkeit wären. Das unterscheidet den luziden Zustand vom Tagtraum, dessen Fantasiebilder blasser als echte Sinneseindrücke erscheinen, und von einem Kinofilm, der nur auf einem

Stück Leinwand zweidimensional an uns vorüberzieht, und auch von einem Computerspiel, das wir ebenfalls nur in einem Ausschnitt unseres Blickfelds erleben. Im Klartraum dagegen taucht man mit allen Sinnen in eine selbst erzeugte Realität ein. Als sich Richard Feynman etwa im Eisenbahnwagen umdrehte, schien sich der Raum hinter seinem Rücken fortzusetzen. In einem anderen Klartraum experimentierte er mit einem Reißnagel, der in einem Türrahmen steckte. Wenn er mit seinen Fingern über die Zarge strich, konnte er den Reißnagel spüren. Ebenso empfinden Klarträumer heiß und kalt, trocken und nass.

Oft erscheinen die Wahrnehmungen sogar noch wirklicher als die Tagesrealität. Die Farben leuchten in einer Intensität, der Raum hat eine Tiefe, wie man es wach niemals erlebt. Das Licht ist klar, die Kanten der Gegenstände rasierklingenscharf. An den Hängen einer weit entfernten Bergkette erkennt man die einzelnen Nadeln der Tannen. Jeder Ton klingt so sauber, als ob er aus einem schwingenden Eiskristall käme.

Der britische Psychologe Hugh Callaway hat diese Erfahrungen in eindringlichen Worten beschrieben:

»Die Qualität des Traumes veränderte sich auf eine Weise, die man nur sehr schwer jemandem mitteilen kann, der dieses Erlebnis noch nie hatte. Sofort nahmen Klarheit und Lebendigkeit hundertfach zu. Das Meer, der Himmel und die Bäume hatten noch nie solch eine zauberhafte Schönheit ausgestrahlt; selbst die gewöhnlichen Häuser waren von innerem Leben erfüllt und auf eine mystische Art schön. Nie habe ich mich so wohl gefühlt, so klar im Kopf, und so frei.«

Allerdings lässt sich bezweifeln, dass dieses Empfinden von Hyperrealität nur Klarträumen vorbehalten ist. Vermutlich nehmen wir mitunter auch in gewöhnlichen Träumen alles überdeutlich wahr und sind nur unfähig, uns die Bilder in ihrem ganzen Reichtum zu merken. Der luzide Zustand zeichnet sich nicht unbedingt durch stärkere Erfahrungen aus; vielmehr zählt, dass uns plötzlich bewusst wird, wie bemerkenswert das ist, was wir erleben.

*

Alles ist wirklich. Alles ist erträumt. Im Klartraum beschreiben diese beiden Sätze keinen Widerspruch, sondern die größte Gewissheit, die der Schlafende empfindet. Sie macht den luziden Zustand einzigartig. In gewöhnlichen Träumen und im Wachzustand nehmen wir es einfach als gegeben hin, dass die Welt so ist, wie sie uns erscheint. Wenn wir wach sind, können wir dies wohl bezweifeln.

Aber solche Skepsis ist nur intellektuell; in unserem Empfinden und Handeln sind wir davon überzeugt, dass unsere Sinneswahrnehmungen das einzig zutreffende Bild der Welt liefern. Diese Hartnäckigkeit, die Philosophen »naiven Realismus« nennen, hat gute Gründe: Würden wir die Wirklichkeit unserer Erfahrungen ernsthaft hinterfragen, wären wir bestenfalls unfähig zu handeln, schlimmstenfalls auf dem Weg in den Wahnsinn. Und es ist leicht, naiv zu bleiben, denn im Wachbewusstsein erleben wir die Welt genau so, wie wir sie erinnern. Schließlich beruht beispielsweise unser Sehen, wie im fünften Kapitel beschrieben, darauf, dass die Informationen aus dem Auge mit unserem Wissen über die Welt zu einem schlüssigen Bild zusammengefügt werden.

Der Klarträumer allerdings ist in der außergewöhnlichen Lage, dass er sich Erfahrungen aus zwei verschiedenen Bewusstseinszuständen vergegenwärtigen kann, während er keine Außenwelt wahrnimmt. Damit stehen zwei widersprüchliche Erfahrungswelten nebeneinander, und jede beansprucht ihr Recht: Zwar erscheinen die Bilder des Traums so real, wie ein Erlebnis überhaupt sein kann. Aber gegen sie spricht die Erinnerung an ein Leben im Wachzustand, in dem es ausgeschlossen ist, durch Wände zu gehen und Tote zu treffen.

Dieser Widerspruch zwischen Traum- und Wachwelt zerstört den naiven Realismus. Man kann nicht länger daran glauben, dass die Wirklichkeit so ist, wie man sie gerade erlebt. Vielmehr wird das Gegenteil offensichtlich: Was man in diesem Moment erlebt, kann nur eine Vorstellung sein. So beginnt der luzide Zustand mit einem Aha-Erlebnis: Meine Güte, ich träume! Im Wachzustand können wir nur durch abstrakte Überlegung, also nachdem wir es wahrgenommen haben, an unserem Bild der Welt zweifeln; die Einsicht im luziden Zustand dagegen ist unmittelbar. Insofern ähnelt sie dem Satori, dem plötzlichen und intuitiven Erfassen der Realität im Zen-Buddhismus. Eine Erkenntnis, die im Wachzustand unbegreiflich und in gewöhnlichen Träumen unmöglich ist, wird damit im Klartraum zur Selbstverständlichkeit – dass wir selbst die Architekten der Wirklichkeit sind.

*

Einige der schönsten Berichte, die je über Klarträume verfasst wurden, stammen von Mary Arnold-Forster, einer englischen Schriftstellerin, die in ihrer langen Lebenszeit von 1861 bis 1951 ausführlich ihren nächtlichen Geisteszustand erforschte. Sie gelangte zu ähnlichen Ergebnissen wie d'Hervey, obwohl sie von den Versuchen des Pariser Barons nie gehört hatte. Doch als Tochter eines namhaften Geologen wusste sie, dass der Weg zur Einsicht über Experimente und präzise Beobachtung führt. Mittels minutiös geplanter Weckungen untersuchte Arnold-Forster die Dauer und die Wiederkehr von Träumen; zudem erkannte sie, dass sie durch Autosuggestion Klarträume auslösen konnte. An luziden Flugerlebnissen hatte sie besondere Freude, und ihre Aufzeichnungen zeigen, wie aufmerksam ihr Verstand jede Einzelheit reflektierte:

»Meist spielt der Flugtraum in hohen Räumen oder in Treppenhäusern von Palästen, die ich nicht kenne. Manchmal will ich auch von einem Ende der langen Galerien im British Museum zum anderen, und schwebe hindurch. Da ein Vogel in einem Zimmer normalerweise unter der Decke fliegt, steige auch ich so weit auf. Aber solange man nicht daran gewöhnt ist, zu fliegen statt zu gehen, ist einem gar nicht klar, wie viel Luft von den Oberkanten der Türen und Fenster bis zur Decke ist. Man muss darum ein Stück abwärts schweben und durch die Tür steuern, um von einem Raum zum nächsten zu kommen.«

Als Tochter des viktorianischen Zeitalters bemühte sich Arnold-Forster sogar, im luziden Traum den Anstand zu wahren.

»Ich sehe mich jetzt immer in meinem Flugkleid – einem Kleid mit dichten, eng anliegenden Falten, die bis mindestens eine Handbreit unter meine Fußsohlen fallen. Als ich nämlich einmal etwas über dem Boden durch belebte Straßen schwebte, dachte ich, es müsse den Menschen auffallen, dass sich meine Füße anders als die ihren bewegen. In der Oxford Street, wo sich viele Leute auf dem Bürgersteig drängten, fürchtete ich, dass ich damit unangenehmes Aufsehen erregen würde.«

Wie andere ungewöhnliche Traumerfahrungen, von denen frühere Kapitel dieses Buchs handeln, kommen auch Klarträume durch eine besondere Konstellation aktiver und abgeschalteter Hirnzentren zustande. Es handelt sich um einen einzigartigen Zwitter aus REM-Schlaf und Wachen. Wie üblich sind jene Hirnareale außer Betrieb, die Signale von den Sinnesorganen empfangen. Darum machen keinerlei Eindrücke von außen den Traumvorstellungen Konkurrenz, die in den höheren Zentren der Seh- und Hörrinde entstehen. Verglichen mit gewöhnlichen Träumen ist aber die Tätigkeit bestimmter Areale am seitlichen Hinterkopf, die zur bewussten Wahrnehmung von Bildern beitragen, erhöht. Das könnte erklären, warum Menschen in luziden Träumen oft überklar sehen.

Doch das auffälligste physiologische Merkmal des Klartraums ist, dass das Stirnhirn erwacht. Plötzlich zeigen sich im EEG die schnellen elektrischen Wellen mit 40 Schwingungen pro Sekunde, die sonst tagsüber auftreten: Das Wachbewusstsein bricht in den Schlaf ein. Eine besondere Rolle für das Dämmern der Geistesgegenwart spielt der dorsolaterale präfrontale Cortex, ein Bereich des Großhirns über der Stirn. Dieser ist normalerweise im Schlaf heruntergeregelt, tagsüber und im luziden Zustand dagegen aktiv. Plötzlich kann der Träumer kritisch denken, seine Aufmerksamkeit lenken und hat Zugriff auf die autobiographische Erinnerung. Dadurch hat er ein genaueres Gefühl für sich selbst als im Traum üblich; während man sonst blindlings Ziele verfolgt und das Wissen um die eigene Identität allenfalls aufblitzt, ist das Ich im Klartraum fast durchgehend präsent. Zusätzlich erwacht der Precuneus, eine Region am oberen Hinterkopf, die uns befähigt, den eigenen inneren Zustand zu analysieren. So bemerkt man erstaunt, dass man träumt.

Viele luzide Träumer nutzen diese Einsicht, um das Geschehen nach ihrem Willen zu lenken. Allerdings ist uns nicht in jedem Klartraum Gestaltungsfreiheit vergönnt. Ich selbst habe oft nur staunend und voll Spannung die Schönheit der Traumbilder bewundert – kam aber nicht einmal auf die Idee, sie zu verändern.

Luzide Träume beginnen fast immer damit, dass dem Schlafenden eine Unstimmigkeit auffällt. Hugh Callaway erlebte das Meer, den Himmel und die Bäume in einer nie dagewesenen mystischen Schönheit, nachdem er sich eines Morgens auf dem Bürgersteig vor seinem Haus stehen sah und bemerkte, dass die Gehwegplatten anders lagen als sonst. Da über Nacht kaum Pflasterer angerückt sein konnten, wurde sich Callaway der einzig möglichen Erklärung bewusst: Es ist ein Traum. Jean Paul wiederum, der große Schriftsteller zwischen Goethezeit und Romantik, wusste um seinen Zustand, wenn er sich in die Lüfte erhob: »Die Gewissheit, zu träumen, erweis' ich mir sogleich, wenn ich zu fliegen versuche und es vermag.«

Normalerweise gehen wir an den Merkwürdigkeiten im Traum achtlos vorüber. Eine wirksame Methode, Klarträume herbeizuführen, besteht darin, tagsüber sein Bewusstsein für Absonderlichkeiten zu schärfen. Das Training besteht ganz einfach darin, sich möglichst oft während des Tages die Frage zu stellen: »Wache ich oder träume ich?« Dies hat die erfreuliche Nebenwirkung, außer der Sensibilität für Träume auch noch die Aufmerksamkeit im Wachzustand zu schärfen. Entscheidend ist, die Antwort nicht nur zu geben, sondern auch zu begründen. Man kann zum Beispiel nachprüfen, wie es gerade um die eigene Erinnerung steht, ob man sich fest mit der Erde verbunden fühlt oder fliegt, oder ob eine Wand nachgibt, wenn man sich gegen sie lehnt. Und was geschieht, wenn Sie kurz den Blick abschweifen lassen: Sieht dann noch alles aus wie zuvor, oder sind Menschen aus dem Nichts aufgetaucht, Dinge verschwunden?

Das Ziel ist, den Realitätstest so sehr zur Gewohnheit zu machen, dass Sie ihn automatisch ausführen, und zwar buchstäblich im Schlaf. Wenn sich dann, nach ein paar Wochen Übung, bei einer solchen nächtlichen Routineprüfung herausstellt, dass Ihre Hand sechs Finger hat oder Ihr Gesprächspartner schwebt, liegt der Fall klar: Sie sind in einer Traumwelt erwacht.

Übrigens spielt es keine Rolle, woran genau man die Wirklichkeit misst. Erstaunlicherweise erfüllen sogar Kriterien ihren Zweck, die einigen Gedankenaufwand verlangen. Einmal sah ich mich in einem Düsenjet sitzen, der auf dem Rücken flog, und hatte entsprechende Angst. Da schien sich mein Physikerverstand zu regen. Mir ging auf, dass ein Flugzeug keinen Moment so in der Luft bleiben könnte, weil die Strömung an den Tragflächen abrisse. Nun wusste ich, dass die Sache harmlos war, weil ich träumte – und genoss den wilden Flug.

Die Helden im Hollywood-Kultfilm »Inception« wiederum haben sich an den Umgang mit besonderen Gegenständen, »Totems« genannt, gewöhnt. So setzt Leonardo DiCaprio als Dominick Cobb immer wieder einen kleinen Kreisel in Gang. Dreht sich das Spielzeug endlos weiter, weiß Cobb, dass er träumt; fällt es um, ist er wach – kein besonders praktischer, aber ebenfalls möglicher Test.

Besonders wirksam ist es, den Realitätscheck in der Nacht einzuüben, was allerdings die Bereitschaft voraussetzt, sich den Wecker auf die frühen Morgenstunden zu stellen. Erklingt der Alarm ungefähr sechs Stunden nach dem Zubettgehen, sollte er Sie aus einem der beiden letzten REM-Zyklen der Nacht holen. Fast sicher werden Sie sich an einen Traum erinnern. Lassen Sie ihn Revue passieren, schreiben Sie ihn auf. Es besteht ohnehin kein Anlass zur Eile: Experimenten zufolge stehen die Chancen, einen Klartraum zu erleben, nach einer Wachphase von 20 bis 90 Minuten am besten. Wenn Sie wieder zu Bett gehen, lassen Sie den Traum noch einmal an Ihrem inneren Auge vorüberziehen. Achten Sie diesmal besonders auf die Merkmale, die den Traum als Hervorbringung Ihres eigenen Geistes entlarven. Versuchen Sie, zu den Traumbildern zurückzukehren, wenn die Gedanken abschweifen; bei dieser ermüdenden Übung dürften Sie einschlafen. Wenn alles gut geht, lebt Ihr Traum nach einer kurzen Tiefschlafphase wieder auf, und Sie können ihn erkennen: Sie haben den luziden Zustand erreicht.

Der offensichtliche Nachteil dieser Methode ist, dass sie viel Schlaf raubt. Man kann deshalb auch versuchen, bei vollem Wachbewusstsein einzuschlafen. Wenn man etwa in der Mittagspause einnickt, scheint manchmal die Tagesaufmerksamkeit mit in den Schlaf hinüberzugleiten. In diesem Zustand kann man sich in den Räumen der Traumwelt umsehen.

Die Kunst, solche Übergänge gezielt herbeizuführen, wird seit Jahrhunderten in tibetischen Klöstern vermittelt. Der Übende sucht sich einen Ankerpunkt der Aufmerksamkeit und sieht gleichsam zu, wie er in den Schlaf sinkt. (Dabei darf man nicht allzu müde sein, weswegen sich wiederum die frühen Morgenstunden oder eine Siesta empfehlen.) Indem man seinen Atem verfolgt, sich ein Bild vorstellt oder einfach nur zählt, soll der kritische Verstand wach bleiben, während sich andere Gehirnfunktionen verabschieden. Viele Menschen berichten von der Erfahrung, sich in dieser Phase scheinbar zu verdoppeln: Es kommt ihnen so vor, als würde das Wach-Ich den physischen Körper im Bett, das heraufdämmernde Traum-Ich einen Traumkörper in der Traumwelt bewohnen.

*

Auch und sogar häufiger begegnet man seinem Doppelgänger beim Erwachen aus einem Klartraum. Eine klassische Beschreibung dieses Empfindens stammt von Frederik van Eeden, einem holländischen Psychiater, der 352 seiner luziden Träume aufgezeichnet hat. Im Jahr 1913 schrieb er:

»Ich träumte, dass ich im Garten lag, vor den Fenstern meines Arbeitszimmers, und ich sah die Augen meines Hundes durch die Glasscheibe. Ich lag auf dem Bauch und beobachtete den Hund sehr genau. Gleichzeitig jedoch wusste ich mit vollkommener Gewissheit, dass ich auf dem Rücken in meinem Bett lag. Und dann beschloss ich, langsam und vorsichtig aufzuwachen und dabei zu beobachten, wie sich mein Gefühl, auf dem Bauch zu liegen, in das Gefühl verwandelte, auf dem Rücken zu liegen … Der Übergang, den ich seither viele Male durchlaufen habe, ist höchst wunderbar. Es ist wie das Gefühl, von einem Körper in den anderen zu schlüpfen, und es gibt eine klare doppelte Erinnerung an die beiden Körper … Sie ist so unbezweifelbar, dass sie fast unweigerlich zur Idee eines Traumkörpers führt.«

Der Traumkörper ist kein esoterisches Gebilde vom Typus Astralleib, sondern eine Repräsentation unserer selbst. Wann immer wir uns durch die virtuelle Welt eines Traumes bewegen, brauchen wir eine Vorstellung von unserem Körper. Sie funktioniert wie ein Avatar in einem Videospiel, ist aber mehr als nur ein Bild unserer selbst: Mit ihrer Hilfe spüren wir die Lage der Körperteile im Raum und deren Bewegung. In einem Flugtraum beispielsweise hat man oft den Eindruck, mit den Armen zu rudern. Natürlich handelt es sich um eine Simulation, denn tatsächlich ist unsere Muskulatur ja gelähmt. In normalen Träumen nehmen wir den Avatar nicht als solchen wahr, da uns die virtuelle Welt real erscheint. Doch im luziden Zustand hat sich die Wirklichkeit gleichsam verdoppelt, weil Erfahrungen aus zwei Bewusstseinszuständen gleichzeitig zugänglich sind. So, wie sich der Schläfer nun bewusst wird, dass es neben dem Geschehen vor seinem inneren Auge eine Wachrealität gibt, kann er auch erkennen, dass der Traumkörper ein anderer als der physische Körper sein muss. Genau diese Erfahrung beschreibt van Eeden.

Der Doppelgänger hat eine Funktion: Er ermöglicht es uns, in REM-Träumen Bewegungen zu lernen. Wie ein Pilot den Umgang mit einer neuen Maschine zunächst nicht im Cockpit, sondern im Flugsimulator trainiert, so kann der Traumkörper in der virtuellen Innenwelt einfach und risikolos üben, bei neuen Bewegungsfolgen Muskeln und Wahrnehmung richtig zu koordinieren. Eine Simulation bewährt sich umso besser, je wirklichkeitsnäher sie ist. Deswegen besitzt der Traumkörper alle Eigenschaften, auf die es auch tagsüber bei absichtlichen Bewegungen ankommt: Die Proportionen stimmen, bei jeder Regung spürt man einen Widerstand, die Schwerkraft zieht nach unten.

Der Doppelgänger tritt auch in Erscheinung, wenn man sich im Wachzustand Bewegungen vorstellt. So kann man sich einen Wurf beim Judo oder eine Ballettfigur in allen Einzelheiten ausmalen, während man reglos im Sessel sitzt. Sportler nutzen seit langem solch mentales Training vor dem inneren Auge, um schwierige Bewegungsabläufe zu optimieren. Dem Vergleich mit der perfekten Illusion im Traum halten die blassen inneren Bilder des Tages jedoch nicht stand.

Könnten also Klarträume ein wirksames virtuelles Trainingsfeld sein? Paul Tholey, ein 1998 verstorbener Braunschweiger Professor für Sportpsychologie, versuchte als erster, Bewegungen systematisch im luziden Zustand einzuüben. Und er hatte offenbar Erfolg. Menschen, die ihn kannten, berichten, wie es Tholey zum Meister in der Disziplin des Kunstradfahrens brachte. Seine außergewöhnliche Körperbeherrschung, so heißt es, erlaubte es ihm, mit verbundenen Augen Einrad zu fahren und auf dem Mountainbike einen Salto zu schlagen. Tholey soll sogar angekündigt haben, seine Künste im Snowboarden im Klartraum so weit zu perfektionieren, bis er seine Füße ohne Bindung auf dem Brett halten könne. Wie jeder Kenner dieser Sportart weiß, ist dies an anspruchsvolleren Hängen so gut wie unmöglich. Doch einige Zeit später wollen Bekannte Tholey beobachtet haben, wie er frei auf seinem Board stehend die Berge herabwedelte.

Inwieweit Tholeys Leistungen ins Reich der Legenden gehören, lässt sich heute nicht mehr letztgültig feststellen. Daniel Erlacher, ein Sportwissenschaftler der Universität Bern, konnte allerdings belegen, dass Übungen im Klartraum tatsächlich Effekte zeigen: In der etwas simpleren Kunst des Münzwurfs jedenfalls erhöht sich die Trefferquote. Erstaunlicherweise scheint das nächtliche Training nicht nur die Geschicklichkeit, sondern auch die Kondition zu verbessern. Als Erlacher seine Klarträumer im Schlaflabor nämlich zu virtuellen Kniebeugen aufforderte, beschleunigten sich Herzschlag und Atem wie nach einer wirklichen Anstrengung. Bei Sportlern hat sich diese Idee inzwischen herumgesprochen, wie Erlacher bei einer Umfrage unter mehr als 800 deutschen Spitzenathleten herausfand. Jeder vierte Befragte erklärte, regelmäßig luzide Zustände zu haben; mehr als 40 Sportler gaben an, Klarträume zur Leistungssteigerung zu nutzen.

Vielleicht werden Bundesligastars also künftig nicht nur auf dem Rasen, sondern auch im Bett Ballannahmen trainieren. Größere Hoffnungen setzen freilich Psychotherapeuten in Klarträume, denn diese sollen bei der Überwindung traumatischer Erinnerungen helfen. Wenn sich nachts ein Albtraum zusammenbraut, könnte der Schläfer unmittelbar in die Handlung eingreifen, die Quälgeister der Vergangenheit besiegen oder durch harmlose Darsteller ersetzen. So würden die belastenden Gefühle allmählich in seinem Gedächtnis verblassen. Tatsächlich ist es Menschen nachweislich gelungen, sich von ihren Schrecken zu befreien, indem sie ihre Träume lenken lernten. Da sich Klarträume allerdings selbst bei stetigem Training nur unzuverlässig einstellen, blieb die Erfolgsquote bislang gering.

Doch das mag sich bald ändern. Im Mai 2014 erregte die Frankfurter Psychologin Ursula Voss mit der Nachricht Aufsehen, dass sich luzide Zustände durch elektrische Anregung des Gehirns im Schlaf gezielt auslösen lassen. Voss, die schon drei Jahre zuvor auf spektakuläre Weise nachweisen konnte, dass sich Gehörlose im Traum als hörend und Gelähmte als gehend erleben, arbeitete mit Versuchspersonen, die keine Erfahrung mit Klarträumen hatten. Die Probanden bekamen Elektroden auf die Stirn und hinter die Ohren geklebt. Gerieten sie in den frühen Morgenstunden in eine REM-Phase, floss über die Kontakte ein schwacher Wechselstrom durch das Gehirn, ohne dass die Schläfer dies bemerkten. Die Frequenz des Stroms betrug 40 Schwingungen pro Sekunde; sie entsprach also den Hirnwellen während des Klarträumens und im Wachzustand. Und als hätten die Windungen des Stirnhirns nur auf diesen Impuls gewartet, verfielen die Träumer wirklich in einen luziden Zustand: Ihre Gehirne gaben alle entsprechenden elektrischen Signale von sich, und weckte man die Schläfer nach ein paar Minuten, berichteten sie in 77 Prozent der Fälle von einem Klartraum.

Stellte Voss hingegen eine andere Frequenz ein oder schaltete sie das Gerät ab, stellten sich keine Klarträume mehr ein. Zweifellos hatten also die 40-Hertz-Schwingungen den besonderen Bewusstseinszustand ausgelöst: Ohne den Traum zu unterbrechen, aktivierten sie genau die Regionen des Großhirns, die für Handlungskontrolle und bewusste Erinnerung zuständig sind. So konnten die Versuchspersonen die Kontrolle über ihre Träume erlangen.

Zum ersten Mal ist es damit gelungen, Menschen gezielt in jenen Grenzbereich zu führen, wo sich wache Vernunft mit dem unbegrenzten Erfindungsreichtum des Träumens verbindet. Dieser Erfolg verspricht nicht nur neue Trainingsmethoden oder wirkungsvollere Psychotherapien, sondern könnte ungeahnte schöpferische Kräfte im Menschen freisetzen. Und werden wir noch fernsehen, ins Kino gehen oder reisen, wenn wir erst die Möglichkeit haben, uns auf Knopfdruck im Schlaf jedes ersehnte Erlebnis zu verschaffen? Tüftler denken bereits darüber nach, eine brauchbare Klartraummaschine in Serie fertigen zu lassen.

15. Franz K. und der Windhundesel

Träume als Quell der Kreativität

> Und so, wie ich träume,
> denke ich auch nach, wenn
> ich will, es ist nur eine andere
> Art des Träumens.
>
> *Fernando Pessoa*

Am 28. Oktober 1911 notierte Franz Kafka in seinem Tagebuch, er habe von einem »windhundartigen Esel« geträumt. Das Tier bewegte sich sehr behutsam; irgendetwas schien mit seinem Körperbau nicht zu stimmen. Der Träumer beobachtete den Esel genau, »weil ich mir der Seltenheit der Erscheinung bewusst war, behielt aber nur die Erinnerung daran zurück, dass mir seine schmalen Menschenfüße wegen ihrer Länge und Gleichförmigkeit nicht gefallen wollten.« Dann bot Kafka dem merkwürdigen Wesen »frische, dunkelgrüne Zypressenbüschel an, die ich eben von einer alten Zürcher Dame bekommen habe.« Die Szene spielte nämlich in Zürich, wo Kafka sich im September 1911 in einem Sanatorium aufgehalten hatte. Nach einigem Hin und Her nahm der Esel-Windhund die Gabe an und fraß das Zypressengrün so vollständig auf, dass »nur ein kaum zu erkennender kastanienähnlicher Kern übrig blieb«.

Wie eine Collage setzt sich dieser Traum aus Bildern zusammen, die in sich stimmig sind. Als würde Kafkas schlafendes

Auge die Szene Einzelheit für Einzelheit abtasten, erkennt es erst den Rumpf eines Esels, dann die langen Beine, die klar auf einen Windhund hindeuten. Die Menschenfüße sind lang und gleichförmig, wie es sich für Homo sapiens gehört. Selbst die Größe des Kerns, den der Esel beim Fressen übrig lässt, stimmt: Ein Zypressenzapfen hat in etwa die Abmessung einer Kastanie. So gesehen scheint alles in bester Ordnung zu sein. Aber nichts passt zusammen; erst das erzeugt die Irritation. Später im Traum stellt sich heraus, dass der Esel noch nie auf allen Vieren gelaufen ist. (Wie sollte er auch – mit Menschenfüßen?) Als Kafka sieht, dass das Tier »eine silbrig glänzende Brust und das Bäuchlein zeige«, regt sich selbst das schwache kritische Bewusstsein eines Schlafenden: »Das war aber eigentlich nicht richtig«, merkt er an.

*

Kafka war ein großer Träumer. In seinen Tagebucheinträgen und Briefen hinterließ er mehr als sechzig Aufzeichnungen von Erlebnissen im oder an der Grenze zum Schlaf. Er schildert hypnagoge Bilder und überaus verwickelte Träume, Nachtgedanken und Szenen, die er sich beim nachmittäglichen Dahindämmern auf dem Sofa ausmalte. Ebenso vielfältig wie die Art der Träume ist ihr Inhalt. Wir lesen von Bordellszenen und den komischen Schlachten einer Luftbadegesellschaft, aber auch gerade in Prag gastierende Theaterensembles oder die Gemetzel des Ersten Weltkriegs erscheinen vor Kafkas innerem Auge. Einmal will der schlafende Dichter mit einem Hörer telefonieren, der an einer Brücke hängt, vernimmt aber nur das Rauschen des Meeres. Und immer wieder berichtet er von beunruhigenden Vorgängen in seinem Körper, von Geschwüren, aber auch von einem weißen Pferd, das beim Einschlafen aus seinem Kopf herausspringt. Manche Traumtexte hat Kafka illus-

Franz Kafka hielt seine Erfahrungen zwischen Traum und Wachen auch in Zeichnungen fest. Die Fabeltiere, die den Mann umringen, sind halb Federvieh, halb Mensch.

triert; mit wenigen, aber ausdrucksstarken Tuschlinien zeichnete er hagere Figuren in rätselhaften Situationen.

Viele seiner Träume erinnern an die Geschichten, die Kafka berühmt machten. Wenn man liest, wie ihm einmal im Sommer 1912 beim Erwachen sein ganzer Leib mit Schlössern besetzt schien, in denen sich Schlüssel drehten, denkt man zwangsläufig an den ersten Satz seiner wohl bekanntesten Erzählung: »Als Gregor Samsa eines Morgens aus unruhigen Träumen erwachte, fand er sich in seinem Bett zu einem ungeheuren Ungeziefer verwandelt.« Kafka schrieb die »Verwandlung« im selben Jahr 1912, versicherte jedoch vorsichtig: »Es war kein Traum.«

Doch tatsächlich wäre Kafkas Werk ohne Kafkas Träume undenkbar. Er selbst nannte sein literarisches Schreiben eine »Darstellung meines traumhaften inneren Lebens« und war überzeugt, dass Träume »schreckliche Wahrheiten aufdringlich und überdeutlich« zeigen, »so wie sie in dem matten Tagesleben niemals zum Durchbruch kommen können«. Träume waren die Quelle, aus der er seine Literatur schöpfte. »Das Bewusstsein meiner dichterischen Fähigkeiten ist am Abend und am Morgen unüberblickbar«, schrieb er. »Ich fühle mich gelockert bis auf den Boden meines Wesens und kann aus mir heben, was ich nur will.«

*

Viele Künstler ließen sich von Träumen zu ihren Werken inspirieren. Albrecht Dürer vermerkte auf dem Bild einer unheimlichen Landschaft im Sturm: »in der nacht im schlaff hab ich dis gesicht (dieses Bild) gesehen«. Und Paul McCartney berichtete, dass er an einem Morgen im Jahr 1964 schlafend zum ersten Mal die Melodie von »Yesterday« hörte; ein Streichorchester spielte den Song. Als McCartney die Töne nach dem Aufwachen notierte, fand er sie so eingängig, dass er zunächst glaubte, er müsse das Lied irgendwo aufgeschnappt haben. Einen Monat lang fragte er herum; erst nachdem sich herausgestellt hatte, dass niemand die Melodie kannte, machten die Beatles daraus einen der erfolgreichsten Popsongs aller Zeiten.

Auch von Wissenschaftlern und Erfindern sind Geistesblitze im Schlaf überliefert. Einen solchen soll zum Beispiel Elias Howe erlebt haben, der im Jahr 1844 in Boston die Nähmaschine erfand und damit ein Vermögen machte. Lange hatte Howe an einer solchen Vorrichtung getüftelt, war aber in eine Sackgasse geraten: Da sich das Öhr am oberen Ende der Nadel befand, ließ sie sich nicht so befestigen, dass die Maschine den Faden durch den Stoff ziehen konnte. Das Problem verfolgte Howe bis in die Nacht, wie die Familienchronik berichtet:

Er träumte, dass er eine Nähmaschine für einen wilden König in einem fremden Land baute und ratlos über das Nadelöhr war. Der König gab ihm 24 Stunden, um die Maschine zum Laufen zu bringen. Sonst würde er mit dem Tod bestraft. Howe arbeitete und rätselte, schließlich gab er auf. Als er zur Hinrichtung geführt werden sollte, fielen ihm die Speere der Krieger auf. Sie hatten Löcher in ihren Spitzen.

Es mag wohl sein, dass die Familie die Geschichte im Nachhinein ausgeschmückt hat. Schon damals zweifelte ein naher Verwandter den Hergang an: »Howe war zu sehr Yankee, um sich auf Träume zu verlassen.« Weil nur ein Bericht aus zweiter Hand existiert, wird sich die Wahrheit nicht mehr herausfinden lassen. Immerhin kursieren über wundersame Inspirationen im Traum etliche Legenden. So soll James Watson die Spiralform der Erbsubstanz DNS erkannt haben, nachdem ihm im Schlaf eine Wendeltreppe erschien; anderen Versionen zufolge war es sein Kollege Francis Crick, der von gewundenen Stufen träumte. In Wirklichkeit hat keiner der beiden Pioniere der Molekularbiologie jemals so etwas behauptet, und Crick war sogar der erklärten Ansicht, dass Träume »zweifellos amüsant sein können … aber nicht systematisch nützliche Informationen enthalten«.

Andere Wissenschaftler bezeugten durchaus, dass ihnen im Schlaf geniale Eingebungen kamen. Der vielleicht berühmteste aller Forscherträume handelt vom Benzol, einem Ausgangsmaterial der Kunststoffherstellung. Die Erkenntnis, dass Benzol-Moleküle ringförmig sein müssen, machte August Kekulé aus Bonn zu einem der berühmtesten Chemiker seiner Zeit. 1890 feierte man bei einem großen Empfang im Berliner Rathaus das 25. Jubiläum dieser Entdeckung, die zum Weltrang der deutschen Chemieindustrie beitrug. In seiner Rede bekannte Kekulé, dass er den Durchbruch keineswegs angestrengtem Überlegen verdankte, denn »der wachende Geist denkt nicht in Sprüngen«.

Zur entscheidenden Einsicht sei er vielmehr im Halbschlaf gekommen – eigentlich kam sie zu ihm:

»Atome gaukelten vor meinen Augen … Alles in Bewegung, schlangenartig sich windend und drehend. Und siehe, was war das? Eine der Schlangen erfasste den eigenen Schwanz und höhnisch wirbelte das Gebilde vor meinen Augen. Wie durch einen Blitzstrahl erwachte ich.«

Und dann gab Kekulé der Festgesellschaft einen Rat, der nicht wenige der Herren im Frack befremdet haben muss: »Lernen wir träumen, meine Herren, dann finden wir vielleicht die Wahrheit.«

*

In seiner klassischen Studie über das Wesen der Kreativität bemerkte der französische Mathematiker Jacques Hadamard, wie viele seiner Kollegen eines Morgens im Bewusstsein der Lösung eines Problems erwachten, mit dem sie lange vergeblich kämpften. »Wie der Blitz einschlägt, so hat sich das Rätsel gelöst«, schrieb Carl Friedrich Gauß einmal in einem Brief. »Ich selbst wäre nicht imstande, den leitenden Faden zwischen dem, was ich vorher wusste … und dem, wodurch es gelang, nachzuweisen«. So vermutete er »unbewusste Inspirationen, … die niemand erzwingen kann«.

Gewöhnlich hat man ein solches Aha-Erlebnis, wenn man ein Problem bis in seine Tiefe durchdringt; oft sieht man dann, dass alles in Wahrheit viel einfacher ist, als es zunächst den Anschein hatte. Gauß etwa gab sich mit sieben Jahren als mathematisches Wunderkind zu erkennen, als er in der Volksschule einmal alle Zahlen von 1 bis 100 zusammenzählen sollte und in Windeseile das korrekte Ergebnis nannte: 5050. Carl Friedrich hatte eine geniale Abkürzung gefunden, die ihm eine aufwendige Rechnung ersparte: Die Zahlen lassen sich 50 Paaren zuordnen, deren Summe nach dem Schema 1+100, 2+99 und so weiter jeweils 101 ergibt.

Dass man derartige geistige Leistungen im Schlaf vollbringen kann, würde wohl niemand vermuten. Umso mehr faszinieren die Experimente, die Jan Born und seine Kollegen im Jahr 2004 durchführten. Die deutschen Schlafforscher stellten ihren Versuchspersonen eine anspruchsvoll wirkende Aufgabe: Sie sollten Zahlenreihen vervollständigen, was augenscheinlich nur mit buchhalterischer Sorgfalt möglich war. Entsprechend lange brauchten die meisten Teilnehmer für die Lösung. Nur wenige erkannten, dass es ähnlich wie beim Gauß'schen Summenproblem eine einfache Abkürzung gab. Nachdem aber Born seine Versuchspersonen eine Nacht über das Problem schlafen ließ, lösten sie die Aufgabe viel schneller: Fast 60 Prozent der Teilnehmer sahen jetzt die in den Zahlenreihen versteckte Gesetzmäßigkeit. Lag kein Schlaf zwischen den beiden Versuchen, kamen nur 23 Prozent der Probanden auf den Trick. Bestimmte Probleme erkennt und löst das Gehirn offensichtlich besser im Schlaf.

Neben dem Aufspüren von Gesetzmäßigkeiten wie in Borns Versuch gehören auch logische Schlussfolgerungen dazu. Wenn Laura jünger als Lena, Lena wiederum jünger als Lisa ist, liegt auf der Hand, dass Laura die Jüngste der drei ist. Je länger und unübersichtlicher derartige Aufgaben werden, desto öfter vertut man sich beim logischen Folgern. Fragt man aber Versuchspersonen nicht sofort nach der Lösung, sondern erst nach einer durchschlafenen Nacht, liegen sie meistens richtig, wie der Neuropsychologe Jeffrey Ellenbogen feststellte. Offenbar hatten ihre Gehirne die entscheidende Vorarbeit geleistet, indem sie sich nachts Tatsachen einprägten und miteinander verknüpften.

Ellenbogens Ergebnisse lassen an die Geschichte denken, wie der russische Chemiker Dmitri Mendelejew das Periodensystem der Elemente entdeckte. Die Ordnung der Stoffe in der Natur, auf der die gesamte Chemie beruht, offenbarte sich ihm nach jahrelangem Überlegen plötzlich in einer Nacht des Jahres 1869:

»Ich sah in einem Traum eine Tabelle, auf der die Elemente ihren Platz einnahmen. Als ich erwachte, schrieb ich es sofort auf. Nur an einer einzigen Stelle musste ich später korrigieren.«

So lösen sich Probleme mitunter buchstäblich von selbst – vorausgesetzt, man hat sie zuvor durchdacht und gönnt sich dann die nötige Ruhe. François Jacob, der für seine Arbeiten über Genetik im Jahr 1965 den Nobelpreis erhielt, war ebenfalls überzeugt, dass bahnbrechende Entdeckungen nicht während des Experimentierens und Überlegens gelingen, sondern in einer »Nachtwissenschaft«.

*

Je später die Nacht, umso schöpferischer wird der Verstand. Denn je mehr Schlaf wir schon hinter uns haben, umso anhaltender stellen sich die REM-Phasen ein, in denen wir besonders intensiv träumen. Das Gehirn ist jetzt in einem Zustand, der wie dafür gemacht ist, Ideen hervorzubringen. Ungewöhnlich viel Acetylcholin und wenig Noradrenalin zirkulieren im Kopf; dieses chemische Milieu setzt die Hemmschwelle herab, frei zu assoziieren: Anregungen des Gehirns, die wir als Bilder oder Gedanken erleben, lösen jetzt leicht andere Vorstellungen aus. Ein Kaleidoskop lose zusammenhängender Ideen beginnt zu wirbeln und fördert Traummotive wie Kafkas windhundartigen Esel zutage. Auch Wortassoziationen gelingen jetzt mühelos. In einem Experiment von Sara Mednick und ihren Kolleginnen von der Universität von San Diego sollten Versuchspersonen Wortkombinationen bilden. Die Aufgabe war, zu drei vorgegebenen Begriffen wie

SCHAU   PUTZER   DACH

einen vierten zu finden, der mit jedem der drei anderen ein gängiges Wort ergibt, hier offenbar FENSTER. Bei anderen Zusammenstellungen wie

ELEFANTEN   SCHWUND   TEST

fiel die Lösung auf Anhieb weniger leicht. Wenn aber die Probanden einmal über das Problem schlafen durften, kamen die meisten von ihnen auf die richtige Antwort: GEDÄCHTNIS. Der Erfolg stellte sich aber nur unter zwei Bedingungen ein. Erstens mussten sich die Teilnehmer vorher mit der Aufgabe befasst haben. Geistesblitze kommen also nicht aus heiterem Himmel, sondern bedürfen der Vorbereitung. Zweitens verbesserten sich die Ergebnisse im Assoziationstest nur, wenn die Versuchspersonen eine REM-Phase hinter sich hatten. Emotionale, bildreiche Träume scheinen also die Kreativität zu fördern, der Tiefschlaf mit seinen sparsameren Erlebnissen hingegen nicht.

Träume können uns vermutlich deshalb so gut anregen, weil sie zumeist visuelle Erlebnisse sind. Vor allem um räumliche Probleme zu lösen, nutzt Sprache wenig; sowohl das kreative als auch das logische Denken machen eher vom inneren Auge Gebrauch. Wenn Sie herausfinden wollen, ob zwei Puzzleteile ineinanderpassen, ohne sie in die Hand zu nehmen, werden Sie wahrscheinlich eines der beiden Stücke im Geiste drehen. Vor räumlichen Problemen standen auch Elias Howe und August Kekulé, als sie nach der richtigen Platzierung des Nadelöhrs oder der Atome im Benzol-Molekül suchten; für beide ergab sich die Lösung aus Bildern.

Auch bei abstrakten Überlegungen nutzen wir bildliche Vorstellungen. Erinnern Sie sich an Lena, Lisa und Laura, die drei unterschiedlich alten Mädchen? Um herauszufinden, wer die Jüngste ist, kann man das Problem mit Worten umschreiben oder in zwei mathematische Ungleichungen übersetzen, die meisten Menschen tun allerdings etwas anderes: Sie stellen sich die drei Mädchen aufgereiht vor, dem Alter nach geordnet. Genauso vergegenwärtigen wir uns auf einer imaginären Achse der Zeit, was früher und was später geschah. Ähnlich sah Dmitri Mendelejew im Traum das Periodensystem, dessen Elemente sich in das Raster einer Tabelle einfügten.

Noch weitaus abstrakter ist die allgemeine Relativitätstheorie, doch selbst sie entstand als Bild vor Albert Einsteins innerem Auge: Er malte sich aus, wie es wäre, auf einem Lichtstrahl zu reiten. Einstein behauptete sogar, keineswegs besonders begabt für Mathematik zu sein; seine außergewöhnliche Fähigkeit liege vielmehr darin, sich Möglichkeiten und deren Folgen vorzustellen. Und das geschehe ausschließlich in Bildern, schrieb Einstein an den Mathematiker Jacques Hadamard:

»Worte oder die Sprache ... spielen in meiner Denkstruktur offenbar keine Rolle. Die geistigen Gebilde, die wahrscheinlich als Gedankenelemente fungieren, sind gewisse Zeichen und mehr oder weniger klare Bilder, die ›willentlich‹ reproduziert und kombiniert werden können.«

Einsteins anschauliches Denken kommt dem Spiel der Vorstellungen in Träumen nahe. Umgekehrt ließe sich folgern: Je besser man sich ein Problem bildlich vorstellen kann, umso eher ergibt sich eine Lösung im Traum.

*

Einstein spricht allerdings auch ein Dilemma an: Einerseits beschreibt er, wie neue Ideen durch das Kombinieren von Bildern entstehen; andererseits meint er, solle dies ›willentlich‹ geschehen – zweifellos setzt er die Anführungsstriche mit Bedacht. Aber in welchem Bewusstseinszustand wäre das möglich? Solange wir wach sind und unserem Willen folgen, gelingt es kaum, unbekümmert mit Bildern zu spielen. Auge und Sehsystem sorgen dafür, dass unsere Vorstellungen zu dem passen, was wir von der Außenwelt wahrnehmen, und das Stirnhirn prüft, wie plausibel diese Vorstellungen sind. Da kommen verrückte Ideen wie die eines Speeres mit einer Öse gar nicht erst auf. Im Traum wiederum steht einem Feuerwerk der Einfälle zwar wenig entgegen, doch fehlt in der Regel die von Einstein angemahnte Kontrolle. Da uns im Schlaf normalerweise das kritische Denken nicht zur Verfügung steht, können wir weder Vorstellungen in eine gewünschte Richtung lenken, noch brauchbare von unsinnigen Eingebungen unterscheiden. So kommt es ständig zu Geistesblitzen der Art, wie sie Franz Kafka am 21. Juli 1913 notierte:

»Heute habe ich im Traum ein neues Verkehrsmittel für einen abschüssigen Park erfunden. Man nimmt einen Ast, der nicht sehr stark sein muss, stemmt ihn schief gegen den Boden, das eine Ende behält man in der Hand, setzt sich möglichst leicht darauf, wie im Damensattel, der ganze Zweig rast dann natürlich den Abhang hinab, da man auf dem Ast sitzt, wird man mitgenommen und schaukelt behaglich in voller Fahrt auf dem elastischen Holz. Es findet sich dann auch eine Möglichkeit, den Zweig zum Aufwärtsfahren zu verwenden. Der Hauptvorteil liegt, abgesehen von der Einfachheit der ganzen Vorrichtung, darin, dass der Zweig, dünn und beweglich wie er ist, er kann ja gesenkt und gehoben werden, nach Bedarf, überall durchkommt, wo selbst ein Mensch allein schwer durchkäme.«

Das kreative Denken würde also am besten im Zustand zwischen Träumen und Wachen gedeihen. Wenn ungezügelte Fantasie auf zumindest ansatzweise kritisches Bewusstsein trifft, können originelle, aber taugliche Ideen entstehen. In einem solchen Zwischenzustand befinden sich Menschen im Klartraum. Tatsächlich erklären manche luzide Träumende, dass sie im Schlaf systematisch Ideen erproben und weiter entwickeln. Allerdings ist die Fähigkeit, luzide zu träumen, heute noch so wenig verbreitet, dass ein Beweis für den Gehalt dieser Berichte aussteht.

Doch um im Schlaf Ideen zu schöpfen, muss man gar nicht vollständig luzide sein: Auch in anderen Zwischenzuständen verbindet sich die Traumfantasie mit der nötigen Gedankenklarheit. Auffallend häufig berichten Künstler, Erfinder und Wissenschaftler, dass sie sofort erwachten, als sie im Schlaf die Lösung ihres Problems sahen. Der entscheidende Einfall ergibt sich demnach nicht aus der Erinnerung an das Gesehene, sondern im Traum selbst. In den Berichten taucht immer wieder der Hinweis auf, dass die Schläfer in den Morgenstunden erwachten – Elias Howe beispielsweise soll um 4 Uhr aufgeschreckt sein, als durchlöcherte Speere ihm das Prinzip der Nähmaschine veranschaulichten.

Tatsächlich nähern sich nach längerem Schlaf immer mehr Regionen des Großhirns dem Wachzustand an, wie im achten Kapitel erörtert. Scheitel- und Schläfenlappen des Großhirns geben dann häufig noch die typischen Signale des REM-Schlafs von sich, während das Stirnhirn, die Instanz für das kritische Denken, beinahe schon den Wachbetrieb aufgenommen hat. So träumt man zwar noch und hält den Traum für wirklich, kann den Inhalt und die Logik der Bilder aber bereits beurteilen. Ein solches Zwielicht des Bewusstseins liegt gewissermaßen eine Stufe unter dem Klartraum, stellt sich aber viel häufiger ein. Wer also im Schlaf nach Inspiration sucht, sollte den Morgenschlaf kultivieren.

Auch im hypnagogen Zustand, dem Schweben zwischen Wachen und Schlaf, können Traumdenken und kritisches Bewusstsein nebeneinander bestehen. Während dieser Phase, in der man die typischen Einschlafbilder erlebt, sind weite Teile des Großhirns noch wach, die Sinnesorgane hingegen bereits abgeschaltet. In einem solchen Moment, er selbst sprach von »Halbschlaf«, sah August Kekulé, wie sich tanzende Atome zu einer Schlange verbanden. Der Chemiker hatte schon früher gelernt, sich für Eingebungen im Dämmerzustand zu öffnen; bei seinem Festvortrag 1890 bekannte er, sein »geistiges Auge« für solche »Gesichte geschärft« zu haben. Jahre zuvor war er zu grundlegenden Einsichten über die Bindung von Atomen gekommen, als er bei einer Fahrt auf dem Oberdeck eines Londoner Omnibusses in »Träumereien« versank.

Viele kreative Menschen nutzten das Dösen im hypnagogen Zustand als Quelle der Inspiration. Thomas Edison zum Beispiel, der Erfinder der Glühbirne, des Grammophons, der ersten funktionierenden Filmkamera und über tausend weiterer patentierter Vorrichtungen, pflegte ein Nickerchen einzulegen, wenn er nach angestrengtem Nachdenken an einem toten Punkt angelangt war. Ein Foto zeigt ihn zwischen Gerätschaften auf dem Boden seiner Werkstatt liegend, den Kopf an eine Kiste gelehnt, eine Hand vor den Augen. Im Park seines Hauses steht eine Statue Edisons, die ihn mit einer Stahlkugel in der Hand darstellt. War nämlich der Erfinder auf der Suche nach Ideen, döste er sitzend mit einer solchen Kugel zwischen den Fingern, bis sie scheppernd herunterfiel, wenn ihn der Schlaf übermannte. So fand er immer wieder in den hypnagogen Zustand zurück, dem er so viele Einfälle verdankte. Salvador Dalí empfahl ebenfalls diese Methode, die ihn zu zahllosen Werken angeregt habe.

*

Wohl einmalig aber war die Intensität, mit der Franz Kafka die Welt zwischen Wachen und Träumen erforschte und in sein Werk einfließen ließ. Er verbrachte einen großen Teil seiner Zeit in einem Zustand der Hypnagogie, wozu ihm seine eigenwillige Tageseinteilung verhalf: Nach den Vormittagen in seinem Brotberuf als Versicherungsjurist legte er sich erst einmal aufs Sofa oder ins Bett. Stundenlang ging er nun inneren Bildern und Stimmungen nach, brütete Szenen aus, die er »Halbschlaffantasien« nannte. Oft schlief er ein. Lange nach Sonnenuntergang setzte er sich dann an den Schreibtisch und arbeitete meist bis in die frühen Morgenstunden hinein an seinen Texten. Danach war er oft zu erregt, um seine Einfälle loszulassen und in den Schlaf zu sinken. »Von jetzt an bleibt es die ganze Nacht bis gegen 5 so, dass ich zwar schlafe aber starke Träume mich gleichzeitig wach halten. Neben mir schlafe ich förmlich, während ich selbst mit Träumen mich herumschlagen muss«, heißt es in seinem Tagebuch. Vermutlich befand er sich immer noch in einem Dämmerzustand, wenn er sich nach wenigen Stunden Ruhe ins Büro begab.

Auf seine Weise hatte Kafka also zu einem Schlaf in Schichten gefunden, wie er in früheren Epochen üblich war. Er aber steigerte den Effekt bis ins Extrem, indem er die beiden Ruhephasen um zwölf Stunden auseinanderriss, um möglichst lange durch Grenzland zwischen Wachen und Schlaf zu wandeln. Viele Dichter haben bezeugt, dass ihre Arbeit in einem traumartigen Zustand, oft in den Morgenstunden unmittelbar nach dem Erwachen, entstand. Kafka jedoch besaß die Gabe, auch seine Leser in diese Zwischenwelt von Traum und Wirklichkeit zu entführen.

Deshalb wird sein Werk bis heute auf der ganzen Welt gelesen, deshalb fasziniert es Frauen und Männer aller Kulturen: Kafka beschreibt innere Regungen unverfälscht so, wie jeder Mensch sie aus seinem nächtlichen Erleben kennt. Er versucht nicht zu ergründen, woher diese Sehnsüchte und Ängste kommen, er führt sie uns lediglich wie im Traum bildhaft vor Augen: Da steht ein Mann vor Gericht und erfährt nie, welchen Vergehens er eigentlich angeklagt wird; da verwendet ein anderer all seine Kraft darauf, um in ein geheimnisvolles Schloss einzudringen, doch aus immer neuen Gründen scheitern sämtliche Versuche, sich seinem Ziel auch nur zu nähern. Wer wüsste nicht sofort, was gemeint ist? Weil Kafka wie nur wenige Künstler die universelle Logik der Träume verstand, spricht er uns im Innersten an.

*

Nicht ein einziges Mal jedoch hat Kafka versucht, einen seiner Träume zu deuten. Das ist erstaunlich, denn Sigmund Freud und seine brandneue Psychoanalyse waren damals in aller Munde. An den Tischen der Prager Kaffeehäuser, in denen Kafka ein- und ausging, redeten die Intellektuellen von Traumzensur, Ödipuskomplex und Inzesttabu wie über das Wetter. Er aber, der seine Träume ungleich genauer erforschte als die meisten seiner Zeitgenossen, blieb skeptisch. Kafka bezweifelte, ob das Übersetzen der Traumbilder in die abstrakte Sprache der Psychologie echte Erkenntnisse verspricht. Über Freuds Lehre schreibt er: »Psychologie ist Lesen einer Spiegelschrift, also mühevoll, und was das immer stimmende Resultat betrifft, ergebnisreich, aber wirklich geschehn ist nichts.« Wenn man sich anstrengt, lässt sich immer irgendein Muster erkennen. Aber was man sieht, ist beliebig und deswegen ohne Belang.

Wer deutet, distanziert sich von seinem Erleben. Denn Deuten heißt, seine Empfindungen und inneren Bilder in das Korsett der Sprache zu pressen. Einstein versuchte, dies zu vermeiden, weil er meinte, Worte würden die Entfaltung seiner Ideen behindern; Kafka verweigerte sich der Deutung aus einem ähnlichen Grund: Durch sie geht die Direktheit, mit der ein Geschehen uns anspricht, verloren. Denn in Bildern und Gefühlen, wie wir sie träumen, dämmern Gedanken auf, die noch nicht in Worte gekleidet – oder verkleidet? – sind. Unser Denken ist großenteils Traumdenken: Zu Recht war Kafka überzeugt, dass Träume keiner psychologischen Übersetzung bedürfen, weil sie die Sprache der Seele *sind*.

Für ihn gab es zwischen Traumwelt und Wachwelt gar keine feste Grenze: Jede ist auf ihre Weise wirklich, und man kann spielerisch die Seite wechseln. Als er einmal seinen Freund Max Brod besuchte, störte Kafka dessen im Wohnzimmer dösenden Vater. Am Sofa vorbeischleichend, flüsterte er dem Halberwachten zu: »Bitte betrachten Sie mich als einen Traum.«

Epilog

Vom Wert der Träume

> Es gibt Räume in uns. Die
> meisten haben wir noch nicht
> besucht. Vergessene Räume.
> Von Zeit zu Zeit können wir
> den Zugang finden. Wir ent-
> decken seltsame Dinge ... alte
> Schallplatten, Bilder, Bücher ...
> sie gehören zu uns, aber wir
> sehen sie zum ersten Mal.
>
> *Haruki Murakami*

Träume verändern die Welt. Der vielleicht berühmteste Traum aller Zeiten markiert die Geburtsstunde des christlichen Abendlandes. Vor der Entscheidungsschlacht um die Herrschaft im Römischen Reich soll Kaiser Konstantin im Schlaf ein Kreuz gesehen haben; eine Stimme sprach die Worte »In diesem Zeichen wirst Du siegen«. Konstantin hieß seine Soldaten ihre Schilder mit einem Kreuz bemalen und siegte.

Ob die Begebenheit, wie sie der römische Geschichtsschreiber Lactantius überliefert, sich wirklich so zugetragen hat oder ins Reich der Legende gehört, wissen wir nicht. Aber darauf kommt es auch nicht an. Entscheidend ist, dass Konstantin einen Traum zur Begründung seiner epochalen Entscheidung anführte, denn seinen Zeitgenossen leuchtete die Bedeutung einer nächtlichen Vision unbedingt ein. So bestimmt ein Traum, den es vielleicht nie gab, seit zwei Jahrtausenden das Leben von Milliarden Menschen.

Der Traum hingegen, den Otto von Bismarck am 18. Dezember 1881 Kaiser Wilhelm I. in einem Brief anvertraute, dürfte authentisch sein. Bismarck schilderte darin, wie er sich eines Nachts im Frühjahr 1863 einen schmalen Bergpfad entlangreiten sah. Zwischen einer Felswand und einem Abgrund ergriff ihn Furcht, doch als er mit seiner Gerte auf den Felsen schlug, zerbrach dieser. Eine Heeresstraße erschien, auf der preußische Truppen marschierten. Dieser Traum ermutigte Bismarck zu der folgenreichen Entscheidung, den Angriff auf Österreich vorzubereiten, der letztlich zur Gründung des Deutschen Reichs führte.

Und schließlich nahm die Befreiung großer Teile Asiens und beinahe ganz Afrikas ihren Ausgang in einem Traum. Eines Morgens, im Moment des Erwachens, so schreibt Mohandas K. Gandhi in seiner Autobiographie, habe ihn plötzlich der Gedanke ereilt, dass ganz Indien sich erheben und die erzwungene Zusammenarbeit mit den Engländern aufkündigen könne. Die gewaltfreien Massenstreiks im Jahr 1919 brachten die Wende im Kampf um die Unabhängigkeit des Subkontinents. Gandhi wurde im Lauf der Ereignisse zum Mahatma, und nach dem Vorbild der Inder begannen die Völker von Indochina bis zum Kap der Guten Hoffnung gegen die Kolonialherrschaft aufzubegehren.

*

Der Schlaf hat viel mehr Macht über uns Menschen, als wir ihm zubilligen wollen. Wir haben uns daran gewöhnt, an eine Hierarchie der Bewusstseinszustände zu glauben. Wenn wir wach und voller Aufmerksamkeit sind, fühlen wir uns im Vollbesitz unserer geistigen Kräfte und glauben, die Realität so zu erfahren, wie sie ist. Den Schlaf hingegen halten wir für einen untergeordneten Zustand, in dem wir bestenfalls eingeschränkt funktionieren, eine leider nötige Zeitverschwendung. Wer aber nur im wachen Leben das wahre Leben sieht, dem sind Träume suspekt: Er muss sie entweder für ein Zerrbild der Wirklichkeit halten, oder ihnen alle Bedeutung absprechen. So sah es auch die Wissenschaft bis vor wenigen Jahren.

Doch aus den neuen Erkenntnissen, die ich in diesem Buch beschrieben habe, ergibt sich ein anderes Bild: Es ist eine Illusion anzunehmen, dass wir unsere Einfälle, Erinnerungen und Wahrnehmungen allein den Stunden des Tages verdanken. Der Schlaf ist keine Ruhepause, sondern eine Folge von sehr unterschiedlichen Zuständen, in denen das Gehirn die Spuren der Vergangenheit ordnet, sich auf kommende Aufgaben vorbereitet, Erkenntnis gewinnt. Ohne die Möglichkeit zu träumen könnten wir nicht existieren.

Nur Computer können ständig online sein, weil sie stur einen Befehl nach dem anderen abarbeiten. Die Programme sind starr und strikt von den Daten getrennt. Im Gehirn dagegen ist alles in Bewegung und fast alles mit allem verbunden. Die Neuronen zum Beispiel, mit denen wir hören und sehen, bilden zugleich das Gedächtnis. Neue Eindrücke können jede Routine unterbrechen und sie verändern. So vermag das Gehirn sich selbst zu programmieren; genau das geschieht, wenn wir lernen. Doch dazu muss die Außenwelt immer wieder außen vor bleiben. Denn im Dauerfeuer äußerer Wahrnehmungen kann sich das Gehirn nicht neu organisieren. Schon nach zwei schlaflosen Nächten erscheint die Welt als Chaos.

Menschen sind anpassungsfähig und kreativ, weil wir, anders als Computer, eine Innenwelt haben: Wir machen uns

Vorstellungen davon, wie wir selbst und unsere Umgebung funktionieren. Aus all diesen inneren Bildern, Gedanken und Gefühlen erschaffen wir uns eine Theorie der Welt. Wir brauchen sie, um unsere Sinneseindrücke zu interpretieren. Hätten wir keine Innenwelt, könnten wir uns in der Außenwelt nicht zurechtfinden.

Diese Innenwelt ist eine Simulation. Sie entsteht größtenteils, während wir schlafen. Im Traum erleben wir, wie Erinnerungen angelegt werden und sich miteinander verbinden; wie wir uns neue Fertigkeiten aneignen; wie sich Gefühle verändern. Träume spiegeln also nicht nur die Vergangenheit. In ihnen wetterleuchtet die Zukunft.

*

Künstler, Erfinder und Wissenschaftler haben es immer verstanden, die besondere Kombinationsgabe des schlafenden Gehirns zu nutzen. Aber viel mehr Menschen könnten lernen, ihre »Träume im Wachzustand zu ernten«, wie es Allan Hobson ausgedrückt hat.

Wer Träume ernten will, muss sie erstens wahrnehmen und zweitens ernst nehmen. Das klingt einfach, und das ist es auch. Es gilt nur ein paar Vorurteile abzulegen.

Viele Zeitgenossen unterliegen dem Irrtum, nicht oder nur gelegentlich zu träumen. Doch jeder gesunde Mensch träumt jede Nacht und in allen Schlafphasen; nur bleibt uns der Großteil unserer Erfahrungen nicht im Gedächtnis. Erfreulicherweise kann man aber die Fähigkeit, sich an Träume zu erinnern, trainieren. Erstaunlich viel bewirkt schon das bloße Interesse an ihnen, noch mehr der Vorsatz beim Einschlafen, sich die Geschehnisse der Nacht zu merken. In der Kognitionswissenschaft ist dieses Verfahren als »Priming« bekannt: Das Gedächtnis wird auf ein bestimmtes Ziel programmiert.

Der Moment des Erwachens eröffnet dann ein Fenster, durch das man auf die Erlebnisse im Schlaf zurückblicken kann. Während sich allmählich, im Laufe etwa einer Viertelstunde, das neurochemische Milieu des Wachzustands einstellt, sind einzelne Traumszenen noch präsent. Von ihnen ausgehend kann man sich, die Augen geschlossen, Schritt für Schritt weiter zurück ins Traumgeschehen hangeln. Im Schlaflabor hat sich die Regel bewährt, die Erlebnisse nicht zu bewerten, sondern sich lediglich an das zu erinnern, was war. Viele Menschen finden es hilfreich, anschließend ein paar Stichworte zu notieren.

*

Der zweite Schritt ist, den Traum ernst zu nehmen. Genau das leistet die traditionelle Traumdeutung nicht. Sie hängt der Vorstellung an, der Traum sei eine verschlüsselte Botschaft, in der sich entweder höhere Mächte oder das eigene Unbewusste ausdrücken. Alle Schulen der Deutung, von der Antike bis zur Psychoanalyse, gehen davon aus, dass die gesehenen Bilder die eigentliche Wahrheit des Traums verstellen. Sie nehmen den Traum so, wie er sich zeigt, also nicht ernst, sondern stülpen ihm ihre Theorien über.

Wir wissen heute, dass Träume weder verschlüsselte Botschaften vermitteln noch sich einer Symbolsprache bedienen. Wenn ihre Bilder rätselhaft erscheinen, liegt es keineswegs daran, dass Mitteilungen unterdrückt oder zensiert werden. Die Merkwürdigkeiten erklären sich vielmehr aus dem veränderten Bewusstseinszustand des Träumenden. Im Schlaf funktioniert das Gehirn anders. Daher wäre es ein Wunder, würden wir im Traum dieselben Erfahrungen wie tagsüber machen.

Viele Träume erschließen sich unmittelbar aus ihrem vorherrschenden Gefühl. Emotionen sind, anders als Bilder oder

Gedanken, elementare Regungen des Gehirns. Daher zeigen sie sich im Schlaf genauso wie im Wachzustand, oft sogar deutlicher. Immer aber dienen sie dazu, Wissen über die Welt zu bewerten: Angst weist auf eine Gefahr hin, Freude auf eine potentiell nützliche Situation.

In traumreichen Schlafphasen sind verstärkt Gehirnzentren aktiv, die den eigenen inneren Zustand analysieren. So werden uns im Traum mitunter Gefühle bewusst, die wir im Alltag kaum wahrnehmen. Dies kann wichtige Entscheidungen auslösen. Genau so erging es einst Bismarck, nachdem er im Traum einen Felsen zersprengte: Der Reichskanzler hatte gezögert, Preußens Soldaten gegen das eigentlich verbündete Habsburgerreich ziehen zu lassen. Doch das Bild der Heerstraße im Gebirge ermutigte ihn. Dabei verstand Bismarck, der sich regelmäßig mit seinen Träumen befasste, die Szene mit den marschierenden Soldaten nicht etwa als Vorzeichen. Entscheidend war vielmehr die emotionale Wirkung des Traums: »Ich erwachte froh und gestärkt aus ihm.«

Träume können den Anstoß geben, die Beziehung zu einem länger nicht gesehenen Menschen zu klären, den Job zu wechseln – oder Schluss mit schädlichen Gewohnheiten zu machen. William Dement, ein amerikanischer Pionier der Schlafforschung, berichtete, wie ihn ein Traumgefühl zum sofortigen Abschied vom Nikotin bewegte. Obwohl ihm als Mediziner die Risiken bewusst waren, pflegte Dement täglich zwei Päckchen Zigaretten zu rauchen – bis ihn ein überaus plastisches Albtraumbild seiner von Krebs befallenen Lunge in Schrecken versetzte.

*

Träume besitzen die Macht, unserem Leben eine neue Wendung zu geben. Denn während wir tagsüber die Aufmerksamkeit auf das Nächstliegende richten, offenbaren sie die Leitmotive unseres Lebens. Als natürliche Psychotherapie helfen sie uns, schmerzhafte Erfahrungen zu verarbeiten. Träume heilen uns, sie inspirieren uns, sie tragen dazu bei, dass wir unser eigenes Innenleben besser verstehen. Und doch wäre es verfehlt, sie in erster Linie unter dem Aspekt ihrer Nützlichkeit zu betrachten.

Das größte Geschenk, das uns der Schlaf macht, ist der Traum selbst: seine Schönheit, sein Witz, sein Einfallsreichtum, auch seine Rätselhaftigkeit und Spannung. Noch verlockender als Träume zu ernten ist es deshalb, sie zu entdecken. Wie Kunstwerke sind Träume Triumphe der menschlichen Vorstellungskraft. Aber sie rühren uns stärker an, sind anregender und unterhaltsamer als die besten Gemälde, Filme oder Romane. Denn alles, was Sie heute Nacht im Schlaf erlebten, entsprang Ihrem eigenen Geist. Sie komponierten Bilder bis in ihre letzten Details, erfanden Geschichten, um sie sich selbst zu erzählen. Sie waren Publikum und Künstler zugleich. Sie schufen ein Drama, dessen Held Sie sind. Sie erfanden ein ganzes Universum und gingen in dieser perfekten Illusion auf.

Unser waches Erleben, das wir so hoch schätzen, gleicht in Wahrheit nur dem Salon einer Villa: ein Zimmer, mit Bedacht eingerichtet und hell beleuchtet, während der Rest des Hauses im Dunkeln liegt. All die Werkstätten und Archive, die Veranden und Gästezimmer kennt der Hausbewohner kaum; weder weiß er, was sich darin befindet, noch sieht er einen Grund, sie je zu betreten. Er hat sich so sehr in seinem Salon eingerichtet, dass er ihn mit dem ganzen Gebäude verwechselt und vergessen hat, wie viel größer sein Haus ist. Allein der Traum bietet uns die Gelegenheit, im Lichtkegel einer Taschenlampe die unentdeckten Räume in uns selbst zu erkunden. Wir sind, was wir träumen.

Literaturverzeichnis

1. Rückkehr in ein vergessenes Land

Bastide, Roger: The Sociology of the Dream a. In: Grunebaum, G. E. (Hrsg.): *The Dream and Human Societies*. Los Angeles: University of California Press, 1966, S. 199–213.

Castle, Robert L. Van De: *Our Dreaming Mind*. 2. Aufl.: Ballantine Books, 1995.

Cheymol, Pierre: *Les empires du rêve*. Paris: José Corti, 1994.

Diamond, Jared: *Vermächtnis: Was wir von traditionellen Gesellschaften lernen können*. 1. Aufl.: Frankfurt am Main: S. Fischer, 2012.

Ekirch, A. Roger: *In der Stunde der Nacht: Eine Geschichte der Dunkelheit*. 1. Aufl.: Bergisch Gladbach: Lübbe, 2006.

Feltham, Owen: *Resolves*. London, 1628.

Hobson, J. Allan; Pace-Schott, Edward F.; Stickgold, Robert: Dreaming and the brain: Toward a cognitive neuroscience of conscious states. In: *Behavioral and brain sciences* Bd. 23 (2000), Nr. 6, S. 793–842.

Kohn, Eduardo: *How Forests Think: Toward an Anthropology Beyond the Human*. 1. Aufl.: University of California: Oakland, 2013.

Landtmann, Gunnar: *The Kiwai Papuans of British New Guinea*. Pp. xxxix. 485. Macmillan & Co.: London, 1927.

Lincoln, Jackson Steward: *The Dream in Native American and Other Primitive Cultures*. Courier Dover Publications: Mineola, 2003.

Lohmann, R: Dreams and Ethnography. In: Barrett, D.; McNamara, P. M. (Hrsg.): *The New Science of Dreaming [3 Bde.]*. 1. Aufl.: Westport: Praeger, 2007.

Nielsen, Tore; Gackenbach, J.: Reality Dreams. In: *Dream Images: A call to mental arms*. Amityville: Baywood Publishing Company, 1991.

Nir, Yuval; Tononi, Giulio: Dreaming and the brain: from phenomenology to neurophysiology. In: *Trends in cognitive sciences* Bd. 14 (2010), Nr. 2, S. 88.

Platon; Apelt, Otto: *Der Staat*. Köln: Anaconda, 2010.

Róheim, Géza: *The gates of the dream*. New York: International Universities Press, 1952.

Shulman, David; Stroumsa, Guy G.: *Dream Cultures: Explorations in the Comparative History of Dreaming*. New York: Oxford University Press, 1999.

Siclari, Francesca; LaRocque, Joshua J.; Postle, Bradley R.; Tononi, Giulio: Assessing sleep consciousness within subjects using a serial awakening paradigm. In: *Frontiers in Consciousness Research* Bd. 4 (2013), S. 542.

Tylor, Edward Burnett: *Primitive Culture: Researches Into the Development of Mythology, Philosophy, Religion, Art, and Custom*. London: J. Murray, 1871.

Wehr, Thomas A.: In short photoperiods, human sleep is biphasic. In: *Journal of sleep research* Bd. 1 (1992), Nr. 2, S. 103–107.

Woods, Ralph Louis: *The world of dreams, an anthology; the mystery, grandeur, terror, meaning and psychology of dreams*. New York: Random House, 1947.

2. Neue Wege in die Innenwelt

Bendor, Daniel; Wilson, Matthew A.: Biasing the content of hippocampal replay during sleep. In: *Nature neuroscience* Bd. 15 (2012), Nr. 10, S. 1439–1444.

Born, Jan; Ufen, Frank: »Wir können den Schlaf nicht kontrollieren«. In: *Der Tagesspiegel Online* (2013).

Dennett, Daniel C.: Are Dreams Experiences? In: *The Philosophical Review* Bd. 85 (1976), Nr. 2, S. 151.

Dresler, Martin; Koch, Stefan P.; Wehrle, Renate; Spoormaker, Victor I.; Holsboer, Florian; Steiger, Axel; Sämann, Philipp G.; Obrig, Hellmuth; Czisch, Michael: Dreamed Movement Elicits Activation in the Sensorimotor Cortex. In: *Current Biology* Bd. 21 (2011), S. 1833–1837.

Freud, Sigmund: *Die Traumdeutung*. 3. Aufl.: Frankfurt am Main: S. Fischer, 1911.

Hobson, J. Allan: *Dreaming: A Very Short Introduction*. New York: Oxford University Press, 2011.

Horikawa, T.; Tamaki, M.; Miyawaki, Y.; Kamitani, Y.: Neural Decoding of Visual Imagery During Sleep. In: *Science* (2013).

Mazzoni, Giuliana; Loftus, Elizabeth F.: Dreaming, believing, and remembering. In: de Rivera, J.; Sarbin, T. R. (Hrsg.): *Believed-in imaginings: The narrative construction of reality. Memory, trauma, dissociation, and hypnosis series.* Washington, D. C., US: American Psychological Association, 1998, S. 145–156.

Mazzoni, Giuliana; Memon, Amina: Imagination can create false autobiographical memories. In: *Psychological Science* Bd. 14 (2003), Nr. 2, S. 186–188.

Murzyn, Eva: Do we only dream in colour? A comparison of reported dream colour in younger and older adults with different experiences of black and white media. In: *Consciousness and Cognition* Bd. 17 (2008), Nr. 4, S. 1228–1237.

Schredl, Michael; Fuchedzhieva, Aylin; Hämig, Heike; Schindele, Verena: Do we think dreams are in black and white due to memory problems? In: *Dreaming* Bd. 18 (2008), Nr. 3, S. 175.

Schwitzgebel, Eric: Why did we think we dreamed in black and white? In: *Studies in History and Philosophy of Science Part A* Bd. 33 (2002), Nr. 4, S. 649–660.

Schwitzgebel, Eric: Do people still report dreaming in black and white? An attempt to replicate a questionnaire from 1942. In: *Perceptual and motor skills* Bd. 96 (2003), Nr. 1, S. 25–29.

Schwitzgebel, Eric; Huang, Changbing; Zhou, Yifeng: Do we dream in color? Cultural variations and skepticism. In: *Dreaming* Bd. 16 (2006), Nr. 1, S. 36–42.

Wade, Kimberley A.; Garry, Maryanne; Read, J. Don; Lindsay, D. Stephen: A picture is worth a thousand lies: Using false photographs to create false childhood memories. In: *Psychonomic Bulletin & Review* Bd. 9 (2002), Nr. 3, S. 597–603.

3. Im Reich des Zwielichts

Alkire, Michael T.; Hudetz, Anthony G.; Tononi, Giulio: Consciousness and anesthesia. In: *Science* Bd. 322 (2008), Nr. 5903, S. 876–880.

Cocude, Marguerite; Denis, Michel: Measuring the temporal characteristics of visual images. In: *Journal of Mental Imagery* Bd. 12 (1988), Nr. 1, S. 89–101.

Domhoff, William G.: The neural substrate for dreaming: Is it a subsystem of the default network? In: *Consciousness and cognition* Bd. 20 (2011), Nr. 4, S. 1163–1174.

Esser, Steve K.; Hill, Sean; Tononi, Giulio: Breakdown of Effective Connectivity During Slow Wave Sleep: Investigating the Mechanism Underlying a Cortical Gate Using Large-Scale Modeling. In: *Journal of Neurophysiology* Bd. 102 (2009), Nr. 4, S. 2096–2111.

Fox, Michael D.; Snyder, Abraham Z.; Vincent, Justin L.; Corbetta, Maurizio; Essen, David C. Van; Raichle, Marcus E.: The human brain is intrinsically organized into dynamic, anticorrelated functional networks. In: *Proceedings of the National Academy of Sciences of the United States of America* Bd. 102 (2005), Nr. 27, S. 9673–9678.

Hurlburt, Russell T.; Heavey, Christopher L.: *Exploring inner experience: The descriptive experience sampling method* Bd. 64. Amsterdam: John Benjamins Publishing, 2006.

Kafka, Franz: *Tagebücher*. Frankfurt am Main: S. Fischer, 1990.

Killingsworth, M. A.; Gilbert, D. T.: A Wandering Mind Is an Unhappy Mind. In: *Science* Bd. 330 (2010), Nr. 6006, S. 932.

Magnin, Michel; Rey, Marc; Bastuji, Helene; Guillemant, Philippe; Mauguiere, François; Garcia-Larrea, Luis: Thalamic deactivation at sleep onset precedes that of the cerebral cortex in humans. In: *Proceedings of the National Academy of Sciences of the United States of America* Bd. 107 (2010), Nr. 8, S. 3829–3833.

Mavromatis, Andreas: *Hypnagogia: The Unique State of Consciousness Between Wakefulness and Sleep*. London: Routledge, 1987.

McKellar, P.; Simpson, L.: Between wakefulness and sleep: hypnagogic imagery. In: *British journal of psychology* (London: 1953) Bd. 45 (1954), Nr. 4, S. 266–276.

Nakano, Tamami et al.: Blink-related momentary activation of the default mode network while viewing videos. In: *Proceedings of the National Academy of Sciences* Bd. 110. 2 (2013), S. 702–706.

Ohayon, Maurice M.: Prevalence of hallucinations and their pathological associations in the general population. In: *Psychiatry Research* Bd. 97 (2000), Nr. 2–3, S. 153–164.

Raichle, Marcus E.: The brain's dark energy. In: *Scientific American* Bd. 302 (2010a), Nr. 3, S. 44–49.

Raichle, Marcus E.: Two views of brain function. In: *Trends in Cognitive Sciences* Bd. 14 (2010b), Nr. 4, S. 180–190.

Snyder, Frederick: The phenomenology of dreaming. In: Madow, L.; Snow, L. H. (Hrsg.): *The Psychodynamic implications of the physiological studies on dreams*. Illinois: Thomas, 1970.

Steriade, Mircea; Jones, Edward G.; Llinás, Rodolfo R.: *Thalamic oscillations and signaling*. Hoboken: John Wiley & Sons, 1990.

4. Die Stufen der Nacht

Aserinsky, Eugene: Memories of famous neuropsychologists. In: *Journal of the History of the Neurosciences* Bd. 5 (1996), Nr. 3, S. 213–227.

Aserinsky, Eugene; Kleitman, Nathaniel: Regularly occurring periods of eye motility, and concomitant phenomena, during sleep. In: *Science* Bd. 118 (1953), Nr. 3062, S. 273–274.

Berger, Hans: Über das Elektroenzephalogramm des Menschen. In: *European Archives of Psychiatry and Clinical Neuroscience* Bd. 87 (1929), Nr. 1, S. 527–570.

Berger, Hans: *Psyche*. Jena: Fischer, 1940.

Borck, Cornelius: *Hirnströme: Eine Kulturgeschichte der Elektroenzephalographie*. Göttingen: Wallstein Verlag, 2005.

Brown, Chip: The Man Who Mistook His Wife For a Deer. In: *New York Times* (2003).

Colrain, Ian M.: The K-complex: a 7-decade history. In: *Sleep* Bd. 28 (2005), Nr. 2, S. 255–273.

Gerhard, U.-J.; Schönberg, A.; Blanz, B.: Hans Berger und die Legende vom Nobelpreis: Ein Beitrag zum 200. Jahrestag der Gründung der Jenaer Psychiatrischen Klinik. In: *Fortschritte der Neurologie, Psychiatrie* Bd. 73 (2005), Nr. 3, S. 156–160.

Gibbs, Frederic: Hans Berger. In: Haymaker, W.; Schiller, F. (Hrsg.): *The founders of neurology: one hundred and forty-six biographical sketches by eighty-eight authors*. Illinois: Thomas, 1970.

Hall, Calvin S.; Van de Castle, Robert L.: The content analysis of dreams. New York: Appleton-Century-Crofts, 1966.

Hobson, John A.: Sleep is of the brain, by the brain and for the brain. In: *Nature* Bd. 437 (2005), Nr. 7063, S. 1254–1256.

Iranzo, Alex; Tolosa, Eduard; Gelpi, Ellen; Molinuevo, José Luis; Valldeoriola, Francesc; Serradell, Mónica; Sanchez-Valle, Raquel; Vilaseca, Isabel; Lomeña, Francisco u. a.: Neurodegenerative disease status and post-mortem pathology in idiopathic rapid-eye-movement sleep behaviour disorder: an observational cohort study. In: *The Lancet Neurology* Bd. 12 (2013), Nr. 5, S. 443–453.

Jouvet, Michel: The states of sleep. In: *Scientific American* (1967).

Krippner, Stanley: Anomalous experiences and dreams. In: McNamara, P. (Hrsg.): *The New Science of Dreaming: Content, Recall, and Personality Correlates*. Westport: Praeger Publishers, 2007, S. 285–306.

Leclair-Visonneau, L.; Oudiette, D.; Gaymard, B.; Leu-Semenescu, S.; Arnulf, I.: Do the eyes scan dream images during rapid eye movement sleep? Evidence from the rapid eye movement sleep behaviour disorder model. In: *Brain* Bd. 133 (2010), Nr. 6, S. 1737–1746.

Loomis, Alfred L.; Harvey, E. Newton; Hobart, Garret: Potential rhythms of the cerebral cortex during sleep. In: *Science* (1935).

Panksepp, Jaak: *Affective neuroscience: The Foundations of Human and Animal Emotions*. New York: Oxford University Press, 1998.

Preuß, Dirk; Hoßfeld, Uwe; Breidbach, Olaf: *Anthropologie nach Haeckel*. Stuttgart: Franz Steiner Verlag, 2006.

Schenck, Carlos H.: *Sleep: A Groundbreaking Guide to the Mysteries, the Problems, and the Solutions*. New York: Avery Trade, 2008.

5. Durch die Augen einer Blinden

Baudelaire, Charles: *Die Blumen des Bösen/Les Fleurs du Mal*. München: Deutscher Taschenbuch Verlag, 1997.

Bértolo, Helder: Visual imagery without visual perception? In: *Psicológica: Revista de metodología y psicología experimental* Bd. 26 (2005), Nr. 1, S. 173–187.

Bértolo, Helder; Paiva, Teresa; Pessoa, Lara; Mestre, Tiago; Marques, Raquel; Santos, Rosa: Visual dream content, graphical representation and EEG alpha activity in congenitally blind subjects. In: *Cognitive Brain Research* Bd. 15 (2003), Nr. 3, S. 277–284.

Borges, Jorge Luis: Die beiden Ritter. In: *Gesammelte Werke, Band 10*. München [u. a.]: Hanser, 2008.

Braun, A. R.; Balkin, T. J.; Wesenten, N. J.; Carson, R. E.; Varga, M.; Baldwin, P.; Selbie, S.; Belenky, G.; Herscovitch, P.: Regional cerebral blood flow throughout the sleep-wake cycle. An H2(15)O PET study. In: *Brain* Bd. 120 (1997), Nr. 7, S. 1173–1197.

Cornoldi, Cesare; Cortesi, Alberto; Preti, Daria: Individual differences in the capacity limitations of visuospatial short-term memory: Research on sighted and totally congenitally blind people. In: *Memory & Cognition* Bd. 19 (1991), Nr. 5, S. 459–468.

Ffytche, Dominic H.; Zeki, Semir: The primary visual cortex, and feedback to it, are not necessary for conscious vision. In: *Brain: a journal of neurology* Bd. 134 (2011), Nr. Pt 1, S. 247–257.

Frith, Chris: *Wie unser Gehirn die Welt erschafft*. Auflage: 2010. Heidelberg: Springer Spektrum, 2010.

Haber, Ralph Norman; Haber, Lyn R.; Levin, Charles A.; Hollyfield, Rebecca: Properties of spatial representations: Data from sighted and blind subjects. In: *Perception & psychophysics* Bd. 54 (1993), Nr. 1, S. 1–13.

Keller, Helen; Holländer, Felix: *Helen Keller: Die Geschichte meines Lebens*. 47. Aufl. Stuttgart: Lutz, 1905.

Kerr, Nancy H.: Mental imagery, dreams, and perception. In: Cavallero, C.; Foulkes, D. (Hrsg.): *Dreaming as cognition*. Hertfordshire: Harvester Wheatsheaf, 1993, S. 18–37.

Kirtley, Donald D.: *The psychology of blindness*. Bd. XV. Oxford: Nelson-Hall, 1975.

Llinás, R. R.; Paré, D.: Of dreaming and wakefulness. In: *Neuroscience* Bd. 44 (1991), Nr. 3, S. 521–535.

Meaidi, Amani; Jennum, Poul; Ptito, Maurice; Kupers, Ron: The sensory construction of dreams and nightmare frequency in congenitally blind and late blind individuals. In: *Sleep Medicine* (2014).

Raichle, Marcus E.: Two views of brain function. In: *Trends in Cognitive Sciences* Bd. 14 (2010), Nr. 4, S. 180–190.

Strauch, Inge; Meier, Barbara: *Den Träumen auf der Spur: Ergebnisse der experimentellen Traumforschung*. Bern: Huber, 1992.

Tononi, Giulio: *Phi: a voyage from the brain to the soul*. New York: Pantheon, 2012.

Vecchi, Tomaso: Visuo-spatial imagery in congenitally totally blind people. In: *Memory* Bd. 6 (1998), Nr. 1, S. 91–102.

Voss, U.; Tuin, I.; Schermelleh-Engel, K.; Hobson, A.: Waking and dreaming: Related but structurally independent. Dream reports of congenitally paraplegic and deaf-mute persons. In: *Consciousness and cognition* Bd. 20 (2011), Nr. 3, S. 673–687.

Zeki, Semir: The visual association cortex. In: *Current opinion in neurobiology* Bd. 3 (1993), Nr. 2, S. 155–159.

6. Die Düfte des Barons d'Hervey

Damasio, Antonio R.: *The feeling of what happens: body and emotion in the making of consciousness*. New York: Harcourt Brace, 1999.

Hassabis, Demis; Maguire, Eleanor A.: Deconstructing episodic memory with construction. In: *Trends in Cognitive Sciences* Bd. 11 (2007), Nr. 7, S. 299–306. – PMID: 17548229.

Hervey de Saint Denys, Leon d': *Les rêves et les moyens de les diriger: observations pratiques*. Paris: Amyot, 1867.

Markowitsch, Hans J.; Welzer, Harald: *Das autobiographische Gedächtnis: Hirnorganische Grundlagen und biosoziale Entwicklung*. 2. Aufl.: Stuttgart: Klett-Cotta, 2006.

Quian Quiroga, R.; Reddy, Leila; Kreiman, Gabriel; Koch, Christof; Fried, Itzhak: Invariant visual representation by single neurons in the human brain. In: *Nature* Bd. 435 (2005), Nr. 7045, S. 1102–1107.

Quian Quiroga, R.: Concept cells: the building blocks of declarative memory functions. In: *Nature Reviews Neuroscience* Bd. 13 (2012), Nr. 8, S. 587–597.

7. Die Elementarteilchen des Ichs

Braun, A. R.; Balkin, T. J.; Wesenten, N. J.; Carson, R. E.; Varga, M.; Baldwin, P.; Selbie, S.; Belenky, G.; Herscovitch, P.: Regional cerebral blood flow throughout the sleep-wake cycle. An H2(15)O PET study. In: *Brain* Bd. 120 (1997), Nr. 7, S. 1173–1197.

Desseilles, Martin; Dang-Vu, Thien Thanh; Sterpenich, Virginie; Schwartz, Sophie: Cognitive and emotional processes during dreaming: A neuroimaging view. In: *Consciousness and Cognition* Bd. 20 (2011), Nr. 4, S. 998–1008.

Hall, Calvin S.; Van de Castle, Robert L.: The content analysis of dreams. New York: Appleton-Century-Crofts, 1966.

Hobson, Allan: A model for madness? In: *Nature* Bd. 430 (2004), Nr. 6995, S. 21.

Hobson, J. A.: REM sleep and dreaming: towards a theory of protoconsciousness. In: *Nature Reviews Neuroscience* Bd. 10 (2009), Nr. 11, S. 803–813.

LaBerge, Stephen: Hellwach im Traum: höchste Bewusstheit in tiefem Schlaf. Paderborn: Junfermann, 1987.

Maquet, Pierre; Ruby, Perrine; Maudoux, Audrey; Albouy, Genevieve; Sterpenich, Virginie; Dang-Vu, Thanh; Desseilles, Martin; Boly, Melanie; Perrin, Fabien u.a.: Human cognition during REM sleep and the activity profile within frontal and parietal cortices: a reappraisal of functional neuroimaging data. In: *Progress in brain research* Bd. 150 (2005), S. 219–595.

Metzinger, Thomas: *Der Ego-Tunnel: eine neue Philosophie des Selbst: von der Hirnforschung zur Bewusstseinsethik*. Berlin: Berlin Verlag, 2009.

Metzinger, Thomas: Why are dreams interesting for philosophers? In: *Frontiers in Psychology* Bd. 4 (2013).

Pascal, Blaise: *Pensées*. Paris: Gallimard, 2004.

Stiles, Percy Goldthwait: *Dreams*. Cambridge: Harvard University Press, 1927.

8. Inseln des Bewusstseins

Antrobus, John; Kondo, Toshiaki; Reinsel, Ruth; Fein, George: Dreaming in the late morning: Summation of REM and diurnal cortical activation. In: *Consciousness and Cognition* Bd. 4 (1995), Nr. 3, S. 275–299.

Damasio, Antonio R: *The feeling of what happens: body and emotion in the making of consciousness*. New York: Harcourt Brace, 1999.

Destexhe, Alain; Hughes, Stuart W.; Rudolph, Michelle; Crunelli, Vincenzo: Are corticothalamic UP states fragments of wakefulness? In: *Trends in neurosciences* Bd. 30 (2007), Nr. 7, S. 334–342.

Domhoff, William G.: Realistic Simulation and Bizarreness in Dream Content. In: Barrett, D.; McNamara, Patrick; McNamara, P. (Hrsg.): *The new science of dreaming*. Westport: Praeger, 2007.

Domhoff, William G.: The neural substrate for dreaming: Is it a subsystem of the default network? In: *Consciousness and cognition* Bd. 20 (2011), Nr. 4, S. 1163–1174.

Edelman, Gerald M.: Naturalizing consciousness: A theoretical framework. In: *Proceedings of the National Academy of Sciences* Bd. 100 (2003), Nr. 9, S. 5520–5524. – PMID: 12702758.

Hobson, J. Allan; Pace-Schott, Edward F.; Stickgold, Robert: Dreaming and the brain: Toward a cognitive neuroscience of conscious states. In: *Behavioral and brain sciences* Bd. 23 (2000), Nr. 6, S. 793–842.

Huber, Reto; Ghilardi, M. Felice; Massimini, Marcello; Tononi, Giulio: Local sleep and learning. In: *Nature* Bd. 430 (2004), Nr. 6995, S. 78–81.

Massimini, M.; Ferrarelli, F.; Murphy, M. J.; Huber, R.; Riedner, B. A.; Casarotto, S.; Tononi, G.: Cortical reactivity and effective connectivity during REM sleep in humans. In: *Cognitive Neuroscience* Bd. 1 (2010), Nr. 3, S. 176–183. – PMID: 20823938.

Massimini, Marcello; Ferrarelli, Fabio; Huber, Reto; Esser, Steve K.; Singh, Harpreet; Tononi, Giulio: Breakdown of cortical effective connectivity during sleep. In: *Science* Bd. 309 (2005), Nr. 5744, S. 2228–2232.

Nir, Yuval; Staba, Richard J.; Andrillon, Thomas; Vyazovskiy, Vladyslav V.; Cirelli, Chiara; Fried, Itzhak; Tononi, Giulio: Regional slow waves and spindles in human sleep. In: *Neuron* Bd. 70 (2011), Nr. 1, S. 153–169.

Nir, Yuval; Tononi, Giulio: Dreaming and the brain: from phenomenology to neurophysiology. In: *Trends in cognitive sciences* Bd. 14 (2010), Nr. 2, S. 88.

Oudiette, Delphine; Dealberto, Marie-José; Uguccioni, Ginevra; Golmard, Jean-Louis; Merino-Andreu, Milagros; Tafti, Mehdi; Garma, Lucile; Schwartz, Sophie; Arnulf, Isabelle: Dreaming without REM sleep. In: *Consciousness and Cognition* Bd. 21 (2012), Nr. 3, S. 1129–1140.

Pace-Schott, E. F.; Solms, M.; Blagrove, M.; Harnad, S. (Hrsg.): *Sleep and Dreaming: Scientific Advances and Reconsiderations*. Cambridge: Cambridge University Press, 2003.

Siclari, Francesca; Bassetti, Claudio; Tononi, Giulio: Conscious experience in sleep and wakefulness. In: *Swiss Archives of Neurology and Psychiatry* Bd. 163 (2012), Nr. 8, S. 273–278.

Siclari, Francesca; LaRocque, Joshua J.; Postle, Bradley R.; Tononi, Giulio: Assessing sleep consciousness within subjects using a serial awakening paradigm. In: *Frontiers in Consciousness Research* Bd. 4 (2013), S. 542.

Solms, Mark: *The Neuropsychology of Dreams: A Clinico-Anatomical Study*. Mahwah: Lawrence Erlbaum, 1997.

Ungaretti, Giuseppe: *Vita d'un uomo. Tutte le poesie a cura di Leone Piccioni*. Mailand: Mondadori, 1970. (Übersetzung des Zitats von Gisbert Haefs.)

Vyazovskiy, Vladyslav V.; Olcese, Umberto; Hanlon, Erin C.; Nir, Yuval; Cirelli, Chiara; Tononi, Giulio: Local sleep in awake rats. In: *Nature* Bd. 472 (2011), Nr. 7344, S. 443–447.

Vyazovskiy, Vladyslav V.; Olcese, Umberto; Lazimy, Yaniv M.; Faraguna, Ugo; Esser, Steve K.; Williams, Justin C.; Cirelli, Chiara; Tononi, Giulio: Cortical Firing and Sleep Homeostasis. In: *Neuron* Bd. 63 (2009), Nr. 6, S. 865–878.

Vyazovskiy, Vladyslav V.; Tobler, Irene: The Temporal Structure of Behaviour and Sleep Homeostasis. In: Gilestro, G. F. (Hrsg.): *PLoS ONE* Bd. 7 (2012), Nr. 12, S. E50677.

9. Ein Mord in Toronto

Altschule, Mark D.: *Origins of concepts in human behavior: social and cultural factors*. Washington; New York: Hemisphere Publishing, 1977.

Bargh, John A.; Schwader, Kay L.; Hailey, Sarah E.; Dyer, Rebecca L.; Boothby, Erica J.: Automaticity in social-cognitive processes. In: *Trends in Cognitive Sciences* Bd. 16 (2012), Nr. 12, S. 593–605.

Bassetti, Claudio; Vella, Silvano; Donati, Filippo; Wielepp, Peter; Weder, Bruno: SPECT during sleepwalking. In: *The Lancet* Bd. 356 (2000), Nr. 9228, S. 484–485.

Beier, Adrian: *Adriani Beieri … Tractatio Juridica De Jure Dormientium: in celeberr. Acad. Jenensi anno MDCLXXII. habita = Vom Recht der Schlafenden*. Halae Magdeburgicae: Hendel, 1726.

Broughton, R.; Billings, R.; Cartwright, R.; Doucette, D.; Edmeads, J.; Edwardh, M.; Ervin, F.; Orchard, B.; Hill, R. u. a.: Homicidal somnambulism: a case report. In: *Sleep* Bd. 17 (1994), Nr. 3, S. 253.

Crick, Francis: *Was die Seele wirklich ist. Die naturwissenschaftliche Erforschung des Bewußtseins*: Rowohlt Tb., 1997.

Freud, Sigmund: Eine Schwierigkeit der Psychoanalyse. In: *Gesammelte Werke, Bd. 12*. 10. Aufl.: Frankfurt am Main: S. Fischer, 1961.

Freud, Sigmund: *Vorlesungen zur Einführung in die Psychoanalyse und Neue Folge*. 5. Aufl.: Frankfurt am Main: S. Fischer, 2007.

Gay, Peter: *Freud. Eine Biographie für unsere Zeit*. Frankfurt am Main: S. Fischer, 1989.

Kandel, Eric: *Das Zeitalter der Erkenntnis: Die Erforschung des Unbewussten in Kunst, Geist und Gehirn von der Wiener Moderne bis heute*. 4. Aufl.: München: Siedler, 2012.

Koch, Christof; Crick, Francis: The zombie within. In: *Nature* Bd. 411 (2001), Nr. 6840, S. 893.

Mahowald, Mark W.; Bornemann, Michel A. Cramer; Schenck, Carlos H.: State dissociation, human behavior, and consciousness. In: *Current topics in medicinal chemistry* Bd. 11 (2011), Nr. 19, S. 2392–2402.

Mahowald, Mark W.; Schenck, Carlos H.; Bornemann, Michel A. Cramer: Sleep-related violence. In: *Current neurology and neuroscience reports* Bd. 5 (2005), Nr. 2, S. 153–158.

Nunberg, Herman; Federn, Ernst: *Protokolle der Wiener Psychoanalytischen Vereinigung*. Frankfurt am Main: S. Fischer, 1976.

Ostorero, Martine: Alain Boureau, Satan hérétique. Naissance de la démonologie dans l'Occident médiéval (1280–1330). In: *Médiévales. Langues, Textes, Histoire* (2005), Nr. 48, S. 165–168.

Schenck, Carlos H.: *Sleep: A Groundbreaking Guide to the Mysteries, the Problems, and the Solutions*. New York: Avery Trade, 2008.

Shneerson, John M.; Ekirch, A. Roger: The Clinical Features of Sleep Violence in Arousal Disorders: A Historical Review. In: *Sleep Medicine Clinics* Bd. 6 (2011), Nr. 4, S. 493–498.

Terzaghi, Michele; Sartori, Ivana; Tassi, Laura; Rustioni, Valter; Proserpio, Paola; Lorusso, Giorgio; Manni, Raffaele; Nobili, Lino: Dissociated local arousal states underlying essential clinical features of non-rapid eye movement arousal parasomnia: an intracerebral stereo-electroencephalographic study. In: *Journal of Sleep Research* Bd. 21 (2012), Nr. 5, S. 502–506.

10. Die Unterströmungen der Seele

Borges, Jorge Luis: *Gesammelte Werke in zwölf Bänden. Band 10: Die Anthologien: Handbuch der fantastischen Zoologie/Das Buch von Himmel und Hölle/Buch der Träume*. München: Hanser, 2008.

Cabeza, Roberto; St Jacques, Peggy: Functional neuroimaging of autobiographical memory. In: *Trends in cognitive sciences* Bd. 11 (2007), Nr. 5, S. 219–227.

Cartwright, Rosalind: *The Twenty-four Hour Mind: The Role of Sleep and Dreaming in Our Emotional Lives*. New York: Oxford University Press, 2010.

Damasio, Antonio R.: *The feeling of what happens: body and emotion in the making of consciousness*. New York: Harcourt Brace, 1999.

Dang Vu, Thien Thanh; Schabus, Manuel; Desseilles, Martin; Schwartz, Sophie; Maquet, Pierre: Neuroimaging of REM sleep and dreaming. In: *The new science of dreaming* (2007).

Ellis, Henry C.; Moore, Brent A.: Mood and Memory. In: Dalgleish, T.;

Power, M. J. (Hrsg.): *Handbook of cognition and emotion*. New York: John Wiley & Sons, 1999, S. 193–210.

Fosse, Roar; Fosse, Magdalena J.; Stickgold, Robert: Response to Schwartz: Dreaming and episodic memory. In: *Trends in Cognitive Sciences* Bd. 7 (2003), Nr. 8, S. 327–328.

Freud, Sigmund: *Die Traumdeutung*. 3. Aufl.: Frankfurt am Main: S. Fischer, 1911.

Hartmann, Ernest; Brezler, Tyler: A systematic change in dreams after 9/11/01. In: *Sleep* Bd. 31 (2008), Nr. 2, S. 213.

De Koninck, Joseph; Brunette, Raymond: Presleep Suggestion Related to a Phobic Object: Successful Manipulation of Reported Dream Affect. In: *The Journal of General Psychology* Bd. 118 (1991), Nr. 3, S. 185–200. – PMID: 1757780.

Moffitt, Alan; Kramer, Milton; Hoffmann, Robert: *The Functions of Dreaming*. Albany: Suny Press, 1993.

Payne, Jessica D.; Kensinger, Elizabeth A.: Sleep leads to changes in the emotional memory trace: evidence from fMRI. In: *Journal of cognitive neuroscience* Bd. 23 (2011), Nr. 6, S. 1285–1297.

Proust, Marcel: *Auf der Suche nach der verlorenen Zeit. Band 1: Unterwegs zu Swann*. 6. Aufl.: Frankfurt am Main: Suhrkamp, 2004.

Punamaki, Raija-Leena: The role of dreams in protecting psychological well-being in traumatic conditions. In: *International Journal of Behavioral Development* Bd. 22 (1998), Nr. 3, S. 559–588.

Schachter, Stanley; Singer, Jerome: Cognitive, social, and physiological determinants of emotional state. In: *Psychological review* Bd. 69 (1962), Nr. 5, S. 379.

Schredl, M.; Hofmann, F.: Continuity between waking activities and dream activities. In: *Consciousness and Cognition* Bd. 12 (2003), Nr. 2, S. 298–308.

Schulkind, Matthew D.; Woldorf, Gillian M.: Emotional organization of autobiographical memory. In: *Memory & cognition* Bd. 33 (2005), Nr. 6, S. 1025–1035.

Sterpenich, Virginie; Albouy, Geneviève; Darsaud, Annabelle; Schmidt, Christina; Vandewalle, Gilles; Vu, Thien Thanh Dang; Desseilles, Martin; Phillips, Christophe; Degueldre, Christian u. a.: Sleep promotes the neural reorganization of remote emotional memory. In: *The Journal of Neuroscience* Bd. 29 (2009), Nr. 16, S. 5143–5152.

Strauch, Inge; Meier, Barbara: *Den Träumen auf der Spur: Ergebnisse der experimentellen Traumforschung*. Bern: Huber, 1992.

Vandekerckhove, Marie; Cluydts, Raymond: The emotional brain and sleep: An intimate relationship. In: *Sleep Medicine Reviews* Bd. 14 (2010), Nr. 4, S. 219–226.

11. Von Spritzen und Bratpfannen

Artemidorus von Daldis: *Das Traumbuch*. Zürich; München: Artemis Verlag, 1979.

Domhoff, G. William: *The Scientific Study of Dreams: Neural Networks, Cognitive Development, and Content Analysis*. 1. Aufl.: American Psychological Association (APA), 2003.

Eissler, K. R.: Preliminary Remarks On Emma Eckstein's Case History. In: *Journal of the American Psychoanalytic Association* Bd. 45 (1997), Nr. 4, S. 1303–1305.

Freud, Sigmund: *Die Traumdeutung*. 3. Aufl.: Frankfurt am Main: S. Fischer, 1911.

Freud, Sigmund: *Briefe an Wilhelm Fliess, 1887–1904*. Frankfurt am Main: S. Fischer, 1986.

Gay, Peter: *Freud. Eine Biographie für unsere Zeit*. Frankfurt am Main: S. Fischer, 1989.

Masson, Jeffrey Moussaieff: *Was hat man dir, du armes Kind, getan? Sigmund Freuds Unterdrückung der Verführungstheorie*. Reinbek bei Hamburg: Rowohlt, 1991.

Schimmel, Annemarie: Ein Traum ist, was wir sahen. In: Benedetti, G.; Hornung, E. (Hrsg.): *Die Wahrheit der Träume*. München: Wilhelm Fink Verlag, 1997.

Schur, Max: Some additional »day residues« of »the specimen dream of psychoanalysis«. In: *Psychoanalysis – A General Psychology* (1966), S. 45–85.

12. Lernen im Schlaf

Brugger, Peter: The phantom limb in dreams. In: *Consciousness and Cognition* Bd. 17 (2008), Nr. 4, S. 1272–1278.

Feld, Gordon; Born, Jan: Sleep EEG Rhythms and System Consolidation of Memory. In: Frank, M. G. (Hrsg.): *Sleep and Brain Activity*. Waltham: Academic Press, 2012.

Freud, Sigmund: *Die Traumdeutung.* 3. Aufl.: Frankfurt am Main: S. Fischer, 1911.

Frost, Robert: *North of Boston*: Project Gutenberg, http://www.gutenberg.org/etext/21437, 1914 (Übersetzung von »After Apple Picking«: S. K.).

Ji, Daoyun; Wilson, Matthew A.: Coordinated memory replay in the visual cortex and hippocampus during sleep. In: *Nature neuroscience* Bd. 10 (2006), Nr. 1, S. 100–107.

De Koninck, Joseph; Christ, G.; Hébert, G.; Rinfret, N.: Language learning efficiency, dreams and REM sleep. In: *Psychiatric Journal of the University of Ottawa* Bd. 15 (1990), Nr. 2, S. 91–92.

Nielsen, Tore A.: Chronobiological features of dream production. In: *Sleep Medicine Reviews* Bd. 8 (2004), Nr. 5, S. 403–424.

Peigneux, Philippe; Laureys, Steven; Perrin, Fabien; Reggers, Jean; Phillips, Christophe; Degueldre, Christian; Del Fiore, Guy; Aerts, Joël; Luxen, André u. a.: Are Spatial Memories Strengthened in the Human Hippocampus during Slow Wave Sleep? In: *Neuron* Bd. 44 (2004), S. 535–545.

Rasch, Björn; Born, Jan: Maintaining memories by reactivation. In: *Current opinion in neurobiology* Bd. 17 (2007), Nr. 6, S. 698–703.

Roffwarg, H. P.; Herman, J. H.; Bowe-Anders, C.; Tauber, E. S.: The effects of sustained alterations of waking visual input on dream content. In: *The mind in sleep* (1978), S. 295–349.

Schonberg, Harold C.: *Horowitz. Ein Leben für die Musik.* München: Knaus, 1992.

Stickgold, Robert; Ellenbogen, Jeffrey M.: Quiet! Sleeping brain at work. In: *Scientific American Mind* Bd. 19 (2008), Nr. 4, S. 22–29.

Stickgold, Robert; Hobson, J. Allen; Fosse, Roar; Fosse, Magdalena: Sleep, learning, and dreams: off-line memory reprocessing. In: *Science* Bd. 294 (2001), Nr. 5544, S. 1052–1057.

Stickgold, Robert; Malia, April; Maguire, Denise; Roddenberry, David; O'Connor, Margaret: Replaying the game: hypnagogic images in normals and amnesics. In: *Science* Bd. 290 (2000), Nr. 5490, S. 350–353.

Tononi, Giulio; Cirelli, Chiara: Perchance to Prune. In: *Scientific American Magazine* Bd. 309 (2013), Nr. 2, S. 34–39.

Vertes, Robert P.: Memory consolidation in sleep: dream or reality. In: *Neuron* Bd. 44 (2004), Nr. 1, S. 135–148.

Walker, Matthew P.: The Role of Sleep in Cognition and Emotion. In:

Annals of the New York Academy of Sciences Bd. 1156 (2009), Nr. 1, S. 168–197.

Walker, Matthew P.; Liston, Conor; Hobson, J. Allan; Stickgold, Robert: Cognitive flexibility across the sleep-wake cycle: REM-sleep enhancement of anagram problem solving. In: *Cognitive Brain Research* Bd. 14 (2002), Nr. 3, S. 317–324.

Wamsley, Erin J.; Stickgold, Robert: Memory, sleep and dreaming: Experiencing consolidation. In: *Sleep medicine clinics* Bd. 6 (2011), Nr. 1, S. 97.

Wamsley, Erin J.; Tucker, Matthew; Payne, Jessica D.; Benavides, Joseph A.; Stickgold, Robert: Dreaming of a Learning Task Is Associated with Enhanced Sleep-Dependent Memory Consolidation. In: *Current Biology* Bd. 20 (2010), Nr. 9, S. 850–855.

Wilson, Matthew A.; McNaughton, Bruce L.: Reactivation of hippocampal ensemble memories during sleep. In: *Science* Bd. 265 (1994), Nr. 5172, S. 676–679.

13. Dämon auf der Brust

Antonovsky, Aaron: Health, stress, and coping: New perspectives on mental and physical well-being. San Fransisco (1979).

Breslau, N.; Kessler, R. C.; Chilcoat, H. D.; Schultz, L. R.; Davis, G. C.; Andreski, P.: Trauma and posttraumatic stress disorder in the community: The 1996 detroit area survey of trauma. In: *Archives of General Psychiatry* Bd. 55 (1998), Nr. 7, S. 626–632.

Cartwright, Rosalind: *The Twenty-four Hour Mind: The Role of Sleep and Dreaming in Our Emotional Lives.* Oxford: Oxford University Press, 2010.

Cartwright, Rosalind; Young, Michael A.; Mercer, Patricia; Bears, Michael: Role of REM sleep and dream variables in the prediction of remission from depression. In: *Psychiatry Research* Bd. 80 (1998), Nr. 3, S. 249–255.

Girard, T. A.; Cheyne, J. A.: Spatial characteristics of hallucinations associated with sleep paralysis. In: *Cognitive neuropsychiatry* Bd. 9 (2004), Nr. 4, S. 281–300.

Groch, S.; Wilhelm, I.; Diekelmann, S.; Born, J.: The role of REM sleep in the processing of emotional memories: Evidence from behavior and event-related potentials. In: *Neurobiology of Learning and Memory* Bd. 99 (2013), S. 1–9.

Hartmann, Ernest: *Dreams and Nightmares*. New York: Basic Books, 2007.

Van der Helm, Els; Walker, Matthew P.: Overnight Therapy? The Role of Sleep in Emotional Brain Processing. In: *Psychological bulletin* Bd. 135 (2009), Nr. 5, S. 731–748.

Van der Helm, Els; Yao, Justin; Dutt, Shubir; Rao, Vikram; Saletin, Jared M.; Walker, Matthew P.: REM Sleep Depotentiates Amygdala Activity to Previous Emotional Experiences. In: *Current Biology* Bd. 21 (2011), Nr. 23, S. 2029–2032.

Kaminer, Hanna; Lavie, Peretz: Sleep and Dreaming in Holocaust Survivors Dramatic Decrease in Dream Recall in Well-Adjusted Survivors. In: *The Journal of nervous and mental disease* Bd. 179 (1991), Nr. 11, S. 664–669.

Kershaw, Sarah: Following a Script to Escape a Nightmare. In: *The New York Times* (2010).

Kessler, R. C.; Sonnega, A.; Bromet, E.; Hughes, M.; Nelson, C. B.: Posttraumatic stress disorder in the National Comorbidity Survey. In: *Archives of general psychiatry* Bd. 52 (1995), Nr. 12, S. 1048–1060. – PMID: 7492257.

Klein, Stefan: *Die Glücksformel. Oder Wie die guten Gefühle entstehen.* 12. Aufl.: Reinbek: Rowohlt, 2002.

Köhler, Johann August Ernst: *Sagenbuch des Erzgebirges*. Hildesheim; New York: Olms, 1978.

Krakow, B.; Hollifield, M.; Johnston, L.; Koss, M.; Schrader, R.; Warner, T. D.; Tandberg, D.; Lauriello, J.; McBride, L. u. a.: Imagery rehearsal therapy for chronic nightmares in sexual assault survivors with posttraumatic stress disorder: a randomized controlled trial. In: *JAMA: the Journal of the American Medical Association* Bd. 286 (2001), Nr. 5, S. 537–545.

Lavie, Peretz: *Die wundersame Welt des Schlafes: Entdeckungen, Träume, Phänomene*. Berlin: Links, 1997.

Matthiesen, Stephan; Rosenzweig, Rainer: *Von Sinnen – Traum und Trance, Rausch und Rage aus Sicht der Hirnforschung*. Paderborn: mentis, 2007.

McNally, Richard J.: Are We Winning the War Against Posttraumatic Stress Disorder? In: *Science* Bd. 336 (2012), Nr. 6083, S. 872–874.

Pace-Schott, Edward F.; Milad, Mohammed R.; Orr, Scott P.; Rauch, Scott L.; Stickgold, Robert; Pitman, Roger K.: Sleep Promotes Generalization of Extinction of Conditioned Fear. In: *Sleep* Bd. 32 (2009), Nr. 1, S. 19–26.

Ross, Richard; Ball, William; Sullivan, Kenneth; Caroff, Stanley: Sleep disturbance as the hallmark of posttraumatic stress disorder. In: *Am J Psychiatry* Bd. 146 (1989), Nr. 6, S. 697–707.

Schredl, Michael: Behandlung von Alpträumen. In: *Praxis der Kinderpsychologie und Kinderpsychiatrie* Bd. 55 (2006), Nr. 2, S. 132–140, URL http://psydok.sulb.uni-saarland.de/volltexte/2013/4647/.

Spoormaker, V. I.; Sturm, A.; Andrade, K. C.; Schröter, M. S.; Goya-Maldonado, R.; Holsboer, F.; Wetter, T. C.; Sämann, P. G.; Czisch, M.: The neural correlates and temporal sequence of the relationship between shock exposure, disturbed sleep and impaired consolidation of fear extinction. In: *Journal of Psychiatric Research* Bd. 44 (2010), Nr. 16, S. 1121–1128.

Spoormaker, Victor I.; Schredl, Michael; Bout, Jan van den: Nightmares: from anxiety symptom to sleep disorder. In: *Sleep Medicine Reviews* Bd. 10 (2006), Nr. 1, S. 19–31.

Sterpenich, Virginie; Albouy, Geneviève; Boly, Mélanie; Vandewalle, Gilles; Darsaud, Annabelle; Balteau, Evelyne; Dang-Vu, Thien Thanh; Desseilles, Martin; D'Argembeau, Arnaud u. a.: Sleep-related hippocampo-cortical interplay during emotional memory recollection. In: *PLoS biology* Bd. 5 (2007), Nr. 11, S. e282.

Takeuchi, Tomoka: Laboratory-Documented Hallucination During Sleep-Onset REM Period in a Normal Subject. In: *Perceptual and Motor Skills* Bd. 78 (1994), Nr. 3, S. 979–985.

Talamini, Lucia M.; Bringmann, Laura F.; de Boer, Marieke; Hofman, Winni F.: Sleeping Worries Away or Worrying Away Sleep? Physiological Evidence on Sleep-Emotion Interactions. In: Gilestro, G. F. (Hrsg.): *PLoS ONE* Bd. 8 (2013), Nr. 5, S. e62480.

Vogel, G. W.; Vogel, F.; McAbee, R. S.; Thurmond, A. J.: Improvement of depression by REM sleep deprivation: New findings and a theory. In: *Archives of General Psychiatry* Bd. 37 (1980), Nr. 3, S. 247–253.

Walker, Matthew P.: The Role of Sleep in Cognition and Emotion. In: *Annals of the New York Academy of Sciences* Bd. 1156 (2009), Nr. 1, S. 168–197.

Wittmann, L.: PTSD: Posttraumatic sleep disorder? In: *Sleep and Hypnosis* Bd. 9 (2007), Nr. 1, S. 1–4.

14. Die Kunst des Klartraums

Anonymus: *L' art de se rendre heureux par les songes, c'est à dire en se pro-*
curant telle espèce de songes que l'on puisse désirer conformément à ses in-
clinations. Paris, 1746.

Arnold-Forster, Mary Lucy: *Studies in dreams.* New York: Macmillan,
1921.

Dresler, Martin; Koch, Stefan P.; Wehrle, Renate; Spoormaker, Victor I.; Holsboer, Florian; Steiger, Axel; Sämann, Philipp G.; Obrig,
Hellmuth; Czisch, Michael: Dreamed Movement Elicits Activation in the Sensorimotor Cortex. In: *Current Biology* Bd. 21 (2011),
S. 1833–1837.

Dresler, Martin; Wehrle, Renate; Spoormaker, Victor I.; Koch, Stefan P.;
Holsboer, Florian; Steiger, Axel; Obrig, Hellmuth; Sämann, Phi-
lipp G.; Czisch, Michael: Neural Correlates of Dream Lucidity Ob-
tained from Contrasting Lucid versus Non-Lucid REM Sleep: A
Combined EEG/fMRI Case Study. In: *Sleep* Bd. 35 (2012), Nr. 7,
S. 1017–1020. – PMID: 22754049, PMCID: PMC3369221.

Van Eeden, Frederik: A study of dreams. In: *Proceedings of the Society for*
Psychical Research. Bd. 26, 1913, S. 431–461.

Erlacher, Daniel; Schredl, Michael: Cardiovascular responses to
dreamed physical exercise during REM lucid dreaming. In: *Dream-*
ing Bd. 18 (2008), Nr. 2, S. 112.

Erlacher, Daniel; Schredl, Michael: Practicing a motor task in a lucid
dream enhances subsequent performance: A pilot study. In: *Sport*
Psychologist Bd. 24 (2010), Nr. 2, S. 157–167.

Erlacher, Daniel; Stumbrys, Tadas; Schredl, Michael: Frequency of
lucid dreams and lucid dream practice in German athletes. In: *Ima-*
gination, Cognition and Personality Bd. 31 (2011), Nr. 3, S. 237–246.

Feynman, Richard P.: *»Surely you're joking, Mr Feynman!«: adventures of*
a curious character. New York: W. W. Norton, 1985.

Fox, Oliver (Alias Hugh Callaway): *Astral projection: a record of out-of-*
the-body experiences. New York: University Books, 1962.

Hearne, Keith M. T.: *Lucid dreams: an elecro-physiological and psychologi-*
cal study. Liverpool: Liverpool University Press, 1978.

Hervey de Saint Denys, Leon d': *Les rêves et les moyens de les diriger:*
observations pratiques. Paris: Amyot, 1867.

LaBerge, Stephen; Dement, William: Voluntary control of respiration
during REM sleep. In: *Sleep Research* Bd. 11, S. 107.

LaBerge, Stephen P.; Nagel, Lynn E.; Dement, William C.; Zarcone Jr., Vincent P.: Lucid dreaming verified by volitional communication during Rem sleep. In: *Perceptual and motor skills* Bd. 52 (1981), Nr. 3, S. 727–732.

Paul, Jean: *Museum*. Berlin: Hempel, 1879.

Spoormaker, Victor I.; van den Bout, Jan: Lucid Dreaming Treatment for Nightmares: A Pilot Study. In: *Psychotherapy and Psychosomatics* Bd. 75 (2006), Nr. 6, S. 389–394.

Stumbrys, Tadas; Erlacher, Daniel; Schädlich, Melanie; Schredl, Michael: Induction of lucid dreams: A systematic review of evidence. In: *Consciousness and Cognition* Bd. 21 (2012), Nr. 3, S. 1456–1475.

Tholey, Paul: *Schöpferisch träumen*. Niedernhausen/Ts., 1987.

Voss, Ursula; Holzmann, Romain; Hobson, Allan; Paulus, Walter; Koppehele-Gossel, Judith; Klimke, Ansgar; Nitsche, Michael A.: Induction of self awareness in dreams through frontal low current stimulation of gamma activity. In: *Nature Neuroscience* (2014).

Voss, Ursula; Holzmann, Romain; Tuin, Inka; Hobson, J. Allan: Lucid Dreaming: A State of Consciousness with Features of Both Waking and Non-Lucid Dreaming. In: *Sleep* Bd. 32 (2009), Nr. 9, S. 1191–1200.

Voss, Ursula; Schermelleh-Engel, Karin; Windt, Jennifer; Frenzel, Clemens; Hobson, Allan: Measuring consciousness in dreams: The lucidity and consciousness in dreams scale. In: *Consciousness and Cognition* Bd. 22 (2013), Nr. 1, S. 8–21.

Wangyal, Tenzin: *The Tibetan yogas of dream and sleep*. Ithaca: Snow Lion Publications, 1998.

Windt, Jennifer Michelle; Metzinger, Thomas: The philosophy of dreaming and self-consciousness: what happens to the experiential subject during the dream state? In: Barrett, D.; McNamara, P. (Hrsg.): *The New Science of Dreaming*. Westport: Praeger Publishers, 2007.

15. Franz K. und der Windhundesel

Cai, D. J.; Mednick, S. A.; Harrison, E. M.; Kanady, J. C.; Mednick, S. C.: Rem, not incubation, improves creativity by priming associative networks. In: *Proceedings of the National Academy of Sciences* Bd. 106 (2009), Nr. 25, S. 10130–10134.

Dalí, Salvador: *50 Magische Geheimnisse*. Köln: DuMont Buchverlag, 1986.

Draper, Thomas Waln-Morgan: *The Bemis history and genealogy: being an account, in greater part of the descendants of Joseph Bemis of Watertown, Massachusetts*. Kessinger Pub., 1900 URL http://www.archive.org/stream/bemishistorygene00drap/bemishistorygene00drap_djvu.txt.

Ellenbogen, Jeffrey M.; Hu, Peter T.; Payne, Jessica D.; Titone, Debra; Walker, Matthew P.: Human relational memory requires time and sleep. In: *Proceedings of the National Academy of Sciences* Bd. 104 (2007), Nr. 18, S. 7723–7728.

Engel, Manfred: Literarische Träume und traumhaftes Schreiben bei Franz Kafka. In: Dieterle, B. (Hrsg.): *Träumungen*. Remscheid: Gardez, 1998.

Epler, Percy H.: Elias Howe, Jr., Inventor of the Sewing Machine. In: *Cambridge Historical Society* Bd. 14 (1919), S. 122–139.

Gauss, Carl Friedrich: *Briefwechsel (Digitale Edition)*. URL http://gauss.gwi.uni-muenchen.de/.

Hadamard, Jacques: *An Essay on the Psychology of Invention in the Mathematical Field*. Mineola: Dover Publications, 1945.

Hobson, J. Allan; Wohl, Hellmut: *From angels to neurons: art and the new science of dreaming*. Fidenza: Mattioli, 2005.

Inglis, Brian: *The power of dreams*. London: Grafton Books, 1987.

Kafka, Franz: *Tagebücher*. Frankfurt am Main: S. Fischer, 1990.

Kafka, Franz: *Das vierte Oktavheft*: Digitale Ausgabe, http://www.gutenberg.spiegel.de/buch/164/5.

Kedrov, B. M.: On the Question of the Psychology of Scientific Creativity: On the Occasion of the Discovery by D. I. Mendelev of the Periodic Law. In: *Russian Social Science Review* Bd. 8 (1967), Nr. 2, S. 26–45.

Kosslyn, Stephen Michael: *Image and brain: the resolution of the imagery debate*. Cambridge, Mass.: MIT Press, 1996.

Mavromatis, Andreas: *Hypnagogia: The Unique State of Consciousness Between Wakefulness and Sleep*. London: Routledge, 1987.

Stach, Reiner: *Kafka – Die Jahre der Entscheidungen*. 2. Aufl. Frankfurt am Main: Fischer Taschenbuch Verlag, 2008.

Voss, Ursula; Holzmann, Romain; Tuin, Inka; Hobson, J. Allan: Lucid Dreaming: A State of Consciousness with Features of Both Waking and Non-Lucid Dreaming. In: *Sleep* Bd. 32 (2009), Nr. 9, S. 1191–1200.

Wagner, U.; Gais, S.; Haider, H.; Verleger, R.; Born, J.: Sleep inspires insight. In: *Nature* Bd. 427 (2004), Nr. 6972, S. 352–355.

Epilog

Bismarck, Otto: *Gedanken und Erinnerungen*. Stuttgart: Cotta, 1898.

Dang-Vu, Thien Thanh; Schabus, Manuel; Desseilles, Martin; Albouy, Genevieve; Boly, Melanie; Darsaud, Annabelle; Gais, Steffen; Rauchs, Geraldine; Sterpenich, Virginie u.a.: Spontaneous neural activity during human slow wave sleep. In: *Proceedings of the National Academy of Sciences of the United States of America* Bd. 105 (2008), Nr. 39, S. 15160–15165.

Desseilles, Martin; Dang-Vu, Thien Thanh; Sterpenich, Virginie; Schwartz, Sophie: Cognitive and emotional processes during dreaming: A neuroimaging view. In: *Consciousness and Cognition* Bd. 20 (2011), Nr. 4, S. 998–1008.

Gandhi, Mohandas Karamchand: *Eine Autobiographie oder die Geschichte meiner Experimente mit der Wahrheit*. Gladenbach: Hinder + Deelmann, 1995.

Hill, Clara E.; Knox, Sarah: The Use Of Dreams In Modern Psychotherapy. In: *International Review of Neurobiology* Bd. 92: Elsevier, 2010, S. 291–317.

Dank

Ich danke den Wissenschaftlern und Traumexperten, die mich in oft langen Diskussionen angeregt, mir mit wertvollen Hinweisen weitergeholfen und mir Nächte in ihrem Schlaflabor ermöglicht haben: Alexander Borbély, Peter Brugger, Vincenzo Crunelli, Heidi Danker-Hopfe, Christoph Grassman, Marie-Luise Hansen, Allan Hobson, Albrecht Hirschmüller, Isabella Heuser, Reto Huber, Clare Johnson, Christof Koch, Michel Magnin, Stephan Matthiesen, Thomas Metzinger, Teresa Paiva, Björn Rasch, Cornelia Sauter, Michael Schredl, Mark Solms, Reiner Stach, Jennifer Windt und Lutz Wittmann. Béa Beste, Kirsten Brodde, Stephen Cave, Clare Johnson, Thomas de Padova, Volker Foertsch, Wolfgang Schneider und Reiner Stach lasen Teile des Manuskripts und halfen mir mit ihrer Kritik sehr, es zu verbessern. Marie-Luise Hansen und Thomas Metzinger nahmen sogar die Mühe auf sich, den gesamten Text gegenzulesen und mich auf Ungenauigkeiten aufmerksam zu machen: Ihnen allen sei herzlich gedankt. Sämtliche Fehler, die geblieben sein mögen, sind selbstredend meine. Matthias Landwehr als Agent und Peter Sillem im Verlag haben auch dieses Buch mit mir auf den Weg gebracht; Nina Sillem war mit ihrem Engagement und Einfallsreichtum in jedem Sinn die Lektorin meiner Träume. Ihr und der ganzen Mannschaft des S. Fischer Verlages danke ich für die gemeinsame Arbeit, die eine Freude war. Ganz besonders fühle ich mich meiner geliebten Frau und Kollegin Alexandra Rigos verpflichtet. Sie wird ihre Worte, Gedanken und Träume überall wiederfinden: Dieses Buch erzählt auch von unserer gemeinsamen Entdeckung der Nacht.

Bildnachweise

S. 27 Paul Delvaux, L'Ecole des Savants, Photo © museum moderner kunst stiftung ludwig wien/© VG Bild Kunst, Bonn

S. 35 Yukiyasu Kamitani, Kyoto

S. 44 Peter Palm, Berlin

S. 55 picture alliance/ASSOCIATED PRESS

S. 62 Peter Palm, Berlin

S. 65 ullstein bild – The Granger Collection

S. 77 Bértolo, Helder; Paiva, Teresa et al.: Visual dream content, graphical representation and EEG alpha activity in congenitally blind subjects. In: Cognitive Brain Research Bd. 15 (2003), Nr. 3, S. 277–284

S. 81 © Ronald Rensink, Vancouver

S. 92 Léon d'Hervey de Saint-Denys, Les rêves et les moyens de les diriger. Observations pratiques. Amyot: Paris 1867 (Frontispiz)

S. 106 Percy G. Stiles, Dreams. Harvard University Press: Cambridge 1927, S. 49

S. 226 Archiv S. Fischer, Frankfurt am Main

Der Autor und der S. Fischer Verlag danken allen Rechteinhabern für die freundliche Abdruckgenehmigung. Sollten darüber hinaus noch Rechtsansprüche bestehen, so bitten wir die Inhaber der Rechte, ihre Rechtsansprüche dem Verlag mitzuteilen.

Register

Stefan Klein
Der Sinn des Gebens
Warum Selbstlosigkeit in der Evolution siegt und
wir mit Egoismus nicht weiterkommen

Band 17860

Den Egoisten gehört die Welt? Von wegen! Neueste wissenschaftliche Befunde beweisen das Gegenteil. Der Bestseller-
autor Stefan Klein zeigt so anschaulich wie fundiert, warum
selbstlose Menschen zufriedener, erfolgreicher und gesünder
sind – und länger leben! Ein Buch, das unser Denken und
Handeln grundsätzlich verändern wird.

»Stefan Klein schreibt wie kaum ein deutscher
Wissenschaftsjournalist: einladend locker,
aber nie seicht.«
Denis Scheck, ARD

»Einer der besten Sachbuchautoren,
die wir zur Zeit haben.«
Hamburger Abendblatt

Das gesamte Programm gibt es unter
www.fischerverlage.de

Stefan Klein
Da Vincis Vermächtnis
oder Wie Leonardo die Welt neu erfand
Band 17880

Wie kann ein und derselbe Mann das Lächeln der Mona Lisa erschaffen, den Blutfluss im menschlichen Herzen studieren und funktionsfähige Flugmaschinen bauen? Wie schafft es ein Künstler der Renaissance, Stadtpläne wie aus Satellitenperspektive zu zeichnen, nach denen man sich noch heute orientieren kann? Wie kann der Dandy und Visionär aus dem Dorf Vinci Vegetarier und Pazifist sein – und gleichzeitig im Dienste blutrünstiger Tyrannen Massenvernichtungswaffen entwickeln? Stefan Klein unternimmt eine faszinierende Zeitreise in die Welt des Jahrtausendgenies Leonardo. Er sieht dem Erfinder, Wissenschaftler und Wegbereiter einer neuen Welt bei der Arbeit zu. Und zeigt uns, was wir für uns von ihm lernen können.

»Ein Buch für alle, die die Welt um sich herum mit Leonardos Hilfe besser sehen und verstehen wollen.«
Deutschlandradio

Fischer Taschenbuch Verlag